*A ceux qui font le vin et
à leurs complices qui le dégustent.*

Du même auteur
aux éditions Julliard :

Les Grands Vins de France
Le Champagne (à paraître)

L'auteur et l'éditeur
remercient
les propriétaires,
les régisseurs
et les maîtres de chai
pour leur indispensable
collaboration.
Sans leur obligeant
concours cette
Encyclopédie des crus
classés du Bordelais
n'aurait pu voir le jour.

Michel Dovaz

Encyclopédie

des crus classés

du Bordelais

JULLIARD

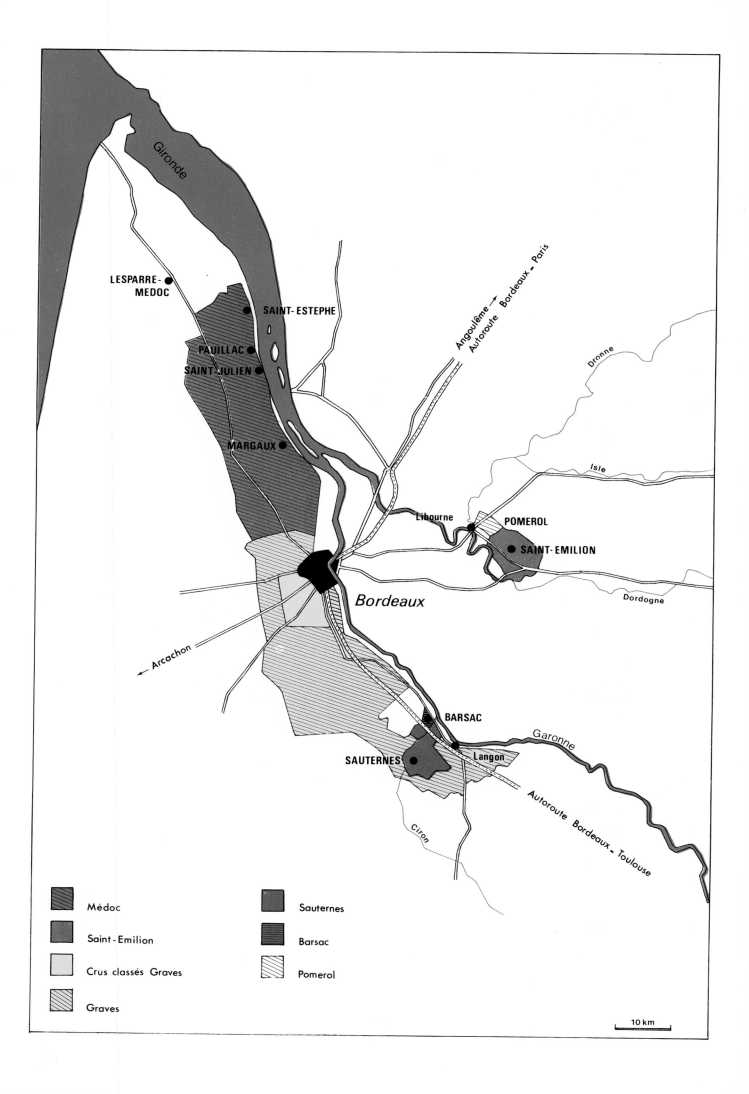

Gironde

LESPARRE-MEDOC

SAINT-ESTEPHE

PAUILLAC

SAINT-JULIEN

MARGAUX

Angoulême → Bordeaux - Paris
Autoroute Bordeaux - Paris

Dronne

Isle

Libourne

POMEROL
SAINT-EMILION

Bordeaux

Dordogne

← Arcachon

BARSAC

Garonne

Langon

SAUTERNES

Ciron

Autoroute Bordeaux - Toulouse

Médoc

Saint-Emilion

Crus classés Graves

Graves

Sauternes

Barsac

Pomerol

10 km

PRÉSENTATION

Au cours des trente dernières années, l'œnologie a connu un développement sans précédent ; des expériences de plus en plus précises, nombreuses et rigoureuses, ont permis de mieux cerner les relations complexes et subtiles du vin avec le terroir dont il est issu, avec les divers cépages, avec les techniques de vinification et d'élevage. Rassembler les données souvent éparses de ces études, dresser à l'intention de l'amateur comme des professionnels non spécialisés dans le domaine bordelais ce que l'on pourrait appeler le « patrimoine génétique » de chaque cru, tel est l'objectif premier de cette

Encyclopédie des crus classés du Bordelais.

Nous nous sommes efforcés de l'atteindre dans un esprit d'objectivité et d'exhaustivité. Tous les crus classés — mais eux seuls — figurent sans exception dans ce livre, l'auteur s'étant interdit d'opérer une quelconque sélection. Tous les crus ont été traités sur un pied d'égalité selon la même méthode et dans les mêmes formes, en proscrivant toute appréciation subjective ou tout jugement de valeur qui ne saurait être étayé sur les découvertes de l'œnologie moderne.

Grâce au concours actif des professionnels, il nous a été possible de réunir, pour la première fois, de façon systématique les données sur la géologie, la culture, l'encépagement, la vinification et l'élevage de tous les crus classés bordelais.

Clé de lecture des fiches techniques

Géologie

Dans un climat propice à la culture de la vigne, compte tenu du cépage, le type de sol est déterminant. Un volume entier serait nécessaire pour définir le climat. La région la plus ensoleillée n'est pas la meilleure. Néanmoins, tous les grands millésimes bordelais sont tributaires d'un ensoleillement supérieur à la moyenne bordelaise. L'origine géologique et géographique fournit des indications sur la formation des sols et sur leurs qualités potentielles. Pour simplifier à l'extrême, disons que l'argile — les terres fortes — apporte la puissance, le sable la légèreté et que les graves, selon leur composition, autorisent d'heureux équilibres. Le sous-sol est également important. Pour assurer un bon drainage — car les racines des vignes de qualité ne supportent pas l'excès d'humidité —, des systèmes de drainage artificiel sont établis dans de nombreux vignobles. D'autre part, c'est dans le sous-sol que l'humidité connaît un taux régularisé utile en année sèche comme en année humide.

On comprendra donc aisément que des sous-sols de graves profondes (10 à 15 mètres) sont les meilleurs, ainsi que ceux composés de calcaires fissurés, de calcaires à astéries, de blocs de rochers entre lesquels les racines peuvent se glisser.

■ Culture

Engrais

Les meilleures vignes poussent dans des terres pauvres. Mais des terres trop pauvres sont impropres à toute culture. L'art du viticulteur consiste à savoir maintenir le sol entre l'excès de pauvreté et la trop grande richesse. Il doit compenser — uniquement et seulement — ce que la plante a puisé dans la terre. Un usage immodéré d'engrais chimiques ou organiques se traduit toujours par des augmentations de rendement au préjudice de la qualité.

Taille

La taille a pour but de domestiquer la vigne, de limiter les rendements et de permettre un développement harmonieux de la plante. Elle dépend de la vigueur de la vigne, de la variété du cépage, des options prises par le viticulteur et de ses projets culturaux. Elle fait l'objet d'une réglementation officielle qui a entériné les habitudes locales.
Sauf exception, ce sera la Guyot double dans le Médoc, la Guyot simple dans le Saint-Émilionnais, ainsi que pour le cépage blanc Sauvignon, et la taille à Cot pour le Sémillon.
Le but est d'obtenir un ensoleillement maximum des feuilles, une aération des grappes et de faciliter l'application des divers traitements (voir ci-dessous) indispensables à la bonne croissance de la vigne.

Densité à l'hectare

La tendance générale de nombreux viticulteurs est à la taille Guyot simple et à la diminution du nombre de ceps à l'hectare, ce qui entraîne un abaissement des frais culturaux. La densité de ceps fut supérieure à 10 000 pieds à l'hectare autrefois ; elle oscille entre 5 000 et 10 000 pieds à l'hectare actuellement. Il est évident qu'à rendement à l'hectare égal, le rendement par pied augmente sensiblement.
Il n'existe pas de formule universelle. La richesse du sol, sa nature, la hauteur des vignes, l'orientation des règes (rangs de vigne) entrent en ligne de compte. La mécanisation des cultures et des vendanges intervient également. Des essais dans des vignobles modèles sont en cours. D'ores et déjà on peut affirmer que l'on ne pourra pas abaisser inconsidérément la densité des plants à l'hectare sans nuire à la qualité du vin.

Traitements

La culture de la vigne impose divers traitements chimiques par aspersion. C'est dans ce domaine que la viticulture bénéficie le plus indiscutablement des progrès des techniques contemporaines. Les traitements autorisent non seulement des productions plus régulières mais également la croissance de raisins plus sains, gages de qualité. Ces traitements sont classiques et nous n'avons signalé que celui concernant la lutte contre la pourriture : le traitement antibotrytis. Il s'applique — depuis une dizaine d'années — particulièrement au Merlot, dont la peau fine est très sensible aux attaques de la pourriture. Il est clair que la proportion de vin issu de Merlot dans un assemblage ne sera pas la même en année humide si un Château adopte ou non le traitement antibotrytis. C'est pourquoi nous avons choisi de donner cette information (qualité et spécificité des cépages, voir ci-dessous).

Age du vignoble et replantation

Une relation directe s'établit entre l'âge du vignoble et la qualité du vin produit. Plus l'âge est grand, meilleur est le vin. Cela est si indiscutable que les vins issus des très jeunes vignes (quatre ans et moins) n'ont pas droit à l'appellation d'origine contrôlée. Lorsqu'on recherche la haute qualité, on attend que les ceps atteignent l'âge de huit ou dix ans pour incorporer leurs raisins aux cuves de grand vin.
Malheureusement, plus une vigne est vieille moins elle produit. Ici encore le viticulteur recherche un compromis entre le maximum de qualité possible et les conditions du marché. Lorsque la vigne atteint quarante ou cinquante ans, elle est arrachée et les surfaces de replantation sont déterminées en fonction de la surface totale du vignoble et du plan général de replantation selon l'âge moyen recherché, étant entendu qu'un roulement sur cinquante ans donne un âge moyen d'environ vingt-cinq ans.
Quelques vignobles usent du meilleur procédé de replantation (théoriquement du moins) : la complantation, c'est-à-dire le remplacement individuel des ceps morts ou hors d'état de produire (voir Château Latour et Mouton Rothschild, par exemple). Seuls quelques châteaux prestigieux exploitent cette technique.

Cépages

Si les conditions locales (sol et climat) sont de grande importance, la variété des cépages est essentielle, la couleur et le type de vin possible en dépendent. Voici les capacités potentielles de chacun d'entre eux (les abréviations sont celles portées sur les fiches techniques).

Cabernet Sauvignon (CS) : cépage rouge, bon pouvoir colorant, tannique ; vin charpenté de bonne garde ; a besoin de soleil pour son plein mûrissement ; peau épaisse.

Cabernet Franc (CF) : cépage rouge, cousin du précédent ; vin moins charpenté, grande finesse.

Merlot (M) : cépage rouge ; donne de la souplesse, de la rondeur, de la chair ; très peu d'acidité et bon rendement ; peau fine sensible à l'humidité.

Petit Verdot : cépage rouge très tardif ; donne de l'acidité lorsqu'il n'est pas très mûr (ce qui arrive) ; très sucré, il a un bon pouvoir colorant dans les beaux millésimes.

Malbec (Pressac) : cépage rouge en régression ; n'atteint pas la qualité des trois premiers nommés.

Carmenère : cépage rouge de qualité mais abâtardi ; ne participe à aucun cru classé ; est en cours de régénération par voie de sélection.

Sémillon (Sé) : cépage blanc ; faible pouvoir aromatique dans les vins jeunes ; donne sucre et acidité ; commence à s'exprimer après trois ans de bouteille ; accepte bien la pourriture noble.

Sauvignon (Sau) : cépage blanc ; fin et aromatique ; en progression dans l'élaboration des vins secs ; moins apte à l'exploitation du *botrytis cinerea;*

Muscadelle (Mu) : cépage blanc peu répandu ; fragile, délicat, « musqué », souvent malade mais de qualité.

Rappelons pour mémoire que les vins de Bordeaux sont des vins d'assemblage, c'est-à-dire que chaque cépage est vendangé et vinifié séparément et que les vins des divers cépages sont sélectionnés et réunis avant le printemps en fonction des choix opérés par le maître de chai, l'œnologue, le propriétaire, le régisseur, etc.

Porte-greffes

Depuis le phylloxera (1860-1880), toutes les vignes de qualité sont greffées sur des porte-greffes résistant au désastreux puceron. Ces porte-greffes sont divers et doivent être adaptés au terrain (nature chimique du sol et humidité), ainsi qu'au greffon. Le choix du porte-greffe est important, il conditionne la croissance de la vigne, le rendement à l'hectare, la teneur en sucre, etc.

Les principaux porte-greffes sont :

Riparia Gloire : pour terre moyennement calcaire, petit rendement ; très bon porte-greffe en usage depuis longtemps.

101-14 : pour terrain moyennement calcaire ; ne supporte pas la sécheresse.

3309 : pour terrain quelque peu calcaire silico-argileux ; porte-greffe de qualité.

420 A : pour terrain relativement calcaire, racines profondes pouvant lutter contre la sécheresse ; bon rendement.

SO 4 : pour terrain relativement calcaire ; bien adapté à l'humidité ; très à la mode il y a quelques années ; souvent considéré comme trop vigoureux pour les vignobles de qualité.

41 B : spécialement adapté aux terrains calcaires ; résiste bien à l'acidité du sol ; porte-greffe antichlorosant aux racines profondes ne craignant pas la sécheresse.

Rendement à l'hectare

En fonction du choix et de la conduite des divers éléments décrits ci-dessus, le rendement à l'hectare est plus ou moins élevé. Chaque année, sur proposition des comités interprofessionnels, le rendement de base est modifié suivant les possibilités culturales. Il peut être augmenté ou diminué. La plupart des grands crus n'atteignent pas le rendement maximum autorisé. Néanmoins, il y a lieu de remarquer que depuis un siècle ou un siècle et demi les rendements ont doublé (mais les procédés culturaux et les traitements sauvent beaucoup de raisins).

Existe-t-il une relation entre le rendement et la qualité ? Certainement, mais cette relation n'a pas de valeur absolue. 1975 (ou 1929) est un très grand millésime relativement abondant, alors qu'en 1957 la récolte fut infime en quantité et faible en qualité. Néanmoins les très grosses récoltes — 1973, par exemple — peuvent être à l'origine de vins agréables mais jamais extraordinaires. On se contentera de signaler que le plus beau millésime de ces dernières années, 1961, fut aussi le plus avare...

■ Vinification

Rappelons-en brièvement les étapes, dont le détail figure ci-dessous : le raisin (rouge) peut être foulé, éraflé, puis il est introduit dans la cuve (cuvaison, fermentation). C'est alors que le moût se transforme en vin. Il est logé en barriques (élevage), puis collé, éventuellement filtré et mis en bouteilles. (Vin de presse voir plus bas, p. 11).

Les vins blancs (Bordelais) sont issus de raisins blancs. Les raisins sont pressurés (après foulage et égouttage possibles) et le moût fermente sans contact avec les rafles. Le vin est alors élevé en cuves ou en barriques.

Éraflage (vin rouge)

L'éraflage (ou égrappage) est l'opération qui consiste à séparer les rafles (grappes qui n'ont plus de raisins) des baies avant la cuvaison. Elle est généralement associée au foulage et s'effectue dans le même appareil : un fouloir-érafloir. Tous les vins du Médoc proviennent de vendanges éraflées, nous avons donc supprimé cette question que nous avons maintenue pour les Saint-Émilion. Les avantages que l'on attribue à l'éraflage sont les suivants : recherche de la souplesse et élimination de goûts végétaux éventuels ; corollairement, les vins « non éraflés » sont souvent plus charpentés, plus présents, mais évoluent plus lentement et présentent moins d'agrément que dans leur jeunesse. L'expérience montre que le taux de tannin (indice de permanganate) augmente d'environ 30 % lorsqu'on n'érafle pas.

Une évolution se dessine et il est possible que l'éraflage total cède la place à un éraflage partiel et modulé selon les caractéristiques de chaque millésime. Il faut tenir compte de l'évolution des rafles au moment des vendanges. L'inestimable Château Pétrus, par exemple, n'est que partiellement éraflé.

Temps de cuvaison (vin rouge)

On appelle cuvaison la macération des raisins (éraflés ou pas, foulés ou pas) dans leur propre jus. C'est dans la cuve que le moût se transforme en vin à la suite de la dégradation du sucre en alcool. Cette fermentation alcoolique se prolonge de trois à huit jours environ, mais la cuvaison est généralement prolongée au-delà de la période des fermentations.

Ici encore le vinificateur a la possibilité de choisir le type de vin qu'il veut produire car les durées des cuvaisons sont très variables, entre une semaine (ou quelques jours) et un mois. Après avoir été trop écourtée, la durée des cuvaisons augmente quelque peu. Des cuvaisons trop courtes sont à l'origine de vins légers et souples que l'on peut boire rapidement mais dont l'évolution bénéfique (donc la garde) est faible sinon inexistante. Il est connu que plus l'on cuve, plus l'indice de permanganate (taux de tannin) et l'intensité colorante augmentent (l'indice de permanganate double après une vingtaine de jours). Dans ce cas encore chaque millésime pose un nouveau problème et les exceptions confirment la règle (voir Château Haut-Brion, l'année 1926, par exemple).

Chaptalisation

On peut enfin aborder ce problème avec franchise et en parler ouvertement. TOUS les crus classés usent, lorsque cela est nécessaire, du procédé du sucrage des moûts — à une exception près : Château d'Yquem (mais certaines années, il n'y a pas de Château d'Yquem). Le cas des vins liquoreux est très particulier. Les conséquences de la chaptalisation sont obligatoirement différentes selon chaque type de vin. Il n'y a pas lieu ici de se livrer à une étude détaillée des vinifications. Il conviendrait également d'évoquer l'acidification, la désacidification, le tannissage, etc. Toutes ces pratiques sont autorisées mais réglementées.

La chaptalisation a pour but de « remonter » de 0 à 2 degrés la teneur alcoolique du vin (admise légalement pour peu qu'elle ne dépasse pas cette limite). Il s'ensuit un renforcement de l'impression de corpulence et de rondeur à la dégustation. Ce vin gagne en robustesse et peut affronter les transports et les mauvaises conditions de garde qu'il pourrait être appelé à subir. Ce que le vin gagne en solidité, il le perd en finesse, voire en équilibre. Si l'on définit le vin de qualité par l'harmonie et la finesse, le prix de la robustesse est élevé. Heureusement la chaptalisation est mesurée, les grands millésimes en sont exempts. Il serait fâcheux que la consommation à l'étranger de vins souvent locaux que nous baptiserons « exotiques » abâtardisse le goût du consommateur par une accoutumance à de forts degrés alcooliques, obligeant ainsi les producteurs de vins fins à des pratiques qui vont à l'encontre de la recherche de la qualité.

Température des fermentations

La transformation du sucre en alcool provoque un dégagement calorique. Or un excès de chaleur (36 degrés environ) tue les levures et interrompt la fermentation. Il convient donc, par divers moyens, de refroidir le moût et de réguler la température. A la lecture des fiches techniques on verra que le vinificateur choisit une température entre 25 et 34 degrés (dans la masse, pas trop loin du chapeau, car la température s'abaisse au fond de la cuve).
Si l'on veut favoriser les arômes et le fruité, on choisira une température basse — cas des vins à consommer assez rapidement — ; si l'on veut élaborer un grand vin de garde, on favorisera les extractions par une élévation de la température (vin blanc, voir p. 12). On sait aujourd'hui qu'il existe une relation étroite entre l'indice de permanganate (taux de tannin), le taux des composés phénoliques dissous, l'indice d'intensité colorante et la température.

Vin de presse

Le vin de goutte est celui qui s'écoule (écoulage) de la cuve de fermentation ; le vin de presse est obtenu par pressurage des marcs après que ceux-ci ont été extraits des cuves de fermentation (15 % du vin total). On pratique plusieurs pressurages, la première presse (ou première pressée) est la meilleure.
Le vin de presse ressemble au vin de goutte comme une caricature à son modèle. Tous les caractères en sont plus accusés (sauf le degré alcoolique qui est moindre) et il contient près de deux fois plus de tannin, ce qui le rend imbuvable mais offre de grandes ressources au vinificateur. « C'est un condiment », dit d'une façon imagée Francis Dewavrin, copropriétaire et administrateur du Château La Mission Haut-Brion. Le vin de presse apporte couleur, tannin, charpente au vin de goutte qui a l'apanage de la finesse. La quantité de vin de presse jointe au « grand vin » (vin de goutte) détermine le type final du vin produit (avec les assemblages). Le maître de chai, le régisseur, le propriétaire et l'œnologue en sont responsables.

Barriques et temps de séjour

Tous les vins rouges et nombre de vins blancs sont élevés en barriques. Deux facteurs interviennent : l'âge de la barrique et la durée de séjour du vin dans le bois, ainsi que la qualité et la provenance du bois. La barrique apporte au vin des tannins ainsi que des goûts boisés et vanillés. Une barrique neuve peut donner jusqu'à 200 mg de tannin par litre de vin en une année. Évidemment, les barriques s'épuisent progressivement et l'on considère qu'après deux années (le temps de séjour d'un grand vin) leur efficacité est très diminuée et qu'après trois ou quatre ans leur action est nulle.
D'une façon générale, la barrique neuve est bénéfique. Néanmoins, rien ne prouve que l'amélioration de la qualité du vin soit proportionnelle à la durée de séjour dans le bois neuf. Trop de goût boisé, trop de tannin peuvent nuire à l'harmonie d'un vin, d'autant que certains de ses composants ne supporteraient pas une trop longue garde. En conclusion, une fois encore, le vinificateur dispose d'un paramètre modulable en fonction des capacités du millésime et du type de vin souhaité.

Collage

Un vin de qualité est obligatoirement limpide. La vue l'impose et le palais l'exige car les éléments en suspension nuisent à la dégustation. Le vin se clarifie spontanément par sédimentation naturelle sous l'influence de la pesanteur (surtout en barrique, car la hauteur de vin est faible). Chaque soutirage permet l'élimination du dépôt ; or le vin est soutiré quatre fois par an. Il est alors clair mais il est possible que des particules colloïdales le troublent ultérieurement. C'est pourquoi, avant la mise en bouteilles, on procède au collage du vin. Par coagulation, puis floculation, les éléments en suspension contenus dans le vin se déposent au fond du fût. La limpidité du vin est ainsi stabilisée. Le produit le plus employé est l'albumine d'œuf (blanc d'œuf frais, congelé ou en poudre). Autres colles : gélatine, poudre de sang et bentonite (colle minérale à base d'argile en poudre).

Filtration

C'est l'opération finale avant la mise en bouteilles. Elle consiste à faire passer le vin à travers des plaques (autrefois d'amiante, aujourd'hui cellulosiques), dont la porosité est signalée par un numéro, le numéro 3 s'appliquant à une plaque lâche et le numéro 10 à une plaque très serrée. La filtration est plus ou moins poussée suivant le type des plaques filtrantes traversées (leur numéro) et la pression exercée. Lorsque la filtration est dite « sur terre », le vin passe à travers une épaisseur de terre d'infusoires.

Le principal avantage de la filtration est la rétention des ferments qui pourraient subsister dans le vin. Pour être réellement efficace, il conviendrait que l'on usât de plaques stériles puis d'une chaîne d'embouteillage stérile, ce qui peut présenter un intérêt dans le cas des vins liquoreux (à cause du sucre fermentiscible). Certains viticulteurs soutiennent que ces manipulations sont inutiles, fatiguent le vin et le dépouillent quand la filtration est sévère, donc efficace. D'autres soutiennent l'inverse (se reporter aux chapitres Cos d'Estournel et Haut-Brion). Enfin, beaucoup d'entre eux n'exécutent qu'une simple « filtration de propreté ».

■ Quelques cas particuliers — Vins blancs

Vins blancs secs

Température des fermentations
Si elle excède 20-22°, le vin perd une partie de sa qualité. Il est donc très important de la maîtriser, soit par des systèmes de refroidissement efficaces, soit en logeant le moût dans des barriques car la fermentation est calme en petit volume. Contrairement au vin rouge (de toute région) et au vin blanc de Bourgogne, la fermentation malolactique, transformation de l'acide malique en acide lactique, n'est pas souhaitée. Cela implique, entre autres, un débourbage soigneux et rapide dès la fin des fermentations.

Passage au froid (sec et liquoreux)
Ce traitement a pour but de précipiter et de faciliter l'élimination des cristaux de bitartrate de potassium. Ces cristaux, insolubles une fois formés, peuvent, si le vin ne subit pas ce traitement, se déposer au fond de la bouteille. Leur présence n'altère en rien la qualité du vin.
Les crus classés Graves blancs offrent la plus grande diversité, tant sur le plan de l'encépagement que sur celui de la vinification. Les relations entre les conditions de leur production et le vin obtenu sont particulièrement frappantes et étroites.

Vins blancs liquoreux
Les raisins ne sont pas tous atteints en même temps par le *botrytis cinerea* (pourriture noble). Rappelons pour mémoire que les vins liquoreux proviennent de vendanges de baies de raisins atteints d'une moisissure spéciale qui, bien que « mangeant » du sucre, accroît le taux de sucre des moûts (par concentration) et opère une profonde transformation chimique des baies. Aussi faut-il cueillir les raisins ni trop tôt ni trop tard ; on est donc obligé de vendanger en plusieurs passages dans le vignoble. A chaque passage, ne seront ramassés que les grappes et fragments de grappes dans l'état dit « plein pourri ». Le soin apporté à la vendange contribue fortement à la qualité du vin. J'en donnerai pour illustration les cuvées spéciales (voir Château Coutet et Château d'Arche) issues de tris encore plus sévères.

Équilibre
Les vins liquoreux contiennent du sucre et de l'alcool. L'alcool est mesuré en degrés alors que la quantité de sucre s'exprime soit en grammes soit en alcool potentiel, c'est-à-dire le nombre de degrés alcooliques que produirait ce sucre s'il fermentait. Sachant que 17 grammes de sucre produisent un degré d'alcool (dans un litre), l'équilibre alcool-sucre d'un vin liquoreux s'exprime, par exemple, soit par la formule 14° + 4 soit par 14° + 68 grammes de sucre (toujours par litre).
Le même moût de 18° potentiels (14 + 4) aurait pu, selon les désirs du vinificateur, produire un vin différent dont le rapport sucre-alcool aurait été 13 + 5 (85 g/l de sucre) ou 15 + 3 (51 g/l de sucre).
Il est évident que si le degré alcoolique croît, la quantité de sucre résiduel diminue, et vice versa. Le rapport sucre-alcool est déterminé par le moment choisi pour interrompre les fermentations. Plus on attend, plus le degré alcoolique s'élève ; jusqu'au niveau de 15 degrés environ, où l'alcool tue les levures, aidé par la botryticine produite par le *botrytis cinerea,* et la fermentation s'arrête quelle que soit la quantité du sucre résiduel. Cet arrêt spontané des fermentations est idéal. Historiquement, les vins liquoreux sont nés de cette façon. Seuls les moûts riches suivent cette voie. Dans tous les autres cas les fermentations sont interrompues artificiellement au moment choisi par le vinificateur. Cette opération s'appelle le mutage, généralement provoqué par sulfitage : les levures sont tuées par l'anhydride sulfureux.

■ Plan de situation

Pour la première fois le plan de situation des vignobles des crus classés bordelais fait l'objet d'une publication systématique, à l'exception de 70 grands crus classés Saint-Émilion sommairement décrits p. 274. Ces plans ont pour but de situer les vignobles et ils n'ont pas la prétention de tendre à la précision d'un véritable cadastre viticole. Nous remercions tous les propriétaires — sans aucune exception — qui nous ont permis d'établir cette cartographie du vignoble.

■ Cotations commentées

Ce sont des dégustations verticales des divers millésimes de ces vingt dernières années. On appelle dégustation verticale la confrontation de divers millésimes d'un même cru, par opposition à la dégustation horizontale de différents crus d'un même millésime. En l'occurrence, les comparaisons ne concernent qu'un cru par rapport à lui-même dans différents millésimes. Pour simplifier la lecture, nous avons adopté une cotation numérique de 1 à 10. Il convient d'insister sur ce point pour éviter toute erreur de lecture : *chaque cotation ne concerne que le cru dont il est question et toute comparaison numérique entre les crus* (horizontale) *est dépourvue de signification.*

La longévité probable de chaque millésime de chaque cru est indiquée. Celle-ci peut varier selon les conditions de garde. Nous les avons considérées comme normales, c'est-à-dire comme celles offertes par une bonne cave, à température relativement constante, si possible aux environs de 11 ou 12 degrés. Chaque cru, chaque millésime évolue différemment. Cette évolution dépend de la constitution générale du vin et en particulier des composés phénoliques, notamment les tannins.

■ Le plat idéal

Cette rubrique dépasse le caractère anecdotique qu'on pourrait lui attribuer. Le choix du plat idéal peut souvent, mieux qu'un long commentaire, définir le vin auquel il s'adapte. Dans la plupart des cas, ce plat est celui choisi par le créateur du vin lorsqu'il veut se faire plaisir et flatter tout autant le mets que la bouteille.

■ Les classements

Le classement de 1855

C'est le plus connu. Il concerne le Médoc et les Sauternes-Barsac ainsi que le Graves Haut-Brion. Il a été proposé par le syndicat des courtiers en vins de Bordeaux qui n'a fait qu'entériner la moyenne des cours que les courtiers syndiqués avaient établis pour leur usage personnel lors de leurs achats de vin dans les divers Châteaux. Le classement de 1855 représente donc la hiérarchie des prix de vente atteints par les vins des Châteaux médocains et sauternais dans les années précédant 1855. Cette hiérarchie fixe cinq classes dans le Médoc et deux dans les Sauternes-Barsac.

Le classement de 1973

Ce classement ne concerne que les premiers crus du Médoc. Il a permis à Philippe de Rothschild de hisser Château Mouton Rothschild au rang de « premier » , rang que les courtiers lui avaient reconnu de longue date. Les premiers crus de 1855 ont tout naturellement retrouvé leur place dans le classement de 1973.

Le classement des Saint-Émilion

A la suite des décrets de 1955 et 1958, la proposition de classement formulée par le syndicat de défense de l'appellation « Saint-Émilion » et recommandée par l'I.N.A.O. a été homologuée.

Ce classement établit une hiérarchie ainsi conçue :

2 premiers grands crus « A » ;
10 premiers grands crus « B » ;
64 grands crus classés.

En outre, la révision décennale de ce classement a été admise. La première révision n'a pas modifié la catégorie des premiers grands crus. Par contre le nombre des grands crus a été porté à 70, 72 si l'on compte les quatre demi-propriétés. La deuxième révision en cours apportera, paraît-il, une simplification du classement.

Le classement des Graves

Sur proposition du syndicat de défense de l'appellation « Graves » et selon les recommandations formulées par l'I.N.A.O., le ministre de l'Agriculture a classé par décrets en 1953 et 1959 quinze Châteaux producteurs soit de vin rouge, soit de vin blanc, soit des deux. A l'inverse des précédents, ce classement exclut toute hiérarchie interne. Il n'est pas prévu de révision cyclique de ce classement mais certains projets à l'étude laissent supposer des évolutions possibles.

Pomerol

En dépit de diverses tentatives, dont une pendant la guerre, les vins de Pomerol ne peuvent se prévaloir d'un classement officiel. Fidèle à notre règle nous interdisant toute sélection, et pour nous conformer au titre de cette *Encyclopédie des crus classés du Bordelais,* ils ne figurent pas dans ce volume, à l'exception du Château Pétrus, actuellement « premier des premiers », si l'on s'en réfère aux cotations du marché. Comment faire autrement puisqu'il fait cause commune avec les autres premiers crus classés ?

Symboles et abréviations

Code des cartes

□ Vignes du château

▣ Vignes

⊡ Bois

▤ Marais

▬ Ligne de chemin de fer

Abréviations des cépages

Sau. Sauvignon

M. Merlot

C.F. Cabernet Franc

C.S. Cabernet Sauvignon

Sé. Sémillon

Mu. Muscadelle

NORMES DE PRODUCTION

Appellation	Décret	Lieux	Cépages usuels	Degré alcool minimum	Rendement de base à l'ha
MÉDOC	14-11-36	côte nord-est de la presqu'île dès la Jalle de Blanquefort	Cabernet Sauvignon Cabernet Franc Merlot Petit Verdot (Malbec)	10°	45 hl
MARGAUX	10-8-54	communes de Margaux, Cantenac, Soussans, Arsac, Labarde	Cabernet Sauvignon Cabernet Franc Merlot Petit Verdot (Malbec)	10,5°	40 hl
SAINT-JULIEN	14-11-36	communes de Saint-Julien, partie de Cussac et Saint-Laurent	Cabernet Sauvignon Cabernet Franc Merlot Petit Verdot (Malbec)	10,5°	40 hl
PAUILLAC	14-11-36	commune de Pauillac	Cabernet Sauvignon Cabernet Franc Merlot Petit Verdot (Malbec)	10,5°	40 hl
SAINT-ESTÈPHE	11-9-36	commune de Saint-Estèphe	Cabernet Sauvignon Cabernet Franc Merlot Petit Verdot (Malbec)	10,5°	40 hl
SAINT-ÉMILION	14-11-36	Saint-Émilion et 8 communes limitrophes	Cabernet Sauvignon Cabernet Franc dit Bouchet, Merlot Malbec, dit Pessac	11° grands crus et 1ers grands crus 11,5°	42 hl
GRAVES ROUGES	4-3-37	43 communes rive gauche de la Garonne	Cabernet Sauvignon Cabernet Franc Merlot, Petit Verdot	10°	40 hl
GRAVES BLANCS	4-3-37	43 communes rive gauche de la Garonne	Sémillon Sauvignon Muscadelle	11°	40 hl
BARSAC *	11-9-36	commune de Barsac	Sémillon Sauvignon Muscadelle	13° dont 12,5°	25 hl
SAUTERNES *	11-9-36	communes de Sauternes, Bommes, Fargues, Preignac, Barsac	Sémillon Sauvignon Muscadelle	13° dont 12,5°	25 hl

* Pourriture noble. Vendanges par tries. Possibilité de produire sur la même parcelle une certaine quantité de « Bordeaux ».

N.B.
1) La densité de plantation oscille entre 6 500 et 10 000 pieds à l'hectare pour les vins rouges. La limite inférieure pour les vins blancs voisine 5 000 pieds à l'hectare.
2) Pour avoir droit à l'appellation, les vins doivent être agréés par une commission *ad hoc*.

LES CRUS
CLASSES

CHATEAU MARGAUX

1er CRU CLASSÉ

La Motte Margaux doit sa première notoriété à la guerre. Ce fut une plate-forme redoutable inféodée à la seigneurie de Blanquefort, dont le château ruiné visible à la sortie de Bordeaux atteste la puissance. Peut-être qu'Édouard III, duc d'Aquitaine, en fut le maître. Certainement les d'Albret, puis les Montferrand, la détinrent. La Motte Margaux revint ensuite de 1450 à 1480 à Thomas Durfort de Duras qui donna son nom au 2e cru Durfort-Vivens. Jean Gimel, bourgeois et marchand de Bordeaux, l'acquit ; puis le domaine grossit le patrimoine des Lory (1491). En 1590, Guy de Lestonnac, dont la mère, Jeanne de Lestonnac, était une sœur de Montaigne, acheta la Motte Margaux à son cousin Jean Lory. Sa sœur épousa Jean d'Aulède, et leur fils, Jean-Denis, hérita en 1653 du domaine de Margaux avec vignes et cuviers. Un an plus tard, il épousa Thérèse de Pontac, dont le père, Arnaud, était premier président du parlement et propriétaire du premier grand vignoble bordelais : Haut-Brion. Dès les débuts du XVIIIe siècle, le vin de « Margaux » est connu. Le vignoble atteint sa surface actuelle puisqu'il dépasse 75 hectares. Dans la deuxième moitié du XVIIIe siècle, François d'Aulède meurt sans postérité. Margaux passe aux mains de sa sœur, Mme de Fumel, puis au comte d'Argicourt qui émigre avant la Révolution. Margaux est alors mis sous séquestre, racheté par la « citoyenne » Laure Fumel, parente de la précédente, qui épouse en premières noces le comte Hector Brane, le futur « Napoléon des Vignes » (voir Mouton-Rothschild et Brane-Cantenac). Elle divorce peu après et vend en

---

FICHE TECHNIQUE

AOC	Margaux		Temps de cuvaison	20 jours environ
Production	20 000 caisses		Chaptalisation	variable, ne dépassant pas 0o5
Date de création du vignoble	XIIIe siècle		Température des fermentations	28o
Surface	75 ha de vignoble rouge, 10 ha de blanc		Mode de régulation	par réfrigérant à tubulures
Répartition du sol	assez groupé		Type des cuves	bois de chêne de 150 hl
Géologie	graves quaternaires 85 %, argilo-calcaire 15 %		Vin de presse	10 %

CULTURE

Engrais	uniquement engrais naturels		Age des barriques	neuves
Taille	Médocaine à deux astes (Guyot double)		Temps de séjour	2 ans environ
Cépages	C.S 75 % - M. 20 % - Petit Verdot 5 %		Collage	aux blancs d'œufs (environ 6 par barrique, après un an)
Age moyen	30 ans		Filtration	aucune
Porte-greffe	Riparia Gloire - 101-14 3 309 - 420 A			
Densité de plantation	85 % 10 000 pieds/ha et 15 % 6 600 pieds/ha		Maître de chai	Jean Grangerou
Rendement à l'ha	1970 : 31 hl 1978 : 23 hl		Directeur de l'exploitation	Philippe Barre
Replantation annuelle	3 hectares plus complantation		Œnologue conseil	Prof. Émile Peynaud
			Type de bouteille	bordelaise

VINIFICATION

Levurage (origine)	sélectionné		Vente directe au château	non
			Commande directe au château	non
			Contrat monopole	non

1804 le domaine au marquis de la Colonilla. Celui-ci fait élever, suivant les plans dressés par l'architecte Combes, le château que nous connaissons, et meurt en 1816. Ses trois enfants vendent le domaine en 1836 au banquier A. Aguado. Ce dernier meurt en 1911 et ses héritiers mettent en vente en 1920 la propriété qui est acquise par la Société viticole de Château Margaux. Ultérieurement, les Ginestet prennent le contrôle de Margaux. Malheureusement, ils ne surmonteront pas la crise des années 1970 et, en 1977, M. André Mentzelopoulos s'en rend acquéreur. Après sa mort en 1980, sa femme et sa fille poursuivent son œuvre.

■ Lieu de naissance

Le sol des vignobles de Château Margaux illustre parfaitement la nature des terrains viticoles de cette commune. On y trouve des graves moyennes à fines d'origine garonnaise et datant du günz. Ces graves sont parfois mêlées d'argile, d'où la nécessité du drainage. Dans quelques parties basses du vignoble, la proportion de calcaire est particulièrement forte à Château Margaux. L'assise de ces divers sols se compose de molasse de Plassac (calcaire).

■ Culture et vinification

Encépagement et vinification sont identiques à Margaux et Lafite, seuls les terroirs distinguent ces deux vins. Noter qu'ils sont tous deux vinifiés selon les conseils du professeur É. Peynaud.

■ Le vin

Les Merlot, cépages sensibles à la pourriture, sont plantés en bas de pente, ce qui accroît leur vulnérabilité. Cela explique la forte influence des conditions atmosphériques sur le Château Margaux et, en particulier, lorsqu'elles sont favorables, le vin de Château Margaux atteint un degré de qualité incomparable.

Dix hectares de Sauvignon sont à l'origine d'un intéressant vin blanc étiqueté Pavillon Blanc du Château Margaux.

PLAT IDÉAL :
Ris de veau

AGE IDÉAL : 5 à 10 ans
Années exceptionnelles : 15 à 20 ans

COTATIONS COMMENTÉES

Année	Note	Commentaire
1961	10	puissant, exceptionnel • **commence à s'ouvrir**
1962	9	souple et distingué • à boire
1964	8,5	bien coloré, bouquet très vif, vineux et équilibré • **à boire**
1966	9	beau vin corsé et plein, finale savoureuse • à boire
1967	7,5	belle couleur, bouquet agréable de fruit mûr • **à boire sans trop attendre**
1970	10	très classique, épicé • **commencer à le boire**
1971	8	bon équilibre, long en bouche • à boire
1972	6	forte couleur pour l'année, fruité et amer • à boire
1973	7	léger en couleur, bouquet très fin, peu ample • à boire
1974	7	bouquet très fin, souple, ténu • à boire
1975	9,5	corsé, bouquet fermé, plein • **à boire en 1985-1990**
1976	8,5	beaucoup de fruité et de finesse • **commencer à le boire**
1977	8	vin élégant, souple • **commencer à le boire**
1978	9	puissant et distingué • **à boire en 1985-1988**
1979	10	tannique et gras ; fera une excellente bouteille • **pas avant 1990**
1980	8,5	indice de tannin élevé, acidité 3,6 ; dense pour ce millésime • **à boire dès 1988**
1981	9- 9,5	distingué, tannins fins ; dense • **à boire dès 1991**

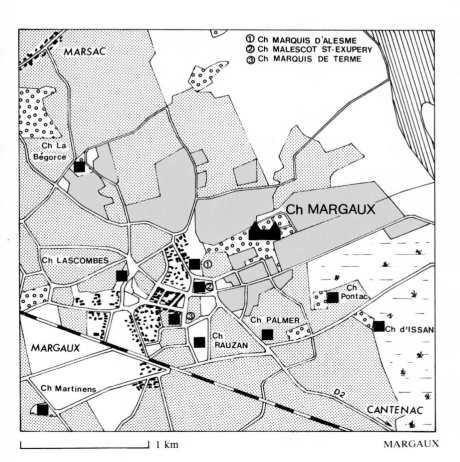

① Ch MARQUIS D'ALESME
② Ch MALESCOT ST-EXUPERY
③ Ch MARQUIS DE TERME

MARSAC

Ch La Bégorce

Ch MARGAUX

Ch LASCOMBES

Ch Pontac

Ch PALMER

Ch d'ISSAN

MARGAUX

Ch RAUZAN

Ch Martinens

CANTENAC

1 km

MARGAUX

CHATEAU RAUSAN-SÉGLA

2e CRU CLASSÉ

Pierre des Mesures de Rauzan est cité à plusieurs reprises dans cet ouvrage. En tant que « fermier de Latour », il eut la possibilité mais aussi l'intelligence de créer deux grands crus médocains : Pichon à Pauillac et Rauzan à Margaux. Par des achats successifs de lopins de terre, la plupart en friche, quelques-uns déjà couverts de vignes, il tendait à la création de « Clos » et mettait aussitôt ses domaines en exploitation.

En 1700, un partage prouve que feu Pierre des Mesures de Rauzan avait rassemblé autour de la « Maison de Gassies » plus de 25 hectares de vignes. C'est donc à bon droit qu'on édita une étiquette spéciale en 1961 pour commémorer la première mention du vignoble de Rauzan trois siècles auparavant, en 1661. A la Révolution, le domaine est scindé. Ainsi naissent les deux Rausan que nous connaissons aujourd'hui.

La baronne de Ségla ajoute son nom à celui de Rausan. Elle meurt en 1828, et en 1855, le vin de Rausan est fort logiquement classé 2e cru. La comtesse de Castelpers (Castel Pers ?) en est propriétaire. Plus tard, en 1903, la famille Cruse acquiert la majeure partie du domaine. Elle le conserve plus longtemps que M. de Meslon, qui l'achète en 1955 pour le revendre, peu après, à MM. Holt. Ces derniers contrôlent la maison Louis Eschenauer, actuelle gérante de Rausan-Ségla.

FICHE TECHNIQUE

AOC	*Margaux*	Temps de cuvaison	*15 à 24 jours*
Production	*14 000 caisses*	Chaptalisation	*si nécessaire*
Date de création du vignoble	*1661*	Température des fermentations	*25º à 28º*
Surface	*42 ha, 45 possibles*	Mode de régulation	*ruissellement sur cuves et serpentin*
Répartition du sol	*divisé en quatre groupes de parcelles*		
Géologie	*graves*	Type des cuves	*acier revêtu*
		Vin de presse	*10 % en moyenne*
		Age des barriques	*renouvellement par moitié annuellement*

CULTURE

Engrais	*organique*	Temps de séjour	*20 mois*
Taille	*Guyot double médocaine*	Collage	*blancs d'œufs frais*
Cépages	*G.S. 51 % - C.F. 11 % - M. 36 % - Petit Verdot 2 %*	Filtration	*aucune*
Age moyen	*23 ans*		
Porte-greffe	*101-14 - SO4 - 420 A*		
Densité de plantation	*8 200 pieds/ ha*	Maître de chai	*Jean Joyeux*
Rendement à l'ha	*28 hl (les 5 dernières années)*	Œnologue conseil	*Michel Castaing*
Replantation	*par tranches de 2 ha environ*	Type de bouteille	*spéciale Eschenauer*
Traitement antibotrytis	*avec parcimonie sur quelques Merlot*	Vente directe au château	*oui*

VINIFICATION

		Commande directe au château	*non*
Levurage (origine)	*naturel*	Contrat monopole	*oui - Eschenaeur*

■ Lieu de naissance

Deux parcelles jouxtent les vignes de Château Margaux, au nord (la Halle) et à l'est, près du Château Pontac, aujourd'hui cru bourgeois (Pontac-Lynch), mais qui au XVIIIᵉ siècle comptait parmi les 2ᵉˢ crus.

Le gros du vignoble fait face au château et s'étend au sud jusqu'au vignoble de Brane, autre 2ᵉ cru de 1855. Tous ces sols sont constitués, comme il se doit, de fines graves garonnaises du günz.

■ Culture et vinification

La tradition et le classicisme se sont alliés pour conduire culture et vinification. A noter que si le vin « fait » vingt mois de barriques et que si on renouvelle celles-ci tous les deux ans, la totalité du vin est, à peu de chose près, logée en barriques neuves.

■ Le vin

On comparera avec fruit l'encépagement des Margaux. Nous pouvons déterminer deux types de Margaux en fonction du rapport Cabernet-Merlot.

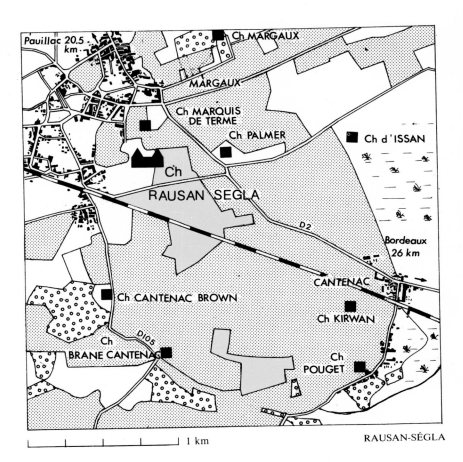

RAUSAN-SÉGLA

COTATIONS COMMENTÉES

Année	Note	Commentaire
1961	10	puissant, construit, fruité • **à boire**
1962	7,5	équilibré • **à boire**
1964	7	riche • **à boire**
1966	8	charme et souplesse • **commencer à le goûter**
1967	7	fin ; réussi • **commencer à le goûter**
1970	9,5	complet, équilibré, s'ouvre • **à boire**
1971	8,5	un 1970 plus souple • **à boire**
1972	4,5	élégant avec maigreur • **devrait être bu**
1973	5	charme ; pas d'ampleur • **devrait être bu**
1974	4	aigu, manque de chair • **devrait être bu**
1975	10	aussi complet mais plus ample que les 1970 • **à boire en 1985**
1976	8	fin, élégant, bien construit • **à boire**
1977	6	un peu de verdeur, s'arrondit • **à boire**
1978	9	aromatique • **à boire Ben 1988-1990**
1979	8,5	un 1978 plus souple • **à boire en 1987-1988**
1980		pronostic réservé

CHATEAU RAUZAN-GASSIES

2ᵉ CRU CLASSÉ

La différence orthographique entre les deux Rauzan, le « s » de Rausan-Ségla et le « z » de Rauzan-Gassies, ne relève que de la pure convention puisque ces deux domaines ne faisaient qu'un jusqu'à la Révolution.

Il semble que, avant de connaître l'essor viticole que l'on sait, cette terre ait appartenu, vers 1530, à Gaillard de Tarde, de la famille Gassies, puis à Bernard de Faverolle, aux alentours de 1615. Pierre des Mesures de Rauzan constitua réellement le domaine à la fin du XVIIᵉ siècle. Nous relevons ultérieurement le nom de divers propriétaires : M. Chevalier de Puyboreau, Mme Chabrier.

M. Viguerie le détient en 1855, lorsque le 2ᵉ rang est conféré aux deux Rauzan (Rausan). En 1866, M. Rohné Pereire l'acquiert ; ses héritiers ne le conservent que deux ans et le vendent en 1887 à M. Rigaud, qui mourra peu après. A sa veuve succèdent les Giard, les Puyo et enfin, depuis la guerre, Paul Quié et ses fils.

■ Lieu de naissance

On ne s'étonnera pas que les deux Rauzan se composent de vignobles souvent contigus. Cela est vrai pour les deux vignobles principaux, pour les vignobles proches de Château Pontac et pour ceux

---

FICHE TECHNIQUE

AOC	Margaux		Temps de cuvaison	10-15 jours
Production	10 000 caisses		Chaptalisation	si nécessaire (12°) en bouteille)
Date de création du vignoble	XVIIᵉ siècle		Température de fermentations	30° maximum
Surface	30 ha		Mode de régulation	pompe à chaleur
Répartition du sol	divisé		Types de cuves	inox et ciment
Géologie	graves sableuses		Vin de presse	0 à 8 % (1ʳᵉ presse)
			Age des barriques	renouvellement par 1/4 annuel

CULTURE

Engrais	organique		Temps de séjour	12-20 mois
Taille	Guyot double médocaine		Collage	blancs d'œufs surgelés
Cépages	C.S. 40 % - C.F. 23 % - M. 35 % - Petit Verdot 2 %		Filtration	sur plaques avant la mise (6 plaques)
Age moyen	30-35 ans			
Porte-greffe	S04 - 420 A - 5 BB - Riparia		Maître de chai	Marc Espaguet
Densité de plantation	10 000 pieds/ha		Régisseur	Marc Espaguet
Rendement à l'ha	35-36 hl		Œnologue conseil	M. Boissenot, Prof. Peynaud
Replantation	1 ha annuel		Type de bouteille	bordelaise
			Vente directe au château	oui

VINIFICATION

Levurage (origine)	naturel		Commande directe au château	oui
			Contrat monopole	non

de « La Halle ». D'autres parcelles jouxtent celles appartenant au Château Marquis de Terme. Comme il se doit, l'ensemble des terrains est graveleux. Ce sont des graves garonnaises plutôt fines, voire sableuses, du günz, généralement profondes sur un socle de molasse tertiaire.

■ Culture, vinification, vin

La lecture de la fiche technique ci-dessous montre qu'à Rauzan-Gassies la méthode classique est appliquée. La comparaison de ces fiches est édifiante. Il apparaît clairement que plusieurs opérations sont variables : les cuvaisons durent plus ou moins longtemps, l'âge des barriques varie, le vin y est élevé rapidement ou lentement, etc. Ces variables sont pondérées et justifiées par le classement du cru (entre autres). Ainsi tous les premiers crus sont élevés en barriques neuves ce qui n'est évidemment pas le cas des 5e crus classés. En fonction de ce qui précède, Rauzan-Gassies, comparé aux autres 2e crus classés, semble pratiquer des cuvaisons et un élevage en barriques plus court que ses homologues. Cette démarche est justifiée par la délicatesse des Margaux qui ne doivent ni sécher ni être écrasés par le boisé.

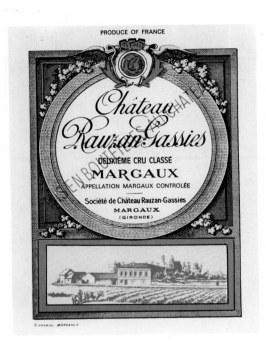

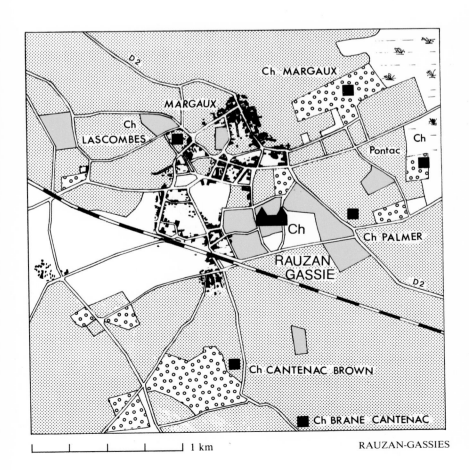

1 km   RAUZAN-GASSIES

COTATIONS COMMENTÉES

Année	Note	Commentaire
1961	10	très dense • **à boire**
1962	8,5	fondu • **à boire**
1964	9	vendangé avant la pluie • **à boire**
1966	8	plus souple que 1964 • **à boire**
1967	7	plus léger que 1966 • **à boire sans délai**
1970	10	complet • **à boire**
1971	7,5	s'ouvre • **à boire**
1973	6	équilibré • **à boire**
1975	9,5	très près du vin de 1970 • **à boire en 1985**
1976	9	fruité, équilibré • **à boire**
1977	6,5	léger mais équilibré • **à boire**
1978	8	rondeur, robe, profondeur • **à boire en 1987**
1979	7,5	complet, dense • **à boire en 1986-1987**
1980	7	année moyenne • **commencer à le boire**
1981	9	concentré, bon équilibre • **à boire dès 1987**
1982	9,5	complet et rond • **à boire dès 1988**

CHATEAU LASCOMBES
2e CRU CLASSÉ

Alors que Pierre de Rauzan des Mesures (voir *Pichon* à Pauillac et *Rauzan* à Margaux), par achats successifs, remembrait et plantait, le chevalier de Lascombes en faisait autant pour constituer l'embryon de Lascombes et de Durfort. Un demi-siècle plus tard, en 1750, la réputation du vin est acquise. Le prix qu'il atteint le situe dans la catégorie des 2e crus.

A travers les Johnston, les Fabre et les Lariague, il échoit à Mlle Hue, propriétaire au moment du classement de 1855. Il est probable que le vignoble s'étendait sur 27 hectares. Dès 1867, Lascombes entre dans la famille Chaix d'Est-Ange. En 1889, les vignes ne couvraient plus que 13 hectares ! C'est sous leur règne que l'on construisit, au début du siècle, le château actuel.

Dès 1926, la propriété est mise en société, contrôlée par les Ginestet. Après diverses mutations, c'est Alexis Lichine qui gère le domaine de 1952 à 1971. Des achats complémentaires portent la surface du vignoble à 80 hectares ! La grande expérience d'Alexis Lichine contribue à un renouveau de Lascombes. Dès 1971, la société Brass Charrington poursuit l'effort entrepris, le cap des 100 hectares de vignes est dépassé (Lascombes : 82 hectares + 6 ares à replanter — Bordeaux supérieur : 13 hectares + 2 ares à replanter).

FICHE TECHNIQUE

AOC	*Margaux*		Temps de cuvaison	*de 15 à 21 jours*
Production	*35 000-40 000 caisses*		Chaptalisation	*si nécessaire 12°5 maximum*
Date de création du vignoble	*1700*		Température des fermentations	*25° à 30°*
Surface	*97 ha (y compris Ferrière)*		Mode de régulation	*refroidisseur*
Répartition du sol	*morcelé*		Type des cuves	*inox et béton*
Géologie	*graves fines et profondes*		Vin de presse	*8 à 11 %*
			Age des barriques	*renouvellement par quart annuel*

CULTURE

Engrais	*50 % chimique, 50 % naturel*		Temps de séjour	*18 mois*
Taille	*Guyot double médocaine*		Collage	*blancs d'œufs frais*
Cépages	*C.S. 46 % - C.F. 8 % - M. 33 % - Petit Verdot 12 % - Malbec 1 %*		Filtration	*sur plaques avant la mise*
Age moyen	*voir texte*		Maître de Chai	*M. Robert Dupuy*
Porte-greffe	*101-14 - Riparia Gloire - SO4*		Régisseur	*Claude Gobinau*
Densité de plantation	*2/3 à 10 000 pieds/ ha 1/3 à 7 000 pieds/ha*		Œnologue conseil	*Patrick Léon*
Rendement à l'ha	*30-33 hl*		Type de bouteille	*Tradiver gravée « Lascombes »*
Replantation	*2-3 ha annuels*		Vente directe au château	*oui aux particuliers*
Traitement antibotrytis	*oui (en principe)*		Commande directe au château	*oui aux particuliers*

VINIFICATION

Levurage (origine)	*naturel*		Contrat monopole	*oui - Alexis Lichine, à Bordeaux*

■ Lieu de naissance

Le plan ci-dessous permet d'évaluer le morcellement du domaine. A signaler que l'échelle de ce plan est de moitié inférieure à celle en usage dans ce livre car le vignoble s'étend sur trois communes : Margaux, Cantenac et Soussans.

Il va de soi que les sols ne sont pas homogènes, ils possèdent néanmoins un caractère commun : ce sont des graves fines et profondes de günz, d'origine garonnaise, sur une assise calcaire et marno-calcaire.

■ Culture et vinification

12 % du vignoble comportent des jeunes vignes. L'âge des « vignes actives » se décompose ainsi : 5 à 19 ans : 41 % ; 20 à 29 ans : 18 % ; 30 à 44 ans : 11 % ; très vieilles vignes : 11 %.

Les sélections sont sévères ; elles débutent par une analyse des cuves, puis les assemblages doivent conduire au vin type « Lascombes », type déterminé par l'administrateur, M. Théo, par l'œnologue, Patrick Léon, et par divers spécialistes conviés pour l'occasion.

Le 2e vin de Lascombes est étiqueté Château La Gombaude.

■ Le vin

Il n'est pas sans intérêt de comparer les fiches techniques de Lascombes et de Palmer. La similitude des encépagements, entre autres, pousse à établir des dégustations comparatives de ces deux 2e crus classés.

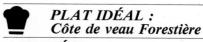

PLAT IDÉAL :
Côte de veau Forestière

AGE IDÉAL : 6 ans
Années exceptionnelles : 12 ans

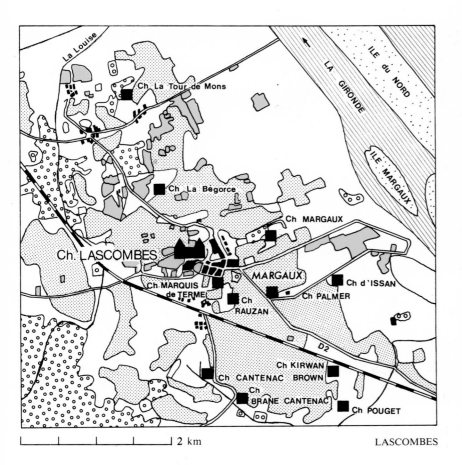

2 km

LASCOMBES

COTATIONS COMMENTÉES

1961	10	concentré, riche, long • **à boire**
1962	9	plein, complexe, épicé, équilibré • **à boire**
1964	6	bouquet faible, se dépouille • **à boire sans délai**
1966	8	belle robe, fruité, ferme • **commencer à le boire**
1967	6	manque de corps, léger, fruité • **à boire**
1969	4,5	frêle, fruité, léger • **à boire d'urgence**
1970	10	plein, riche, fruité, épicé, long • **à boire**
1971	9,5	peu de tannin, peu de robe, de la rondeur • **à boire**
1972	5,5	frais, robe légère, bon nez • **à boire**
1973	6	robe légère ; équilibré en petit • **à boire**
1974	4,5	un peu austère • **à boire**
1975	9	peu tannique ; riche, fruité ; ampleur ? • **commencer à le boire**
1976	8	robe et nez léger ; manque de tannin • **à boire**
1977	5	a du fruit • **à boire**
1978	9	robe, fruit, corps, richesse • **à boire en 1988**
1979	8,5	dans l'esprit des 1978 mais plus souple • **à boire en 1987-1988**
1980		pronostic réservé

CHATEAU DURFORT-VIVENS

2e CRU CLASSÉ

L es Durfort de Duras appartiennent à une puissante et ancienne famille du Sud-Ouest. Ils furent seigneurs de la terre de Margaux de 1450 à 1480. C'est sur cette terre que le Château Margaux actuel fut construit. C'est d'eux que Durfort tire son nom. Durfort fut réuni à Lascombes du temps du chevalier de Lascombes (XVIIe siècle), puis appartint à Mme de Montalembert, aux Montbrison vers 1830, et enfin au vicomte de Vivens dont il prend le nom. Lors du classement de 1855, c'est sa nièce, laquelle a épousé le comte de Puységur, qui le détient. Le second rang, qui lui est conféré en 1855, ne surprend personne puisque en 1785 Thomas Jefferson, dans un rapport célèbre, lui accordait déjà un classement identique. En 1866, nouveau changement de mains : MM. Didier et de la Mare se portent acquéreurs de ce vignoble d'une trentaine d'hectares. Nouvelles ventes en 1880, en 1937 et enfin en 1961 au propriétaire actuel, M. Lucien Lurton.

FICHE TECHNIQUE

AOC	Margaux		Temps de cuvaison	25 à 30 jours suivant les années
Production	6 000 caisses		Chaptalisation	suivant les années (degré idéal : 12o3)
Date de création du vignoble	milieu du XVIIe siècle		Température des fermentations	27o à 30o
Surface	19 ha + 6 ha possibles		Mode de régulation	serpentin
Répartition du sol	divisé		Type des cuves	acier émaillé et inox
Géologie	graviers profonds (10 m) du quaternaire ; période günz et mindel		Vin de presse	7 à 10 %
			Age des barriques	4 ans ; renouvellement annuel par quart

CULTURE

			Temps de séjour	20 mois
Engrais	organique et légère fumure minérale		Collage	blancs d'œufs
Taille	Guyot double médocaine		Filtration	plaques cellulosiques
Cépages	C.S. 82 % - C.F. 10 % - M. 8 %			
Age moyen	20 ans		Maître de chai	Guy Birot
Porte-greffe	101-14 - Riparia Gloire		Régisseur	Yves Camelot
Densité de plantation	6 600 pieds/ ha		Œnologue conseil	Prof. Peynaud et Jacques Boissenot
Rendement à l'ha	32 hl		Type de bouteille	bordelaise
Replantation	3 % tous les ans		Vente directe au château	non
Traitement antibotrytis	si nécessaire		Commande directe au château	oui

VINIFICATION

Levurage (origine)	naturel		Contrat monopole	non

■ Lieu de naissance

On peut supposer, mais ce n'est qu'une hypothèse, que le cœur du vignoble de Durfort-Vivens, ou ce qui en reste aujourd'hui, est représenté par la parcelle qui se trouve proche du château, presque en face, de l'autre côté de la route départementale nº 2, Cantenac-Margaux, littéralement encerclée par des vignes appartenant au Château Margaux. Trois autres parcelles jouxtent le meilleur terrain de Brane, dont elles semblent être détachées, sur la superbe croupe de Cantenac. La dernière parcelle, sans doute l'acquisition la plus récente (et les vignes les plus jeunes), entre les villages de Margaux et d'Arsac, n'a pas le passé prestigieux des autres lots ni sans doute leur qualité. La contiguïté des parcelles permet de considérer que les sols de Brane-Cantenac et de Durfort-Vivens sont identiques. Se reporter à ce chapitre.

■ Culture et vinification

Les méthodes adaptées à Brane-Cantenac sont appliquées à Durfort-Vivens. M. Lucien Lurton n'a aucune raison de les modifier, étant donné la similitude d'origine des vins.

■ Le vin

Les remarques formulées à l'endroit de Brane sont également valables, particulièrement celles concernant l'âge du vignoble et la densité de plantation. La comparaison entre les encépagements est instructive. Durfort-Vivens est sans conteste le Margaux le plus marqué par les Cabernet.

Le deuxième vin de Durfort-Vivens est étiqueté Domaine de Curebourse.

PLAT IDÉAL :
Rognons de veau farcis

AGE IDÉAL : 8 ans
Années exceptionnelles : 10 ans et plus

Château
DURFORT-VIVENS
MARGAUX
SECOND GRAND CRU
CLASSEMENT DE 1855

APPELLATION MARGAUX CONTROLÉE
L. LURTON PROPRIÉTAIRE A MARGAUX (GIRONDE)
MIS EN BOUTEILLE AU CHATEAU

COTATIONS COMMENTÉES

Année	Note	Commentaire
1961	10	vins très mûrs ; grande réussite • **à boire**
1962	7	vins équilibrés et fins • **à boire rapidement**
1964	9	vendangé avant les pluies d'octobre ; tannins fondus • **à boire rapidement**
1966	8	vin assez tannique savoureux • **à boire**
1967	7	plus creux que le précédent • **à boire**
1970	8	est resté longtemps fermé ; souple équilibré, séveux • **à boire**
1971	7	très proche des 1970 avec un fond plus tannique • **à boire**
1972	4	léger ; bon bouquet • **à boire rapidement**
1973	6	harmonieux, séveux, peu ample • **à boire**
1974	6	corsé • **à boire**
1975	10	richesse et bouquet ; grand vin • **à boire en 1985**
1976	9	riche et élégant • **à boire en 1984**
1977	5	agréable, fin • **à boire en 1984**
1978	9	plein, belle couleur, très long en bouche • **essayer vers 1988**
1979	9	très proche du précédent ; tout en harmonie • **à boire en 1988**
1980	7	tannins fermes pour le millésime • **à boire dès 1985**
1981	8,5	construit, aromatique • **à boire dès 1988**

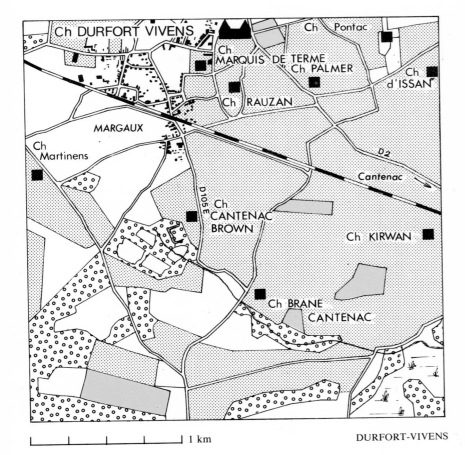

1 km

DURFORT-VIVENS

CHATEAU BRANE-CANTENAC

2e CRU CLASSÉ

P lus d'un siècle avant le classement de 1855, si l'on s'en réfère aux archives Lawton, le vin de la croupe de Cantenac, aujourd'hui Brane-Cantenac, atteignait déjà le prix des 2e crus. On ne sera donc pas étonné de l'abondance des documents permettant de retracer l'histoire de cette « marque ».

En 1725, Guilhem Hostein en est le propriétaire et le cru est connu sous le nom Guilhem Hostein en Cantenac. Quelques années plus tard, la famille de Gorse, une famille de robe de Bordeaux, le conduit. Ils sont également propriétaires dans la région de Soussans et laisseront leur nom à quelques Châteaux qui le perpétuent encore aujourd'hui.

De 1760 à 1838, le vin de Brane deviendra célèbre sous le nom de Gorse-Cantenac. Est-ce à la suite de son mariage que le domaine échoit à M. de Saint-Aubin-Guy ? Sans doute, car c'est sa veuve, née Marie-Françoise de Gorse (fille de François, propriétaire du domaine), qui le vend, le 9 juillet 1833, au célèbre baron Joseph-Hector de Brane qui s'est défait de Mouton (futur Rothschild) pour acheter (dit-on) les 40 hectares de vignes de Gorse. Cela en dit long sur la réputation et les potentialités de ce terroir. Cinq ans plus tard, le baron de Brane décide de commercialiser son vin sous son nom.

FICHE TECHNIQUE

AOC	Margaux		Temps de cuvaison	20 à 25 jours suivant les années
Production	29 000 caisses		Chaptalisation	quand nécessaire
Date de création du vignoble	au cours du XVIIe		Température des fermentations	entre 27o et 30o
Surface	85 ha			
Répartition du sol	relativement groupé		Mode de régulation	serpentin, ruissellement, réfrigération
Géologie	graviers profonds (10 m) du quaternaire (günz et mindel)		Type des cuves	ciment émaillé, acier émaillé, inox

CULTURE

			Vin de presse	7 à 10 % suivant les années
Engrais	organique (fumier marc de raisin) ; légère fumure minérale		Age des barriques	4 ans ; renouvellement annuel par quart
Taille	Guyot double médocaine		Temps de séjour	20 mois
Cépages	C.S. 70 % - C.F. 13 % - M. 15 % - Petit Verdot 2 %		Collage	blancs d'œufs
			Filtration	plaques cellulosiques
Age moyen	20 ans			
Porte-greffe	101-14 - Riparia Gloire - 3-309		Maître de chai	Yves Blanchard
			Régisseur	Yves Camelot
Densité de plantation	6 600 pieds/ha		Œnologue conseil	Prof. Émile Peynaud Jacques Boissenot
Rendement à l'ha	33 hl			
Traitement antibotrytis	si nécessaire (priorité : traitement du vers de la grappe)		Type de bouteille	bordelaise
			Vente directe au château	non
			Commande directe au château	oui

VINIFICATION

Levurage (origine)	naturel		Contrat monopole	non

En 1866, il vend sa terre à Mme Berger, qui la transmet à ses héritiers. En 1922, le grand-père de Lucien Lurton, son actuel propriétaire, s'en porte acquéreur.

■ Lieu de naissance

Plus de la moitié du vignoble occupe l'admirable croupe de Cantenac, cette croupe qui dut fasciner le baron Brane et le décider à troquer (en quelque sorte) Mouton contre Gorse (Brane). C'est une croupe modèle de graves günziennes moyennes d'origine garonnaise bordées d'alluvions mendéliennes sur socle calcaire. Le vignoble de Brane culmine à 17 mètres et comporte des dénivellations de 5 mètres environ. L'autre parcelle importante sur des graves de même nature mais de réputation plus modeste jouxte le Château du Tertre (Margaux 5e cru).

■ Culture et vinification

On comparera utilement les encépagements des divers crus de Margaux. Le rapport Cabernet-Merlot n'est nullement constant (voir Issan, Palmer). Culture et vinification suivent les préceptes contemporains.

■ Le vin

A noter le rendement à l'hectare. Il est modeste encore que le rendement par pied soit loin d'être négligeable (6 600 pieds à l'hectare).

Sans doute les extensions de la propriété sont-elles responsables du jeune âge des vignes. Ces extensions et ce jeune âge poussent également à la sévérité des sélections menées par M. Lucien Lurton et par M. Peynaud.

Le deuxième vin de Brane est étiqueté Château Notton.

PRODUCE OF FRANCE
GRAND CRU CLASSÉ EN 1855
CHÂTEAU
BRANE-CANTENAC
MARGAUX
1975
APPELLATION MARGAUX CONTROLÉE
L. LURTON. PROPRIÉTAIRE A CANTENAC-GIRONDE 73 cl
MIS EN BOUTEILLES AU CHÂTEAU

COTATIONS COMMENTÉES

Année	Note	Commentaire
1961	10	complet, équilibré, remarquable • **à boire**
1962	7	du corps et de la finesse, bouquet floral • **à boire**
1964	8	vendangé avant les pluies ; harmonieux, souple, bouqueté • **à boire**
1966	9	complet, corsé • **à boire**
1967	7	plus léger que le précédent, fin • **à boire**
1970	7	élégant, manquant un peu de corps ; bouqueté • **à boire**
1971	8	harmonieux, bien équilibré ; contrairement à d'autres crus, supérieur au précédent • **à boire**
1972	5	vin moyen ; charme et bouquet • **à boire**
1973	7	harmonieux et souple ; bouquet élégant • **peut être bu**
1974	6	charpenté, manque de gras • **peut être bu**
1975	10	corsé, séveux, rôti, puissant ; le grand millésime de la décennie • **à boire en 1984**
1976	9	riche, complet, belle couleur, long en bouche • **à boire en 1984**
1977	5	mûr, bouqueté, léger, agréable • **commencer à le goûter**
1978	9	plein, équilibré, charme ; bonne note tannique • **à boire en 1986**
1979	8	très près des 1978 ; équilibré • **à boire en 1986-1987**
1980	7	structures fines, fraîcheur • **à boire dès 1985**
1981	9	complet, élégant • **à boire dès 1988**

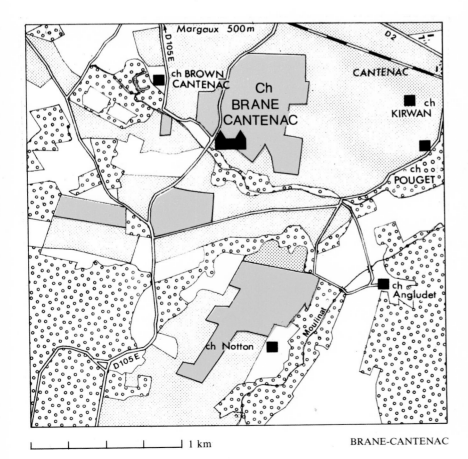

Margaux 500m

ch BROWN CANTENAC

Ch BRANE CANTENAC

CANTENAC

ch KIRWAN

ch POUGET

ch Angludet

ch Notton

Moulinat

1 km

BRANE-CANTENAC

CHATEAU KIRWAN

3e CRU CLASSÉ

Pendant plusieurs siècles, ce domaine porta le nom de ses propriétaires : La Salle. Renaud de la Salle vendit en 1760 sa propriété à un marchand anglais : Sir Collingwood, dont la fille épousa l'Irlandais Kirwan, guillotiné à la Révolution. Peu avant, Thomas Jefferson, en 1787, classa le vin de « Quirouen » dans la catégorie des 2e crus. Les douze héritiers Kirwan vendirent le Château en 1820. Il fut revendu à M. Deschriver à qui il appartenait lorsqu'il fut classé 3e cru en 1855. Peu après, le père de Camille Godard s'en rend acquéreur alors que son fils léguera vignes et château à la ville de Bordeaux en 1890. Schröder et Schyler gèrent la propriété qu'ils achèteront en 1925.

■ Lieu de naissance

Le vignoble principal entoure le château et s'étend à l'ouest entre 12 et 15 mètres d'altitude, orienté à l'est. Les autres parcelles suivent la route qui part de Cantenac en direction de Brane. Les terrains de graves fines sur socle argileux imperméable à un mètre de profondeur nécessitent un drainage efficace, cela d'autant plus que les racines peinent pour traverser cette argile.

FICHE TECHNIQUE

AOC	*Margaux*		Temps de cuvaison	*15-20 jours*
Production	*7 000-12 000 caisses*		Chaptalisation	*si nécessaire*
Date de création du vignoble	*1730 environ*		Température des fermentations	*15º à 30º*
Surface	*35 ha*		Mode de régulation	*aspersion sur cuve*
Répartition du sol	*divisé*		Type des cuves	*ciment + une cuve métallique pour refroidissement*
Géologie	*graves fines (voir texte)*		Age des barriques	*selon les années, renouvellement moyen annuel par quart*

CULTURE

Engrais	*surtout à la plantation*		Temps de séjour	*20 mois*
Taille	*Guyot double, Guyot simple (voir texte)*		Collage	*gélatine*
Porte-greffe	*420 A - 5 BB - SO 4*		Filtration	*légère, sur plaques à la mise*
Age moyen	*18 ans*			
Cépages	*C.S. 31 % - C.F. 31 % - M. 33 % - Petit Verdot 5 %*		Maître de chai	*M. Demezzo*
Densité de plantation	*10 000 et 6 000 pieds/ha*		Régisseur	*M. Shugler*
Rendement à l'ha	*de 28 à 45 hl*		Œnologue conseil	*M. Latapis*
Replantation	*par tranches tous les 4 ans*		Type de bouteille	*Tradiver*
Traitement antibotrytis	*oui*		Vente directe au château	*non*
			Commande directe au château	*non*

VINIFICATION

Levurage (origine)	*naturel*		Contrat monopole	*oui (Schröder et Schyler)*

■ Culture et vinification

Outre les apports habituels, ce sol impose un entretien organique tous les cinq ans. La vigne subit une taille Guyot double, mais des essais en Guyot simple sont en cours. Le vignoble ancien est planté en rangs serrés (1 m × 1 m) alors que les nouvelles plantations sont espacées (1,50 m). M. Schyler pense que les rangs larges offrent des avantages les années moyennes car la vigne sèche plus vite et le soleil pénètre mieux. Il souhaiterait augmenter de 5 % la proportion des Petit Verdot et constate que le porte-greffe SO4 ne peut présenter un intérêt que dans les terres très humides.

La fourchette des rendements à l'hectare est très ouverte. La nature du sol, la difficulté qu'ont les racines à traverser la couche argileuse augmentent la sensibilité aux conditions météorologiques déterminant les caractères de chaque millésime. C'est ainsi qu'en 1979, année d'extrême abondance — et néanmoins d'excellente qualité —, le rendement atteint 52,5 hl/ha !

Pour la vinification, les cuves de bois ou d'acier n'ont pas ses faveurs. L'inertie thermique des cuves de ciment lui paraît offrir de réels avantages.

L'élevage des vins obéit aux caractères de chaque millésime. La moitié ou le quart des barriques peuvent être neuves. De même, la durée du séjour dans le bois est-il modulé. Ainsi le vin de 1975 ne fut-il mis en bouteilles qu'après les vendanges de 1977.

■ Le vin

Le gel de 1956 imposa de larges replantations ; la restructuration de l'exploitation entreprise dès 1972, et notamment un renouvellement du vignoble, contribua à abaisser l'âge moyen des ceps. Château Kirwan est un Margaux fin et fruité. Les grands millésimes très structurés seront attendus avec patience.

Château Kirwan est un vin plus connu à l'étranger qu'en France en raison de la capacité exportatrice de la Maison Schröder et Schyler. Les États-Unis, à eux seuls, achètent 2 000 caisses chaque année.

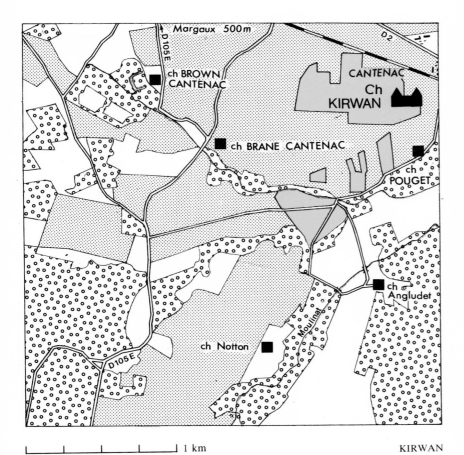

1 km   KIRWAN

PLAT IDÉAL :
Carbonade de veau

AGE IDÉAL : 5 à 6 ans
Années exceptionnelles : 20 à 25 ans

COTATIONS COMMENTÉES

Année	Note	Commentaire
1961	10	évolution en cours, grand vin • à boire en 1988
1962	7,5	souple et plein, parfois manque de fond ; décline • à boire d'urgence
1964	7	léger et fruité ; sélection d'avant les pluies du 7 octobre • à boire
1966	8	tannique, coloré, plein ; cherche son équilibre, bouquet superbe • à boire en 1984-1985
1967	7	parfumé, équilibré • à boire
1969	5,5	à la fois vieux et frais, léger ; fond souple et moelleux • à boire
1970	9,5	goût de cassis ; encore fermé • à boire en 1985-1990
1971	8	bouqueté, souple, velouté et long en bouche • à boire
1972	4	acidité fondue, décline • à boire d'urgence
1973	6	finesse et harmonie ; léger • à boire
1974	5	bouqueté, corpulence limitée, pointe d'acidité, fermeté • à boire
1975	9,5	totalement fermé, grande année • le goûter en 1990
1976	6	souplesse et corpulence • à boire
1977	5,5	acidité fondue, bonne couleur ; mieux que les 1972 • à boire
1978	8	coloré et tannique mais évolution rapide ; raisins surmaturés ; pas typé Kirwan, pas typé Margaux • à boire
1979	9,5	grande année, couleur, tannins, acidité, beau potentiel • à boire en 1990
1980	6	pas d'acidité, peu de charpente • à boire
1981	8	tannique, généreux, long • à boire dès 1986

CHATEAU D'ISSAN

3e CRU CLASSÉ

Sur l'emplacement du Château d'Issan que nous connaissons aujourd'hui existait au Moyen Age une imposante forteresse qui joua son rôle pendant la guerre de Cent Ans. Elle cessa d'être habitée à partir de la Renaissance et fut finalement rasée au XVIIe siècle.

Le château actuel date de cette époque, et les douves rappellent le château fort d'antan.

On fait du vin à Issan depuis plusieurs siècles. Est-ce celui que l'on servit, en 1152, au mariage d'Henri Plantagenêt ?

En 1755, le conseiller Castelnau est propriétaire de la baronnie d'Issan et des 8 hectares de vignes qui s'y trouvent. Le vin d'Issan est connu sous le nom de Candale, en fait le patronyme des puissants Foix de Candale, qui furent seigneurs de la forteresse de Latour avant qu'on y plantât le premier cep.

Au moment du classement de 1855, Issan est gratifié du 3e rang. M. Blanchy en est le propriétaire pour une dizaine d'années encore. Le vin faisait alors les délices de sociétés de notables et méritait bien la devise que l'on peut encore lire de nos jours sur le château et sur les étiquettes (au-dessous de la couronne) : *Regum Mensis Arisque*

FICHE TECHNIQUE

AOC	Margaux		Temps de cuvaison	15 jours maximum
Production	11 000 caisses		Chaptalisation	si nécessaire
Date de création du vignoble	avant le XVIIIe siècle		Température des fermentations	25º à 30º
Surface	32 ha, dont 27 d'un seul tenant		Mode de régulation	ruissellement sur cuve
Répartition du sol	presque d'un seul tenant		Type des cuves	inox
Géologie	graves fines et terres argilo-calcaires		Vin de presse	5 à 15 %
			Age des barriques	renouvellement par quart annuel

CULTURE

Engrais	organique et chimique		Temps de séjour	18 mois
Taille	Guyot double médocaine		Collage	blancs d'œufs
Cépages	C.S. 78 % - M. 22 %		Filtration	sur plaques avant la mise
Age moyen	18 ans			
Porte-greffe	Riparia Gloire-44-53 - SO4 - 420 A		Maître de chai et régisseur	Arnaudin
Densité de plantation	8 500 pieds/ha		Œnologue conseil	M. Couesnon
Rendement à l'ha	33 hl		Type de bouteille	bordelaise (1979 Tradiver)
Replantation	1 ha par an		Vente directe au château	oui
Traitement antibotrytis	oui		Commande directe au château	non

VINIFICATION

Levurage (origine)	naturel		Contrat monopole	non

Deorum [1]. Diverses ventes affectèrent Issan qui changea de mains après chaque grande guerre. Emmanuel Cruse l'acquit en 1945, restaura immeubles et vignes pour en faire l'exploitation moderne dont la fiche technique ci-dessous donne le détail.

■ Lieu de naissance

Le vignoble est facilement repérable car un mur l'enserre en grande partie. On le découvre à droite de la route départementale n° 2 en se rendant de Cantenac à Margaux. C'est un grand plan rectangulaire incliné, entre 5 et 15 mètres d'altitude. Le sol du vignoble d'Issan se compose de fines graves günziennes garonnaises et de diverses terres argilo-calcaires.

■ Culture et vinification

L'encépagement offre deux particularités. Il ne comporte pas de Cabernet Franc et la proportion de Cabernet Sauvignon est très forte, la plus forte des crus classés de Margaux. Lionel Cruse pense que le porte-greffe Riparia Gloire constitue un facteur de qualité. La vinification est tout à la fois classique et moderne.

■ Le vin

Le vin est souple en dépit de la forte proportion de Cabernet Sauvignon, ce qui peut paraître contradictoire. Des cuvaisons plutôt courtes, à des températures assez basses, expliquent sans doute cette apparente anomalie.

1. Pour la table du roi et l'autel des dieux.

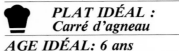

PLAT IDÉAL :
Carré d'agneau

AGE IDÉAL: 6 ans
Années exceptionnelles : 10 à 15 ans

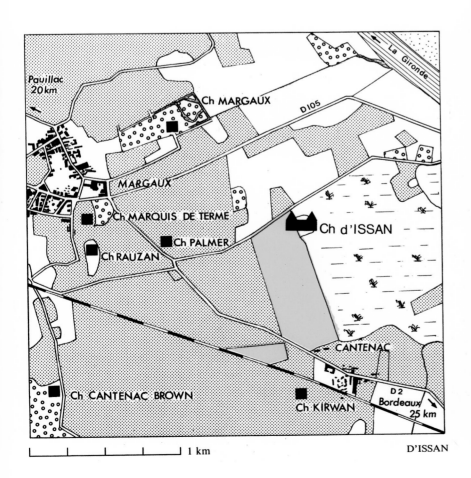

D'ISSAN

COTATIONS COMMENTÉES

Année	Note	Commentaire
1961	10	parfait • à boire
1962	7	ne peut que décliner • à boire vite
1964	8	vendangé avant les pluies • à boire
1966	9	délicieux ; à son apogée • à boire
1967	7	ne plus attendre • à boire
1969	6	mieux que la réputation du millésime • à boire
1970	9	s'ouvrira-t-il ? • à boire
1971	8	bon et bien évolué • à boire
1972	5	petite année • à boire
1973	7	très réussi pour ce millésime • à boire
1975	9,5	un grand vin encore fermé • à boire en 1985
1976	9	souple • à boire
1977	5	dur et acide • à boire
1978	8	rondeur et avenir • à boire en 1985
1979	8	plein avec grâce • à boire en 1985
1980	6	bien pour le millésime • à boire dès 1985
1981	9	plein, rond • à boire dès 1986

CHATEAU GISCOURS

3ᵉ CRU CLASSÉ

La plus ancienne mention connue de « Giscours » remonte à 1330. Un donjon fortifié — dont on a retrouvé les traces — implique seigneurie et juridiction. Rien ne prouve que le domaine comptait des vignes. Alors que, en 1552, un acte de vente témoigne de la présence des pampres.

Avant la Révolution, la famille de Saint-Simon en est propriétaire. Le domaine vaut un million de francs or. Dès lors les limites de la propriété sont fixées : 300 hectares que nous retrouvons aujourd'hui *in extenso*, ce qui est rare, d'autant que Giscours a été vendu comme bien national (1795) et a été acheté par un Américain, sans doute le premier à s'implanter dans le Médoc — il sera imité ! —, puis vendu et revendu plusieurs fois, entre autres à la famille Promis, restaurateur du vignoble, puis au banquier Pescatore, constructeur du château actuel. Ensuite nous trouvons les Cruse (1875), les Grange (1913) et enfin Nicolas Tari (1952), œnologue et viticulteur en Algérie auquel succède Pierre Tari, son fils, maire de Labarde et président de l'Union des grands crus de Bordeaux.

■ Lieu de naissance

La situation de la propriété est très favorable : assez proche de la Gironde pour bénéficier de l'influence régulatrice thermique de la masse d'eau et des marées, assez éloignée pour n'être pas les pieds dans l'eau, l'excès d'eau étant néfaste à la vigne. Le drainage du sol

FICHE TECHNIQUE

AOC	Margaux		Temps de cuvaison	10 à 20 jours
Production	25 000 caisses		Chaptalisation	si nécessaire
Date de création du vignoble	1552-1825		Température des fermentations	30º-31º/28º-29º dans la masse
Surface	75 ha dont 68 en production		Mode de régulation	serpentin
Répartition du sol	en 3 lots		Type des cuves	béton
Géologie	graves sur socle graveleux et sableux		Vin de presse	15 %
			Age des barriques	renouvellement par quart annuel

CULTURE

Engrais	compost		Temps de séjour	17 à 28 mois
Taille	Guyot double médocaine		Collage	blancs d'œufs frais
Cépages	C.S. 2/3 - M. 1/3		Filtration	sur plaques (5) avant la mise
Age moyen	25 ans			
Porte-greffe	Riparia - 3309 - 114-14			
Densité de plantation	8 000 pieds/ha		Maître de chai	Gino Serani
Rendement à l'ha	30 hl		Régisseur	Lucien Guillemet
Replantation	par tranches		Œnologue conseil	Prof. Peynaud
Traitement antibotrytis	non		Type de bouteille	Tradiver gravée « Giscours »
			Vente directe au château	oui
			Commande directe au château	oui

VINIFICATION

Levurage (origine)	naturel		Contrat monopole	oui (Gilbey de Loudenne)

est très bien assuré par une épaisseur de plusieurs mètres de graves sous une faible couche de terre arable. Ce drainage, déjà amélioré par la création de l'étang du château, a été complété par le creusement d'un véritable lac de 8 hectares. Est-ce pour cela qu'il ne gèle que rarement à Giscours, en dépit des forêts proches ?

■ Culture et vinification

De nombreuses replantations ne modifient pas le style de l'encépagement, le Cabernet Sauvignon restant largement majoritaire. Les rendements variables suivant les années (1977 : 18 hl/ha ; 1978 : 29 hl/ha ; 1979 : 32 hl/ha) sont toujours inférieurs au rendement moyen de l'appellation. La vinification allie modernisme et tradition. L'éraflage est suivi d'un léger foulage, puis les moûts fermentent dans 42 cuves émaillées. Les températures des fermentations sont contrôlées (remontage et échangeur thermique) pour ne pas dépasser 30°. Les assemblages sont réalisés par MM. Tari et Guillemet. L'adjonction des vins de presse varie selon les années (en totalité en 1980). Le Giscours demeure deux ans dans des barriques qui « font » deux vins.

■ Le vin

Les travaux entrepris à Giscours depuis un quart de siècle sont énormes, sans doute les plus importants réalisés dans le Médoc. Le but poursuivi est non seulement une production de qualité mais également une production régulière ; régularité aidée par la maîtrise des vinifications. L'équilibre que l'on recherche à Giscours exclut des tannins excessifs. L'indice de permanganate du plus tannique des Giscours (1978) s'élève à 45 environ.

Outre la recherche de qualité, on s'attache particulièrement, à Giscours, aux problèmes de promotion et de commercialisation. Le contrat d'exclusivité liant M. Tari à Gilbey de Loudenne tend également à la stabilité des crus, ce qui paraît sage et sain dans un marché international et moderne.

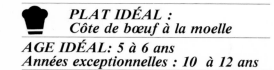

PLAT IDÉAL :
Côte de bœuf à la moelle

AGE IDÉAL: 5 à 6 ans
Années exceptionnelles : 10 à 12 ans

PRODUCE OF FRANCE

Château Giscours
GRAND CRU CLASSÉ EN 1855
MARGAUX
1978
APPELLATION MARGAUX CONTROLÉE
S.A. D'EXPLOITATION DU CHATEAU GISCOURS FERMIÈRE DU GROUPEMENT AGRICOLE FONCIER
NICOLAS TARI, GÉRANT
75cl MIS EN BOUTEILLES AU CHATEAU

COTATIONS COMMENTÉES

Année	Note	Commentaire
1961	10	sans commentaire • à boire
1962	8,5	fruité, fut très aimable • devrait être bu
1964	9	fruité, bouqueté • à boire sans délai
1966	7,5	nerveux et sec ; a perdu sa chair • devrait être bu
1967	7	se dépouille • devrait être bu
1969	5	bouqueté, sec et court • à boire
1970	9,5	concentré, étoffé, aromatique • s'ouvre
1971	7	bouquet réussi, souple, au-delà de son apogée • à boire sans délai
1973	6	pas grand mais élégant • à boire sans attendre
1974	6	supérieur à la réputation du millésime, harmonieux néanmoins • commencer à le boire
1975	10	gras, ample, tannique, fruité • à boire en 1985
1976	8	bon vin pour les amateurs de vin souple • à boire
1977	5	peu de corps, peu de profondeur, fini sec • à boire sans attendre
1978	8	de la classe des 1970-1975, le plus tannique des Giscours • à boire en 1988
1979	8,5	un 1978 • à boire en 1986-1987
1980	6,5	souplesse, sans acidité ni tannins • à boire en 1984
1981	8	coloré, équilibré, tannins fondus • à boire dès 1987

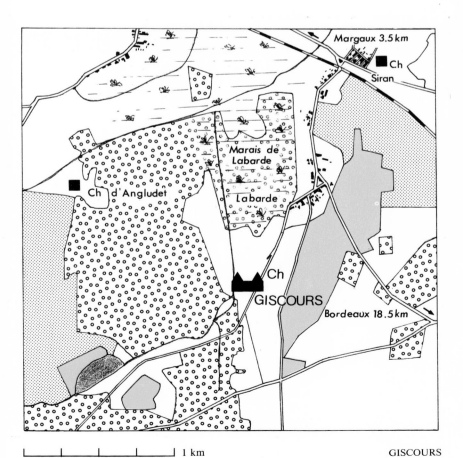

GISCOURS

CHATEAU
MALESCOT SAINT-EXUPÉRY

3ᵉ CRU CLASSÉ

Au XVIᵉ siècle, les Escoussès, notaires à Margaux, sont propriétaires de 5 hectares (?) de vignes. Ce vignoble est acheté en 1697 par l'avocat Simon Malescot, dont il porte toujours le patronyme ; 50 ans plus tard, la vigne de Malescot couvre 50 hectares. Le vin de Malescot se vend déjà au même prix que ceux qui seront classés 2ᵉ cru.

Son deuxième nom, il le doit au comte Jean-Baptiste de Saint-Exupéry qui se porte acquéreur du domaine en 1827. C'est son petit-fils qui écrira *Vol de nuit*.

Lorsque Malescot Saint-Exupéry est classé 3ᵉ cru, en 1855, M. Fourcade en est propriétaire depuis deux ans. Les changements de mains se succèdent : 1869, M. Lehrs de Brême, 1901, le groupe anglais Seager Evans. En 1955, la famille Zuger achète Malescot Saint-Exupéry. La propriété est à restaurer, les trois quarts du vignoble sont à replanter.

■ **Lieu de naissance**

La plupart des parcelles sont contiguës aux vignes de Château Mar-

---

FICHE TECHNIQUE

AOC	*Margaux*		Temps de cuvaison	*20 à 30 jours*
Production	*12 000 caisses*		Chaptalisation	*quand nécessaire (pas en 1978), voir texte*
Date de création du vignoble	*1605*		Température des fermentations	*jusqu'à 34° (cœur du chapeau)*
Surface	*30 ha*		Mode de régulation	*serpentin*
Répartition du sol	*divisé en 5 parcelles*		Type des cuves	*métal et béton plastifié (50 % - 50 %)*
Géologie	*graves fines garonnaises et pyrénéennes*		Vin de presse	*10 %*
			Age des barriques	*renouvellement annuel par quart*

CULTURE

Engrais	*organique et fumier*		Temps de séjour	*18 mois*
Taille	*Guyot double médocaine*		Collage	*blancs d'œufs congelés*
Cépages	*C.S. 55 % - C.F. 10 % - M. 30 % - Petit Verdot 5 %*			
Age moyen	*30 ans*			
Porte-greffe	*Riparia - 101-14 - SO4*		Maître de Chai	*Jean-François Miquau*
Densité de plantation	*7 500 pieds/ ha et 10 000 pieds/ha (plantations anciennes)*		Chef de culture	*Jean-Claude Durand*
			Œnologue conseil	*Prof. Peynaud et M. Boissenot*
Rendement à l'ha	*38 hl*		Type de bouteille	*Tradiver*
Replantation	*0,7 ha par an*		Vente directe au château	*non*
Traitement antibotrytis	*non*		Commande directe au château	*oui (pour la France)*
			Contrat monopole	*oui (pour l'étranger)*

VINIFICATION

Levurage (origine)	*naturel, parfois pied de cuve*

gaux. Les terrains de graves günziennes garonnaises sur alios et rocher culminent à 20 mètres et sont drainés naturellement.

■ Culture et vinification

Roger Zuger confirme que le porte-greffe S04 n'a pas donné les satisfactions qu'on en attendait (perte de sucre), mais qu'après 15 ans d'âge, ces défauts s'estompent.

Pour le vignoble, 1 % des pieds sont renouvelés en complantation. L'enrichissement des sols implique l'usage de compost et de fumier de vache. Il est intéressant de comparer les divers encépagements des Margaux. Deux groupes se distinguent en fonction du rapport Cabernet-Merlot.

Ce n'est pas par hasard que les cuvaisons sont longues et que les températures des fermentations sont supérieures à la moyenne. Les chaptalisations sont remarquablement modestes (500 kg de sucre en 1976, 1 000 kg en 1977, rien en 1978, 100 kg en 1979), environ 0,25 degré en 1976, 1 degré en 1977, 0 degré en 1978 et 0,07 degré (!) en 1979.

Les assemblages sont réalisés par Roger Zuger, le maître de chai et l'œnologue. Jeunes vignes, excédent et vin de presse sont vendus en Bordeaux supérieur.

■ Le vin

Roger Zuger sait que rares sont les consommateurs disposant de bonnes caves, que la mode de la souplesse excessive se répand et qu'une certaine standardisation des vins menace. Il n'a aucunement l'intention de se soumettre à cette évolution. Il fait un vrai vin pour amateur, un vin dont le caractère tannique n'est pas gommé, un vin de garde. Le caractère de Malescot s'accentue au vieillissement, jusqu'à l'apparition du fameux « goût de capsule », apanage de Malescot et de Mouton après une dizaine d'années.

PLAT IDÉAL :
Entrecôte grillée aux sarments

AGE IDÉAL : année moyenne 8 ans
Années exceptionnelles :
pas avant 25 ans

GRAND CRU CLASSÉ EN 1855

1976   1976

CHATEAU
MALESCOT Sᵗ EXUPÉRY
MARGAUX

Cette récolte, entièrement mise en bouteilles au Château a produit 82.430 Magnums, bouteilles et demi-bouteilles. Cette bouteille porte le N° 8087

ROGER ZUGER, PROPRIÉTAIRE A MARGAUX (GIRONDE)
APPELLATION MARGAUX CONTROLÉE
FRANCE   73 cl

COTATIONS COMMENTÉES

Année	Note	Commentaire
1961	10	complet ; lent à s'ouvrir • **à boire**
1962	8	rond, plein, généreux • **à boire**
1964	7	plus tannique que fruité • **à boire**
1966	8	fruité, élégant • **à boire**
1967	7	frais, léger • **à boire**
1969	6	dureté et bouquet • **à boire**
1970	10	équilibre ; parfait jusqu'en 1990 au moins • **à boire**
1971	7	charme sans rondeur • **à boire**
1972	5	petite année
1973	6	du charme • **à boire**
1974	6	léger et clair • **à boire**
1975	10	grand vin complet, fermé • **à boire en 1985**
1976	9	plus riche que corpulent • **à boire**
1977	5	fin et léger • **à boire**
1978	9	joufflu • **à boire en 1988**
1979	9,5	de la classe et du nerf • **à boire en 1986**
1980	6,5	robe rubis, fruits mûrs, gouleyant • **à boire dès 1984-1985**
1981	9	genre 1979, riche, concentré, équilibré • **à boire dès 1988**

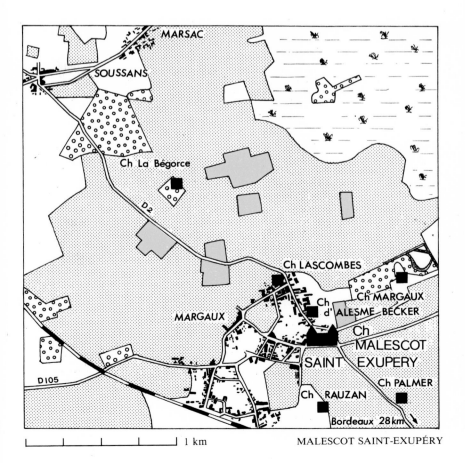

MALESCOT SAINT-EXUPÉRY

1 km

CHATEAU BOYD-CANTENAC

En 1754, Bernard Sainvincens vendait ses terres à Jacques Boyd qui leur donna son nom. En 1806, John-Lewis Brown, allié à la famille Boyd, acquit le domaine, lequel appartenait à plusieurs propriétaires en 1855, lorsqu'il fut classé 3e cru.

A la suite de la ruine de la famille Brown, le domaine fut divisé, c'est pourquoi la terre de Boyd ne comporte pas de château. La famille Laurent s'attacha à rendre un lustre à ce vin, œuvre à laquelle les Ginestet s'attelèrent également. Ce sont eux qui vendirent Boyd en 1932 aux Guillemet.

■ Lieu de naissance

Une grande partie du vignoble se situe dans le prolongement de Pouget qui appartient au même propriétaire. Il borde (comme Pouget) la route qui relie Cantenac à Brane. C'est un plan incliné d'une dizaine de mètres de dénivellation de fines graves günziennes garonnaises. Leur épaisseur est grande (5 m). Plus on creuse, plus elles sont grosses, gage d'un bon drainage.

■ Culture et vinification

M. Guillemet applique les mêmes méthodes qu'au Château Pouget

FICHE TECHNIQUE

AOC	*Margaux*		Temps de cuvaison	*10 à 21 jours*
Production	*6 500 caisses*		Chaptalisation	*de 0,5o à 1o*
Date de création du vignoble	*1754*		Température des fermentations	*25o*
Surface	*18 ha*		Mode de régulation	*serpentin de 40 m de long*
Répartition du sol	*divisé*		Type des cuves	*ciment plastifié +*
Géologie	*graves sablonneuses de 5 m de profondeur*			*2 cuves de bois*
			Vin de presse	*15 %*
			Age des barriques	*renouvellement annuel par·1/8*

CULTURE

Engrais	*chaux magnésienne-engrais organiques*
Taille	*Guyot double médocaine*
Cépages	*C.S. 67 % - C.F. 8 % - Merlot 20 % - Petit Verdot 5 %*
Age moyen	*35-40 ans*
Porte-greffe	*420 A - 101-14 - S04*
Densité de plantation	*10 000 pieds/ha*
Rendement à l'ha	*32 hl*
Replantation	*pas pour l'instant*
Traitement antibotrytis	*non*

Temps de séjour	*24 mois*
Collage	*blancs d'œufs frais, gélatine, blancs d'œufs en poudre*
Filtration	*avant la mise (8 plaques cellulosiques)*

VINIFICATION

Levurage (origine)	*naturel, pied de cuve si nécessaire*

Maître de chai	*Pierre Guillemet*
Régisseur	*Pierre Guillemet*
Œnologue conseil	*Prof. Peynaud*
Type de bouteille	*Tradiver depuis 1978*
Vente directe au château	*oui*
Commande directe au château	*non*
Contrat monopole	*non*

(se reporter à ce chapitre). Mais, contrairement à Pouget, 8 % de Cabernet Franc demeurent à Boyd. Ce cépage ne séduit pas le propriétaire qui envisage de le remplacer par du Merlot. A noter la densité de plants à l'hectare.

A propos de la chaptalisation, M. Guillemet remarque que les consommateurs souhaitent boire des vins de 12o, or il est rarissime que les Cabernet dépassent 11,5o (naturellement). Il faut croire que les goûts ont changé puisque ni son père ni son grand-père ne chaptalisaient : ils eussent considéré cela « comme un crime » (pas de chaptalisation avant 1960). Les températures des fermentations sont plutôt basses et la durée des cuvaisons limitée, car, dit M. Guillemet, « les acheteurs veulent boire leur vin trop rapidement ; il convient d'adapter la vinification à ces conditions particulières ». Ce sont également les acheteurs qui ont imposé la filtration à laquelle le propriétaire de Boyd et de Pouget ne croit guère (« Peut-être accentue-t-on ainsi la couleur rubis », déclare-t-il). Quant au renouvellement des barriques, les impératifs économiques commandent. On le comprend d'autant plus si l'on songe qu'à Boyd-Pouget les dépenses comptabilisées annuellement s'élèvent à 1 300 000 F dont 230 000 de charges sociales.

■ **Le vin**

La cuverie de Boyd-Cantenac est à la mesure d'une exploitation artisanale. Il y règne une atmosphère quelque peu bourguignonne qui surprend en plein Médoc. L'harmonie intime du cuvier, à la mesure de l'homme et non pas d'une industrie, se retrouve dans le vin dont la qualité est accentuée par l'âge respectable des vignes et le modeste rendement à l'hectare.

PLAT IDÉAL :
Cèpes à la bordelaise

AGE IDÉAL : 7 ans
Années exceptionnelles : 25 ans

CHATEAU
BOYD-CANTENAC

GRAND CRU CLASSÉ
MARGAUX

Appellation Margaux Contrôlée

1975

MIS EN BOUTEILLES AU CHATEAU
73 cl

P. GUILLEMET, PROPRIÉTAIRE A CANTENAC (GIRONDE)

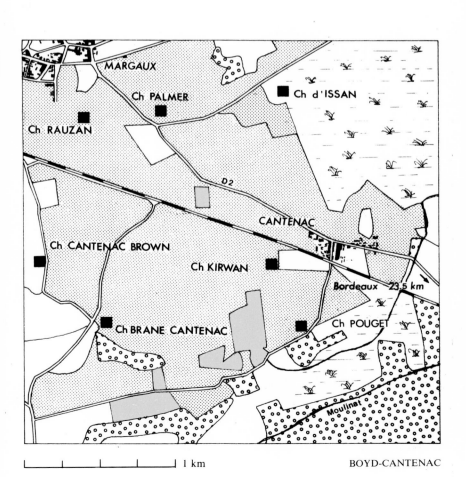

1 km

BOYD-CANTENAC

COTATIONS COMMENTÉES

Année	Note	Commentaire
1961	10	complet, s'ouvre très lentement • **à boire en 1984**
1962	8	plein • **à boire**
1964	8	riche et complexe • **à boire sans attendre**
1966	8	équilibré et bouqueté • **à boire**
1967	6	bien évolué • **à boire sans délai**
1970	10	dense mais fermé • **à boire en 1985-1990**
1971	9	rond et plein • **à boire**
1972	5	manque de chair, court • **à boire**
1973	6,5	léger et bouqueté • **à boire**
1974	6	bouqueté, manque de gras • **à boire**
1975	10	profond, ferme, riche, complet ; fermé • **à boire en 1990-2000**
1976	8,5	un 1975 plus souple • **à boire en 1985-1990**
1977	5	sec, sans ampleur • **à boire en 1985**
1978	9	riche et rond, plein • **à boire en 1995**
1979	9	très proche du précédent • **à boire en 1995**
1980	6	peut-être entre 1974 et 1977 • **à boire dès 1987**
1981	9	riche, tannins enrobés • **à boire dès 1991**

CHATEAU CANTENAC BROWN

3e CRU CLASSÉ

La vigne orne depuis longtemps le plateau de Cantenac. Bernard Sainvincens vend sa terre à Jacques Boyd dont la famille s'allie à John-Lewis Brown. Ce dernier se rend adjudicataire du domaine le 28 août 1806. John-Lewis Brown, peintre à ses moments, arrondit le domaine par divers achats. N'a-t-il pas eu les moyens financiers de ses ambitions ? Il est contraint de vendre en 1843. Une banque se porte acquéreur, une partie du domaine prend le nom de Boyd-Cantenac, alors que l'autre partie est acquise par Armand Lalande (1860). Entre-temps, en 1855, la propriété, toujours connue sous le nom de Château Boyd, avait été classée 3e cru. Mme Lawton, née Lalande, transmet le vignoble à son fils, Jean, qui le cède en 1968 à Bertrand du Vivier, déjà propriétaire du Château de Malleret.

■ Lieu de naissance

Le premier lot se compose de deux parcelles séparées par la route départementale no 105 E Margaux-Ligondras. Elles jouxtent les vignobles de Rausan-Ségla et de Brane-Cantenac, à 16 mètres d'altitude. Le deuxième lot, plus au sud, est voisin également des vignes de Brane-Cantenac. Les terres sont composées de graves fines argilo-calcaires ; la teneur en calcaire de ces graves corse le caractère des vins de Cantenac Brown.

FICHE TECHNIQUE

AOC	Margaux		Temps de cuvaison	28 à 30 jours
Production	15 000 caisses		Chaptalisation	si nécessaire
Date de création du vignoble	XVIIIe siècle		Température des fermentations	inférieure à 30o
Surface	31 ha en production (+ 1 ha replantation)		Mode de régulation	serpentin
			Type des cuves	acier émaillé
Répartition du sol	en 2 lots		Vin de presse	0 à 50 %
Géologie	graves fines argilo-calcaires		Age des barriques	renouvellement par sixième annuel

CULTURE

Engrais	essentiellement du fumier		Temps de séjour	16 à 20 mois
Taille	Guyot double médocaine		Collage	6 blancs d'œufs frais
Cépages	C.S. 75 % - C.F. 8 % - M. 15 % - Petit Verdot 2 %		Filtration	sur plaques à la mise
Age moyen	20-25 ans (voir texte)		Maître de chai	André
Porte-greffe	divers, adaptés au terrain		Régisseur	Guy Chamouleau
Densité de plantation	10 000 et 6 000-7 000 pieds/ha		Œnologue conseil	André Vaset
			Type de bouteille	bordelaise
Rendement à l'ha	45 à 50 hl		Vente directe au château	non
Replantation	1,5 ha annuel		Commande directe au château	non

VINIFICATION

Levurage (origine)	naturel		Contrat monopole	oui (de Luze)

■ Culture et vinification

Les vaches de la ferme de Malleret ainsi que le haras fournissent le fumier nécessaire à un sol qui n'est pas d'une grande pauvreté. En 1968, l'âge moyen des vignes s'élevait à quarante ans. Dès 1969, des replantations sont engagées. Aujourd'hui le vignoble se compose de très vieilles vignes assistées des nouvelles qui sont entrées en production. Les anciennes vignes sont plantées à 1 m × 1 m, alors que les rangs des nouvelles plantations sont distants de 133 et 150 centimètres (6 000-7 000 pieds/ha). Bertrand du Vivier a la possibilité de vendanger rapidement et de choisir les jours ensoleillés car il dispose d'une forte équipe de vendangeurs engagés également pour son vignoble de Malleret. La vinification est traditionnelle, les vins sont cuvés séparément suivant les parcelles qui les produisent. Le respect des traditions n'exclut pas l'exploitation des matériaux modernes. C'est ainsi que les moûts de Cantenac Brown étaient logés autrefois dans des cuves de bois ; aujourd'hui l'acier s'est substitué au bois. L'eau de source sert à refroidir le vin en fermentation bien que Bertrand du Vivier remarque qu'il faut plus souvent chauffer que refroidir les vins.

Ils sont assemblés et sélectionnés par Bertrand du Vivier peu avant la mise en bouteilles.

■ Le vin

Il est intéressant de comparer les deux vins issus de propriétés contiguës et portant des « marques » proches : Cantenac Brown et Brane-Cantenac. On mesure combien culture, vinification et sélection composent un clavier dont le vinificateur joue comme un pianiste de son instrument. A Brane-Cantenac la facilité de la souplesse, à Cantenac Brown les structures pleines qui s'arrondissent avec le temps.

Bien que les Margaux aient la réputation de se « faire » assez rapidement, Bertrand du Vivier se conforme à son terroir, producteur de vins de garde qu'il ne faut pas boire avec précipitation.

PLAT IDÉAL :
Gigot saignant aux haricots très cuits

AGE IDÉAL : 6 à 8 ans
Années exceptionnelles : 12 ans et plus

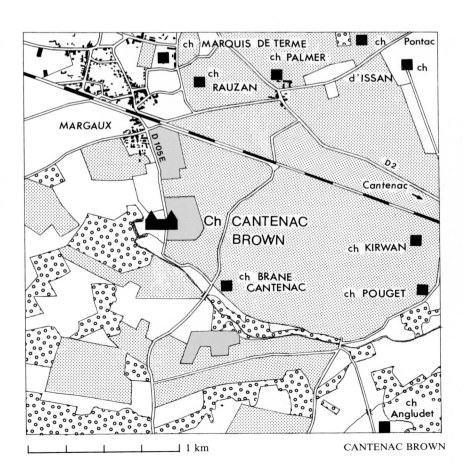

1 km   CANTENAC BROWN

COTATIONS COMMENTÉES

1970	10	encore fermé et dur • **le goûter**
1971	8	souple, facile • **à boire**
1972	5	léger sans acidité • **à boire**
1973	5	aurait pu être meilleur à Cantenac Brown • **à boire sans délai**
1974	5	année moyenne • **à boire**
1975	10	parfait, très complet • **à boire en 1985-1986**
1976	6	grâce et souplesse • **à boire**
1977	5	année moyenne • **à boire**
1978	9,5	corpulent, aimable, fruité, tient des 1929 et des 1975 • **à boire**
1979	7,5	proche des 1976, capacité de vieillissement restreinte mais bon • **à boire en 1984**
1980	6	pronostic réservé, sans doute année moyenne

41

CHATEAU PALMER

3e CRU CLASSÉ

En dépit de la grande réputation de ce vin, la « marque » Palmer n'apparaît que dans le premier tiers du XIXe siècle. Auparavant, le vin se vendait sous le nom de Château de Gasq ; sa gloire était grande puisque Louis XV en buvait.

De 1814 à 1843, le major-général Charles Palmer, par des achats successifs, ajouta une centaine d'hectares aux 60 hectares du Château de Gasq. Malheureusement, la ruine le guettait et il dut vendre son domaine à Mlle Marie-Françoise Bergerac qui le céda à la Caisse hypothécaire de Paris, laquelle ne sut gérer le vignoble ravagé par une nouvelle maladie : l'oïdium.

En 1853, les frères Pereire, banquiers, se portent acquéreurs du domaine auquel le major Palmer a laissé son nom. Il doit être replanté alors que le classement de 1855 est établi. Curieusement, ces avatars ne semblent pas avoir eu de graves conséquences. Considéré comme « 3e » dans le siècle précédent, il est gratifié du 3e rang en 1855. Peu après, les Pereire font construire l'élégant château que nous admirons aujourd'hui : une pièce montée qui tiendrait

FICHE TECHNIQUE

AOC	Margaux		Temps de cuvaison	25 jours
Production	11 000 caisses		Chaptalisation	si nécessaire (pas en 1975 ni en 1978)
Date de création du vignoble	fin XVIIe siècle			
Surface	35 ha		Température des fermentations	28o à 30o
Répartition du sol	divisé en 3 lots		Mode de régulation	serpentin
Géologie	graves fines et moyennes profondes		Type des cuves	bois
			Vin de presse	1re presse, moins de 10 %

CULTURE

Engrais	organique (fumier)		Age des barriques	renouvellement par tiers annuel
Taille	Guyot double médocaine		Temps de séjour	18-24 mois
Cépages	C.S. 45 % - C.F. 5 % - M. 40 % - Petit Verdot 10 %		Collage	blancs d'œufs frais
Age moyen	32-35 ans		Maître de Chai	Yves Chardon
Porte-greffe	44-53 - 420-A 101-14 - Riparia Gloire		Régisseur	Claude Chardon
			Œnologue-conseil	Boissenot
Densité de plantation	10 000 pieds/ha		Type de bouteille	Tradiver
Rendement à l'ha	35 hl		Vente directe au château	oui
Replantation	1,5 ha annuel		Commande directe au château	non
Traitement antibotrytis	non			

VINIFICATION

Levurage (origine)	naturel		Contrat monopole	oui (Sichel et Mähler-Besse)

d'Azay-le-Rideau. En 1929, le vignoble couvre 115 hectares (dont 50 de palus !). C'est le début d'une nouvelle décadence. Le point le plus bas est atteint en 1938. Lorsque la société d'exploitation actuelle l'achète, il ne reste que 20 hectares de vignes ! Une fois de plus, le domaine sera reconstitué. Seuls les meilleurs terrains feront l'objet de nouvelles plantations.

■ Lieu de naissance

Les parcelles de Palmer sont assez bien regroupées autour du château et des deux côtés de la route départementale n° 2 qui relie Cantenac au village d'Issan.

Des graves fines, parfois moyennes, günziennes garonnaises, de bonne profondeur sur socle calcaire, entre 5 et 18 mètres d'altitude, accueillent les règes serrées (10 000 pieds à l'ha).

■ Culture et vinification

Les méthodes relèvent de la tradition et du classicisme. Les Merlot sont bien représentés (à comparer avec Château d'Issan, par exemple), les cuvaisons se font dans du bois, matériau de plus en plus rare, et leur durée suppose une bonne extraction.

■ Le vin

Le secret du succès de Palmer tient en quelques facteurs : sélections sérieuses et sévères, terroir de qualité, encépagement étudié (d'un bel âge), de forte densité et rendement raisonnable.

Il faut ajouter à cela une vinification harmonieuse parfaitement adaptée aux moûts et au but recherché.

PLAT IDÉAL :
Sanglier

AGE IDÉAL : 6 ans
Années exceptionnelles :
20 ans minimum

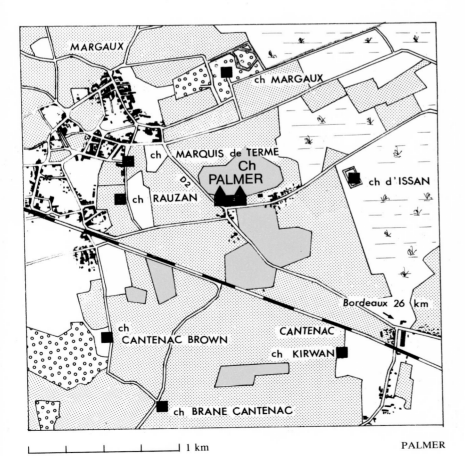

PALMER

COTATIONS COMMENTÉES

1961	10	a la réputation d'être le meilleur Margaux, voire le meilleur Médoc • **à boire**
1962	9	commence à s'ouvrir • **le goûter**
1964	8	ne plus l'attendre • **à boire**
1966	10	millésime exceptionnellement réussi à Palmer • **à boire**
1967	9	belle robe ; plein • **à boire**
1970	9,5	complet, charme, corpulent ; doit s'affiner • **à boire en 1987**
1971	9	un 1970 plus féminin • **à boire**
1973	7	équilibré, peu de fond, court • **à boire**
1974	6,5	dur ; évolue peu • **à boire en 1984**
1975	10	atteindra la perfection des 1961 • **à boire en 1990**
1976	9	plus féminin • **à boire**
1977	8	manque de gras • **à boire**
1978	9,5	couleur, ampleur, rondeur ; gras et fin • **à boire en 1988**
1979	9	1978 avec moins de finesse • **à boire en 1988**
1980	7,5	plus équilibré que les 1977 ; aimable • **à boire dès 1984**
1981	8	robe légère, délicat, décevant pour le millésime • **à boire dès 1987**

CHATEAU FERRIÈRE

3e CRU CLASSÉ

Du XVIIIe au XXe siècle, ce domaine demeura dans la famille Ferrière. Le premier de la lignée, Gabriel Ferrière, fonctionnaire royal, vendit son bien à son cousin germain, lequel se prénommait Gabriel également. Le frère de ce dernier, Jean Ferrière, fut maire de Bordeaux après la Terreur. Dès 1824, le vin de Ferrière atteignait la classification qui lui sera reconnue par le classement de 1855, alors qu'il était la propriété de Mme veuve Jean Ferrière.

En 1914, Henri Ferrière vend son domaine à Armand Feuillerat, déjà propriétaire de Château Marquis de Terme, 4e cru classé de Margaux. Sept ans plus tard, il en fait don à sa fille, Mme André Durand-Feuillerat.

Depuis 1960, les vignes de Ferrière sont affermées par Château Lascombes. Ce contrat a été reconduit jusqu'en 1998.

■ Lieu de naissance, culture, vinification

Voir Lascombes.

■ Le vin

Il est vinifié à Lascombes ; il lui ressemble comme un frère. Si différences il y a, elles ne sont issues que des sélections. Il se vend en Belgique, aux États-Unis et en France dans la restauration. Les amateurs de ce Lascombes bis peuvent l'acquérir au Château Lascombes. C'est une bonne affaire car Ferrière, 3e cru classé, est fatalement moins cher que Lascombes, 2e cru classé.

FICHE TECHNIQUE

AOC	Margaux		Temps de cuvaison	15 à 21 jours
Production	1 000 caisses		Chaptalisation	si nécessaire ; 12,5°
Date création vignoble	XVIIIe siècle		Température des fermentations	25° à 30°
Surface	4,13 ha + 1,16 h pour Bordeaux supérieur. Cette surface est comprise dans celle indiquée pour le Château Lascombes (se reporter à ce chapitre)		Mode de régulation	refroidisseur
			Type des cuves	inox et béton
			Vin de presse	8 à 11 %
			Age des barriques	renouvellement par quart annuel
Géologie	graves fines et profondes		Temps de séjour	18 mois
			Collage	blancs d'œufs frais

CULTURE

Engrais	50 % chimique, 50 % naturel		Filtration	sur plaques avant la mise
Taille	Guyot double médocaine			
Cépages	C.S. 46 % - C.F. 8 % - M. 33 % - Petit Verdot 12 % - Malbec 1 %			
Age moyen	25 ans		Maître de chai	M. Robert Dupuy
Porte-greffe	101-14 - Riparia Gloire - SO4		Régisseur	M. Claude Gobinau
Densité de plantation	2/3 à 10 000 pieds/ha - 1/3 à 7 000 pieds/ha		Œnologue conseil	M. Patrick Léon
			Type de bouteille	Tradiver
Rendement à l'ha	30 à 33 hl		Vente directe au château	oui, aux particuliers
Replantation	2-3 ha annuels			
Traitement antibotrytis	oui (en principe)		Commande directe au château	oui, aux particuliers

VINIFICATION

Levurage (origine)	naturel		Contrat monopole	oui (Société Alexis Lichine, à Bordeaux)

CHATEAU DESMIRAIL

3e CRU CLASSÉ

Une fois encore, nous retrouvons Pierre des Mesures de Rauzan, le fameux rassembleur de terrains de la seconde moitié du XVIIe siècle.

Dans le domaine de Rauzan furent prélevées des terres ; elles constituèrent la dot de Mlle Rauzan du Ribail qui épousa un homme de robe : Jean Desmirail.

Dès 1750, le vignoble produit des vins dont les prix sont ceux des 3e crus. En 1855, alors que le domaine appartient à M. Sipière, le 3e rang lui est justement conféré. En 1903, le banquier berlinois Robert de Mendelssohn s'en porte acquéreur. Ce riche personnage n'est pas étranger au Médoc puisque son grand-père n'était autre que le poète Biarnez. Lors de la guerre de 1914, la propriété est mise sous séquestre puis vendue à M. Michel, qui la revend en plusieurs lots au début de la dernière guerre. Palmer acquiert les vignes sises à Cantenac ; celles d'Arsac sont jointes au Château Brane-Cantenac. Lucien Lurton a décidé de faire renaître Desmirail. La carte du vignoble et la fiche technique donnent un aperçu de cette résurrection. Le premier millésime disponible, celui de 1981, présente les caractéristiques d'un vin de garde, charnu et flatteur, qui devrait atteindre son apogée vers 1986 et qui se situe au niveau du Ch. Palmer 1981.

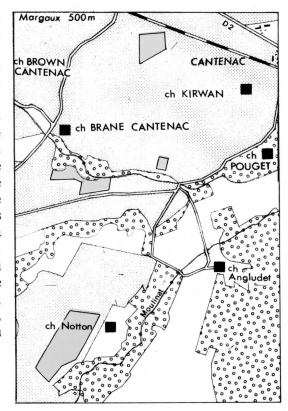

FICHE TECHNIQUE			
AOC	Margaux	Temps de cuvaison	20 à 27 jours
Production	3 000 caisses	Chaptalisation	si nécessaire
Date de création du vignoble	fin du XVIIe siècle	Température des fermentations	27º à 30º
Surface	11 ha ; possibilité d'extension : 7 hectares	Mode de régulation	ruissellement
Répartition du sol	divisé	Type des cuves	acier, inox
Géologie	gravier profond du quaternaire	Vin de presse	7 à 10 %
		Age des barriques	renouvelées par 1/4 annuellement

CULTURE

		Temps de séjour	20 mois
Engrais	organique et minéral en faible quantité	Collage	blancs d'œufs
Taille	Guyot double médocaine		
Cépages	G.S. 80 % - C.F. 9 % - M. 10 % - Petit Verdot : 1 %		
Age moyen	25 ans	Maître de chai	Philippe Peschka
Porte-greffe	101-14 - 420 A - Riparia Gloire	Régisseur	Yves Camelot
		Œnologue conseil	Prof. Peynaud
Rendement à l'ha (net)	25 hl	Type de bouteille	bordelaise
Traitement antibotrytis	si nécessaire	Vente directe au château	non

VINIFICATION

		Commande directe au château	oui
Levurage (origine)	naturel	Contrat monopole	non

CHATEAU
MARQUIS D'ALESME BECKER

3e CRU CLASSÉ

La famille d'Alesme est connue dans la région de Margaux depuis le XVIe siècle. Le vignoble semble exister depuis la fin du XVIe siècle, depuis 1616 en tout cas, ce qui a donné lieu à l'édition d'une étiquette spéciale en 1966 pour le 350e anniversaire de la « marque ».

En 1855, le Château est classé au 3e rang. Il est alors connu sous le nom d'un de ses propriétaires précédents : Becker. MM. Szajderski et Rolland en avaient la charge. En 1938, Paul Zuger acquiert château et vignobles. Son fils Jean-Claude le gouverne depuis peu. Des aménagements et une redistribution des vignes vont permettre au Château d'affirmer sa personnalité.

■ Lieu de naissance

Quelques années plus tard s'ajoutent à Alesme quelques terres données en fermage à Malescot. La parcelle de fines graves prolongeant le parc du château est contiguë au vignoble de Château Margaux. Le château Marquis d'Alesme Becker, presque invisible parce que disposé de profil, donne dans la rue principale du village de Margaux. Quelques parcelles d'Alesme sont plus au nord, dans la commune de Soussans ; les terrains de graves günziennes garonnaises sont tout à la fois caillouteux et argileux.

FICHE TECHNIQUE

AOC	Margaux		Temps de cuvaison	15 à 21 jours
Production	3 500 à 4 000 caisses		Chaptalisation	si nécessaire (obtenir 11o5 à 12o5)
Date de création du vignoble	1616		Température des fermentations	moins de 30o
Surface	7 ha + 6 ha en fermage + 2 a		Mode de régulation	ruissellement sur cuve
Répartition du sol	divisé		Type des cuves	inox
Géologie	graves fines et graves grosses argileuses		Vin de presse	toute la 1re presse, la 2e selon les cas
			Age des barriques	renouvellement par 1/4 annuel
			Temps de séjour	12-14 mois
CULTURE			Collage	blancs d'œufs surgelés
Engrais	organique et chimique		Filtration	aucune
Taille	Guyot double médocaine			
Cépages	G.S. 29 % - C.F. 29 % - M. 29 % - Petit Verdot 13 %			
Age moyen	22 ans		Maître de chai	André Pelletan
Porte-greffe	Riparia Gloire		Régisseur	Jean-Claude Zuger
Rendement à l'ha	45 hl		Œnologue conseil	Boissenot
Replantation	complantation mais pas de replantation		Type de bouteille	Tradiver
Traitement antibotrytis	non		Vente directe au château	oui
			Commande directe au château	oui
VINIFICATION			Contrat monopole	pour exportation (sauf Allemagne)
Levurage (origine)	pied de cuve			

age moyen : $\leqslant 20$, $20-30$, $\geqslant 30$ ⟶ 1, 2, 3

Hectwestag : $\geqslant 35$, $35-25$, $\leqslant 25$ 1, 2, 3

barriques : $\leqslant \frac{1}{2}$, $\geqslant \frac{1}{2}$ 1, 2

temps de séjour : $\geqslant 20$ mois   1, 2

Collage :   Ées   2

filtration : aucune   2

rendement : $\leqslant 7500$

Alles	Dichte	Welter-etag	Fässer	Lagerung	~~Bütttecht~~ Schönung	Filtrier-		
—	2	2	2	2	1		12	Branaire Ducru
2	2	1	2	2	2		13	La Lagu
3	1	1	2	2	2			Palmer
3	1	2	1	2	1	)	=	P. Lichi
3	1	2	1	2	2			Magdela
3	2	3	2	2	2	1	15	Lafite

■ Culture et vinification

L'encépagement rattache le Château Marquis d'Alesme Becker au groupe des Margaux qui ne misent pas tout (ou presque) sur les Cabernet (comparer Issan, Brane à Palmer et Lascombes, par exemple). A noter l'exceptionnelle proportion de Petit Verdot, raisin qui donne de l'acidité si on le récolte trop tôt, ce qui arrive souvent car il est très tardif. A plein mûrissement, les belles années, cet excellent raisin donne sucre et couleur. Dans son cuvier de construction récente, Jean-Claude Zuger recueille le gaz carbonique d'une cuve en fermentation et le transfère dans la cuve en cours de remplissage pour protéger le raisin. Les cuves inox sont refroidies par ruissellement. L'eau est pompée dans le puits, sa température n'excède jamais 16°. Ce système permet de ramener une cuve de 30° à 26° en une heure et demie. Le vin reste en cuve tout l'hiver afin que le froid précipite les tartres. Il est logé en barriques au mois de mars.

■ Le vin

Le Château marquis d'Alesme Becker est en cours d'évolution. Jusqu'à une date récente, il était élaboré au château Malescot Saint-Exupéry ; est-ce pour cette raison, en dépit de ses trois siècles et demi d'existence, que le vin d'Alesme Becker est moins connu que celui de Malescot Saint-Exupéry ? Ou la réputation littéraire du nom de Saint-Exupéry a-t-elle rejailli sur le vin ?

Le « Marquis d'Alesme » — on oublie souvent « Becker », la typographie de l'étiquette y incite — est un vin qui tire sa vigueur des argiles de la commune de Soussans et sa finesse des petites graves de celle de Margaux. Depuis peu le nouveau cuvier (inox) et le nouveau chai permettent à Jean-Claude Zuger d'élaborer des vins de sa conception. Un pittoresque caveau de dégustation et une vaste salle de réception autorisent désormais la promotion du vin d'Alesme Becker. La mutation de cette propriété n'est pas terminée, elle s'achèvera par la reprise des vignes en fermage et par un vieillissement du vignoble, ce qui ne saurait être dommageable.

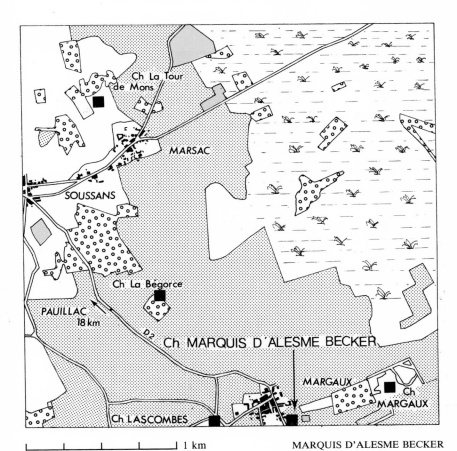

1 km   MARQUIS D'ALESME BECKER

PLAT IDÉAL :
Entrecôte grillée
aux sarments

AGE IDÉAL : 5 ans
Années exceptionnelles : 15 ans

PRODUCE OF FRANCE

Château Marquis d'Alesme
BECKER
GRAND CRU CLASSÉ
EN 1855
1979
MARGAUX   75 cl
APPELLATION MARGAUX CONTROLÉE

Jean-Claude ZUGER, Propriétaire
à MARGAUX - Gironde - FRANCE

CETTE BOUTEILLE PORTE LE   N°   00118

COTATIONS COMMENTÉES

Année	Note	Commentaire
1961	10	complet • s'ouvre
1962	8	plein • à boire
1964	7	robuste • à boire
1966	8	bouqueté, fruité • à boire
1967	7	relativement léger • à boire
1970	10	réussi, robe, charpente, chair • s'ouvre
1971	7	n'a pas l'ampleur du 1970 • à boire
1972	6	petite robe • à boire
1973	6	léger, s'est « fait » vite • devrait être bu
1974	6	évolue lentement ; ampleur • à boire
1975	9	évolue vers l'idéal • à boire en 1985
1976	7,5	souple • à boire
1977	6	quelque peu acide • à boire
1978	8	plein, masculin et tannique • à boire en 1988
1979	7,5	a du nerf • à boire en 1986
1980	6,5	petit corps, gouleyant • à boire
1981	8,5	franc, équilibré, long • à boire dès 1986

CHATEAU PRIEURÉ-LICHINE

4e CRU CLASSÉ

Si les châteaux médocains ne sont pas tous authentiques, le Prieuré-Lichine, en revanche, est un vrai prieuré. Il appartient actuellement à Alexis Lichine qui lui a donné son nom. Jusqu'à la Révolution, le prieuré, connu sous le nom de Prieuré-Cantenac, était tenu par des religieux. Il dépendait de l'abbaye de Vertheuil sise entre Lesparre et Saint-Estèphe. Son domaine paroissial était le plus important du Médoc, et ses revenus considérables. D'autant plus considérables que les vins du Prieuré-Cantenac se vendaient à des prix très élevés. Divers documents d'époque permettent d'affirmer que, au milieu du XVIIIe siècle, le revenu annuel que le prieur en tirait dépassait 150 000 francs (converti en monnaie actuelle). Les prix pratiqués situaient le Prieuré-Cantenac au niveau des 3e crus.

Il est raisonnable de penser que les vignes s'étendaient sur plus de 20 hectares. A la Révolution, la propriété fut « laïcisée ». Lors du classement de 1855, le 4e rang est conféré au « Château le Prieuré » (ex-Prieuré-Cantenac) appartenant à Mme veuve Pagès. Plusieurs propriétaires prennent en charge le Prieuré jusqu'à ce qu'Alexis Lichine l'acquière en 1951. Dès 1953, il devient Château Prieuré-Lichine. Sous la houlette de son nouveau propriétaire, à la suite de remembrements et d'achats, la surface du vignoble a triplé.

FICHE TECHNIQUE

AOC	Margaux		Temps de cuvaison	13-25 jours
Production	28 000 caisses		Chaptalisation	si nécessaire
Date de création du vignoble	XVIe siècle		Température des fermentations	30 º maximum
Surface	58 ha		Mode de régulation	par serpentin
Répartition du sol	divisé		Type des cuves	ciment
Géologie	graves		Vin de presse	de très peu à presque tout

CULTURE

Engrais	organique et chimique		Age des barriques	1 à 4 ans
Taille	Guyot double médocaine		Temps de séjour	18 mois
Cépages	C.S. 52 % - C.F. 12 % - M. 31 % - Petit Verdot 5 %		Collage	blancs d'œufs frais
			Filtration	légère à la mise
Age moyen	30 ans			
Porte-greffe	divers		Maître de chai	Armand Labarère
Densité de plantation	2/3 10 000 pieds/ha 1/3 6 600 pieds/ha		Régisseur	Jean-Claude Arcennathury
			Œnologue conseil	Prof. É. Peynaud
Rendement à l'ha	33 hl		Type de bouteille	Tradiver
Traitement antibotrytis	oui		Vente directe au château	oui
			Commande directe au château	oui

VINIFICATION

Levurage (origine)	naturel		Contrat monopole	non

■ Lieu de naissance

Dans les crus classés, seuls, deux vignobles présentent cet aspect parcellaire : Lascombes et Prieuré-Lichine. Tous deux doivent leur extension et leurs modifications à Alexis Lichine. Le cœur des vignes du Prieuré est situé dans la commune de Cantenac, le long de la départementale 2 et le long de la voie de chemin de fer. Mais les communes d'Arsac, de Labarde, de Soussans, sans oublier celle de Margaux, apportent chacune sa contribution. La création du grand vignoble au nord de Château Margaux a certainement mobilisé toute la science du drainage d'Alexis Lichine. Il va de soi que le dénominateur commun de ces terrains diversifiés tient à leur nature graveleuse, graves moyennes à fines d'origine garonnaise et de l'époque günzienne.

■ Culture et vinification

Alexis Lichine utilise sa longue expérience des vins et de la vigne, expérience dont il fit bénéficier également, pendant près de 20 ans, le Château Lascombes. Culture et vinification sont conduites selon les procédés contemporains. Les rangs serrés le cèdent aux rangs larges pour faciliter les techniques culturales modernes.

■ Le vin

Les sélections, dirigées par le propriétaire et le professeur Peynaud, permettent d'assimiler les nouvelles parcelles sans modifier pour autant les caractères du Château Prieuré-Lichine.
Le deuxième vin porte l'étiquette Château de Clairefont.

PLAT IDÉAL :
« Une bouteille de 1967
à manger tout seul. »
(Alexis Lichine dixit)

AGE IDÉAL : 7 ans
Années exceptionnelles : 15 ans

COTATIONS COMMENTÉES

Année	Note	Commentaire
1961	10	dense, concentré • **à boire**
1962	7	souple • **à boire**
1964	8	récolté avant la pluie • **à boire**
1966	9	plénitude et rondeur • **à boire**
1967	9	Prieuré-Lichine exceptionnellement réussi • **à boire**
1970	8	charme au détriment du gras • **à boire**
1971	7	souple • **à boire**
1972	6	petit millésime • **à boire**
1973	7,5	équilibré, aucune fatigue • **à boire**
1974	7,5	supérieur à la réputation du millésime • **à boire**
1975	8	évolution lente • **s'ouvre**
1976	8,5	évolue rapidement • **à boire**
1977	7	fruité, fin, peu d'étoffe • **à boire**
1978	8,5	bien en chair et tannique • **à boire en 1984**
1979	8,5	complet, évolution assez rapide prévue • **à boire**
1980	7,5	nerveux avec maigreur • **à boire dès 1984**
1981	8	agréable, mince pour le millésime • **à boire dès 1988**

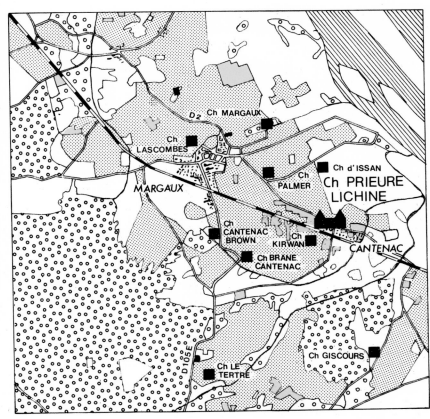

1 km

PRIEURÉ-LICHINE

49

CHATEAU POUGET

4ᵉ CRU CLASSÉ

Sans doute le vignoble existait-il avant qu'Antoine Pouget, fonctionnaire royal, lui donnât son nom. Cela se passait en des temps éloignés, vers 1650. A la suite d'un mariage, Pouget se transforma en Pouget de Chavaille. Au moment de la Révolution, le fils de Chavaille émigra en Angleterre. Il était le petit-fils de la citoyenne Jeanne Graves, veuve Pouget, qui, sur un actif de 48 557 F, dut abandonner à la République naissante 24 281,10 F représentant la valeur de son domaine de Cantenac, ainsi qu'en fait foi l'arrêté du 5 floréal an VI de la République, que détient M. Pierre Guillemet, gérant du G.F.A. Boyd-Cantenac Pouget.

En 1855, M. de Chavaille, descendant Pouget, eut la satisfaction de voir son vin classé dans la 4ᵉ catégorie. Encore qu'il eût pu espérer un classement supérieur, si l'on s'en réfère aux prix de vente pratiqués à Pouget entre 1750 et 1850, ainsi qu'aux précédents classements qui mettaient Pouget au 3ᵉ rang (carte de la Gironde dressée en 1850). Ce n'est qu'en 1906 que les Pouget de Chavaille vendirent la propriété aux familles Elie, Elie-Guillemet.

FICHE TECHNIQUE

AOC	Margaux		Temps de cuvaison	10 à 21 jours
Production	3 500 caisses		Chaptalisation	0°5 à 1° (voir texte)
Date de création du vignoble	1650		Température des fermentations	25°
Surface	8 ha		Mode de régulation	serpentin de 40 mètres
Répartition du sol	divisé		Type des cuves	ciment plastifié + 2 cuves de bois
Géologie	graves sablonneuses profondes		Vin de presse	15 %

CULTURE

Engrais	organique et chaux magnésienne		Age des barriques	renouvellement annuel par 1/8
Taille	Guyot double médocaine		Temps de séjour	24 mois
Cépages	C.S. 85 % - M. 10 % - Petit Verdot 5 %		Collage	blancs d'œufs frais, gélatine, blancs d'œufs en poudre
Age moyen	25 ans		Filtration	avant la mise (8 plaques cellulosiques)
Porte-greffe	420 A - 101-14 - S04			
Rendement à l'ha	34 hl		Maître de chai	Pierre Guillemet
Traitement antibotrytis	non		Œnologue conseil	Prof. Peynaud
			Type de bouteille	Tradiver depuis 1978

VINIFICATION

			Vente directe au château	oui (France)
Levurage (origine)	naturel ; pied de cuve si nécessaire		Commande directe au château	oui (France)
			Contrat monopole (exportation)	Philippe Dubos, 24, quai des Chartrons, 33000 Bordeaux

■ Lieu de naissance

Le vignoble d'un seul tenant jouxte le château. Depuis 250 ans, ni sa surface (8 ha) ni son emplacement n'ont varié, ce qui est exceptionnel sinon unique.

Les terrains sont constitués de petites graves günziennes garonnaises sablonneuses formant un plan légèrement incliné.

■ Culture et vinification

Des sols très acides requièrent quelques soins. Chaux magnésienne, fumier de champignons, marc, etc., préparent le sol à des formes de culture modernes.

L'encépagement mérite une mention puisque à Pouget, contrairement à presque tous les autres crus classés (Pichon Baron, Issan, Haut-Bages Libéral exceptés), on ne cultive pas le Cabernet Franc. La vinification suit les modes actuelles. Les cuvaisons ne sont pas trop longues, les températures de fermentation plutôt basses. Le vin demeure un temps respectable dans des barriques modérément renouvelées.

■ Le vin

A la lecture de la fiche technique, on se rend compte que tout l'art de la vinification réside dans l'harmonie entre les diverses opérations.

Pierre Guillemet semble réussir cette harmonie. Se reporter également à Boyd-Cantenac, appartenant au même propriétaire. A Pouget, de nouveaux chais et un nouveau cuvier sortent de terre. Les vinifications ne peuvent qu'en bénéficier.

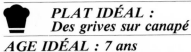

PLAT IDÉAL :
Des grives sur canapé

AGE IDÉAL : 7 ans
Années exceptionnelles : 25 ans

CHATEAU POUGET
GRAND CRU CLASSÉ
MARGAUX
Appellation Margaux Contrôlée
1975   73 cl
P. GUILLEMET, PROPRIÉTAIRE A CANTENAC (GIRONDE)
MIS EN BOUTEILLES AU CHATEAU

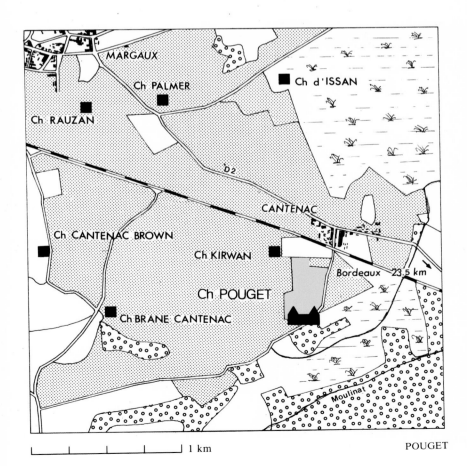

POUGET

COTATIONS COMMENTÉES

Année	Note	Commentaire
1961	10	complet • à boire en 1985
1962	8	bonne évolution • à boire
1964	7	bonne année, vendanges terminées sous la pluie • à boire sans délai
1966	8	bouqueté ; maturation lente • à boire
1967	6,5	agréable, évolué • à boire
1970	10	complet ; évolution lente • à boire en 1985-1990
1971	9	moelleux et excellent • à boire
1972	5	maigre • à boire
1973	6	nez parfait, finesse, bouquet, pas d'ampleur • à boire
1974	6	réussi pour ce millésime ingrat • à boire
1975	10	riche, totalement fermé • à boire en 2000
1976	8,5	un 1975 moins ample, plus souple • à boire en 1990
1977	5	rappelle les 1972 ; pas d'étoffe, sec • à boire en 1985
1978	9	vin complet • à boire en 1995
1979	9	vin complet • à boire en 1995
1980	6	entre 1974 et 1977 • à boire dès 1987
1981	9	complet, plein, rond • à boire dès 1987

CHATEAU MARQUIS DE TERME
4e CRU CLASSÉ

Tant à Margaux qu'à Pauillac, on retrouve régulièrement un personnage dont le nom s'est perpétué jusqu'à nos jours : Pierre des Mesures de Rauzan. Durant le XVIIe siècle, il occupe le terrain, plante des vignes et vend du vin, car il est négociant. Sa nièce possédait diverses parcelles de vignobles aux noms connus mais inutilisés. Elle en fit apport au seigneur de Peguilhan, marquis de Terme, qu'elle épousa le 16 décembre 1762. Il donna son nom aux vins issus de ces parcelles, encore que cet usage fut longtemps incertain, à telle enseigne qu'au début du XIXe siècle, ils étaient également connus sous le nom du propriétaire d'alors : Solberg.

En 1855, lors du classement, le vin Marquis de Terme, appartenant toujours aux Solberg, fut classé 4e cru, niveau qui était le sien depuis plus d'un siècle.

Le Marquis de Terme passa en diverses mains pour aboutir à M. F. Eschenauer, puis à Armand Feuillerat, qui le vendit à Pierre Sénéclauze, père des propriétaires actuels.

FICHE TECHNIQUE

AOC	Margaux		Temps de cuvaison	20 à 30 jours
Production	11 500 caisses		Chaptalisation	si nécessaire (pas en 1975)
Date de création du vignoble	1760		Température des fermentations	28o-30o
Surface	30 ha		Mode de régulation	refroidisseur échangeur
Répartition du sol	divisé		Type des cuves	ciment
Géologie	graves moyennes		Vin de presse	10 à 20 %
			Age des barriques	renouvellement annuel par tiers

CULTURE

Engrais	organiques et chimiques
Taille	Guyot double médocaine
Cépages	C.S. 45 % - C.F. 15 % - M. 35 % - Petit Verdot 5 %
Age moyen	25 ans
Porte-greffe	420 A - R 110 - Riparia
Densité de plantation	10 000 pieds/ha
Rendement à l'ha	35 hl
Replantation	renouvellement de 5 % par an
Traitement antibotrytis	non

Temps de séjour	12 à 18 mois
Collage	blancs d'œufs frais
Filtration	légère sur plaques avant la mise

Maître de chai	Alain Gouinaud
Régisseur	Jean-Pierre Hugon
Œnologue conseil	Jean-Pierre Hugon
Type de bouteille	Tradiver
Vente directe au château	oui
Commande directe au château	oui
Contrat monopole	non

VINIFICATION

Levurage (origine)	rapportées (support chimique)

■ Lieu de naissance

Ainsi qu'on peut le constater sur le plan ci-dessous, les vignobles du Marquis de Terme sont dispersés. Certains sont devant et derrière le « château », qui n'a de château que le nom, trois autres parcelles sont plus à l'ouest. C'est sur l'une d'elles, « les Gondats », que se sont élevés les chais. Ce nom est également celui que porte le deuxième vin de la propriété, un Marquis de Terme déclassé en quelque sorte, d'un intéressant rapport prix/qualité. D'autres parcelles jouxtent le Château d'Issan.

Malgré cette dispersion, la totalité du vignoble du Marquis de Terme occupe des terrains de graves fines du günz d'origine garonnaise, unique type de sol des crus classés Margaux.

■ Culture et vinification

L'encépagement respecte les meilleures traditions locales puisque les ceps sont plantés 1 mètre sur 1 mètre pour conduire à une forte densité à l'hectare (10 000 pieds). La vinification suit les règles en usage. Les cuvaisons sont plutôt longues, ce qui ne peut être que bénéfique.

■ Le vin

Le régisseur de la propriété, Jean-Pierre Hugon, est modeste. Son ambition de faire un vin « dans la moyenne, ni primeur ni de longue garde » est dépassée dans les faits. La charpente du Marquis de Terme autorise de longues gardes ainsi qu'on peut le constater à la lecture de la cotation commentée des millésimes ci-contre.

PLAT IDÉAL :
Filet de bœuf aux cèpes

AGE IDÉAL: 8 à 10 ans
Années exceptionnelles : 20 ans

CHATEAU
MARQUIS DE TERME
GRAND CRU·CLASSÉ
MARGAUX
APPELLATION MARGAUX CONTROLÉE
SÉNÉCLAUZE Propriétaires
MARGAUX (MEDOC)   1975   PRODUCE OF FRANCE 73 cl
MIS EN BOUTEILLE AU CHATEAU

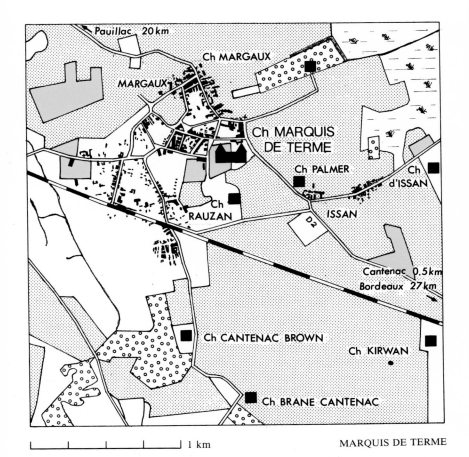

1 km   MARQUIS DE TERME

COTATIONS COMMENTÉES

Année	Note	Commentaire
1961	10	extraordinaire depuis 1979 • à boire
1962	7	harmonieux, fondu • à boire sans délai
1964	7	décline depuis 1972 • devrait être bu
1966	6,5	se fatigue, fruité • à boire sans délai
1967	5,5	année moyenne • à boire sans délai
1970	9	commence à s'ouvrir • à boire en 1985
1971	8	bouquet et finesse • à boire
1972	5	bon pour un petit millésime • à boire
1973	6	vin de charme • à boire
1974	4	déséquilibré, maigre et acide ; sans espoir • n'évolue pas
1975	10	fermé mais complet • à boire en 1984
1976	8	s'ouvre, bon et fin • à boire
1977	7	très réussi en millésime • à boire
1978	9	riche et charpenté • à boire en 1988
1979	8	plus léger que le précédent • à boire en 1986
1980	6	année moyenne • à boire dès 1985
1981	8	équilibré, prometteur • essayer vers 1990

CHATEAU DAUZAC

5e CRU CLASSÉ

On dit qu'on y faisait du vin au XIIIe siècle alors que cette terre dépendait de la Sauveté de Macau, elle-même tributaire de l'abbaye Sainte-Croix de Bordeaux.

Le propriétaire le plus illustre de Dauzac fut certainement le comte de Lynch, président à mortier du parlement de Bordeaux avant la Révolution.

En 1855, M. Wiebrok l'acquit, son vin fut classé 5e cru. Peu après, Nathaniel Johnson, célèbre négociant, le dirigea. On raconte que c'est à Dauzac que fut mise au point, fortuitement, la « bouillie bordelaise » (antimildiou) : on arrosait certaines vignes de sulfate de cuivre (entre autres) afin de les rendre peu avenantes pour dissuader les voleurs !

Jusqu'en 1964, Dauzac appartint à un fabricant de pains de glace de Bordeaux, M. Bernat. C'est lui qui fournissait la glace lorsqu'il fallait refroidir les fermentations. Le domaine, très mal entretenu, fut acheté par M. Miailhe qui entreprit une reconstitution du vignoble. Des difficultés successorales conduisirent à une nouvelle vente. Dès 1978, la famille Châtellier dirige l'exploitation. De gros investissements donnent à penser que les années noires de Dauzac s'achèvent (construction de chais, large extension du vignoble).

FICHE TECHNIQUE

AOC	Margaux	Temps de cuvaison	18 à 20 jours
Production	15 000 caisses	Chaptalisation	oui pour obtenir 12º
Surface	30 ha + 15 ha de jeunes vignes	Température des fermentations	25º-30º
Répartition du sol	un seul tenant	Mode de régulation	serpentin dès 1981, ruissellement sur cuves
Géologie	graves fines profondes sur alios	Type des cuves	cuves ciment, dès 1981 cuves inox

CULTURE

		Vin de presse	totalité des premières presses. Parfois 6 % des secondes
Engrais	potasse + acide phosphorique + compost	Age des barriques	renouvellement annuel par moitié
Taille	Guyot double médocaine	Temps de séjour	18 mois
Cépages	C.S. 70 % - C.F. 5 % - M. 20 - Petit Verdot 5 %	Collage	gélatine en cuve
		Filtration	sur plaques à la mise
Age moyen	20 ans		
Porte-greffe	420 A - Riparia - 3309		
Densité de plantation	8 300 pieds/ha (vieilles vignes 10 000 pieds/ha)	Maître de chai	Pierre Seguin
		Régisseur	Jean-Bernard Guillaume
Rendement à l'ha	45 hl	Œnologue conseil	M. Boissenot, Prof. Peynaud
Replantation	des plantations plutôt que des replantations	Type de bouteille	dès 1978 : Tradiver
Traitement antibotrytis	oui	Vente directe au château	oui

VINIFICATION

		Commande directe au château	oui
Levurage (origine)	levurage sur 1re cuve	Contrat monopole	non

■ Lieu de naissance

Le vignoble est bordé par la route départementale 2 entre Macau et Cantenac ; il est contigu à Siran, qui appartient toujours aux Miailhe, et à Giscours. La croupe sur laquelle il se développe culmine à 12 mètres avec une légère pente de 6 mètres de dénivellation. Les terrains occupés par Dauzac sont essentiellement composés de fines graves garonnaises du günz, souvent très profondes puisque avoisinant des gravières exploitées sur au moins 15 mètres de profondeur.

■ Culture et vinification

La refonte du vignoble se poursuit, ce qui n'élève pas l'âge moyen des ceps. Dès qu'elles auront atteint l'âge légal, 15 hectares de jeunes vignes compléteront les 30 hectares actuels. La jeunesse des vignes implique un enrichissement des sols.

La fiche technique ci-dessous fait état d'une vinification tout à fait conforme aux canons actuels. On peut y déceler les efforts de modernisation des installations.

■ Le vin

Les divers changements de mains et les restructurations de la propriété ont nui à l'amélioration continue et prévisible des vins. Les investissements importants consentis depuis 1980 devraient rendre à Dauzac sa qualité du XIXe siècle.

PLAT IDÉAL :
Épigrammes d'agneau

AGE IDÉAL : 8 ans
Années exceptionnelles : 15 ans

Château Dauzac
Margaux
APPELLATION MARGAUX CONTROLÉE

Ancienne propriété du Comte J. B. LYNCH, Maire de Bordeaux (1809-1815)

1978

Grand Cru Classé en 1855
G.F.A.F. *Chatellier & Fils*
75 cl
PROPRIÉTAIRE A LABARDE MARGAUX (GIRONDE)
MIS EN BOUTEILLES AU CHATEAU
EXPLOITATION S.C.A. du CHATEAU DAUZAC
PRODUCE OF FRANCE

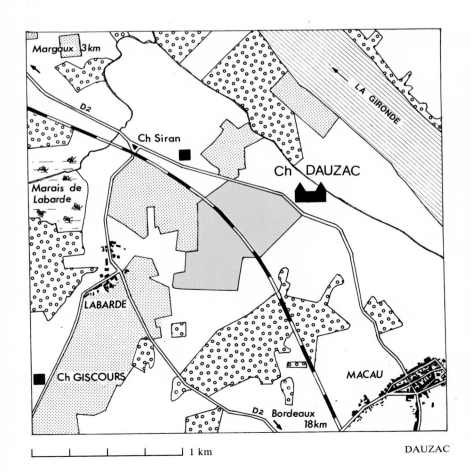

DAUZAC

⊢————⊢————⊢————⊢ 1 km

COTATIONS COMMENTÉES

Année	Note	Commentaire
1966	7	fruité, déjà sur le déclin • **à boire sans délai**
1967	5	léger, tuilé • **devrait être bu**
1969	5	léger, tuilé • **à boire sans délai**
1970	7	grande année, pas totalement réussie • **à boire**
1971	6	de la minceur • **à boire sans délai**
1972	5	vin conforme au millésime • **à boire**
1973	5,5	léger, élégant, court • **à boire rapidement**
1976	7	souple, évolution rapide • **commencer à le boire**
1977	6	bonne évolution d'un petit millésime • **commencer à le boire**
1978	8,5	robe, bouquet, longueur • **essayer vers 1985**
1979	8	belle rondeur • **essayer vers 1986**
1980	7	léger mais équilibré • **à boire dès 1987**
1981	8	fruité, aromatique, boisé • **à boire dès 1990**

CHATEAU DU TERTRE

5e CRU CLASSÉ

L e Château du Tertre est situé dans la commune d'Arsac. Au XIIe siècle, Arsac était une puissante seigneurie. Trois siècles plus tard, il semble qu'on trouve à sa tête le père de Montaigne, Thomas de Montaigne, qui épousa Jaquette d'Arsac.

Au XVIIIe siècle, l'inévitable Prince des Vignes, le marquis de Ségur, est propriétaire du Tertre. Par la suite, le domaine appartient à M. de Brézet, puis à Henri de Vallandé.

En 1855, le Tertre, alors propriété de M. Libéral (sans doute celui qui devait acheter plus tard Haut-Bages), est classé 5e cru. Divers propriétaires se succèdent : des Autrichiens (Koenigswater), des Belges (de Wilde), jusqu'au jour où M. Philippe Gasqueton découvre en passant une propriété totalement à l'abandon, un château dépourvu de toit, un cuvier inutilisable, un vignoble en friche. Il restait néanmoins le terrain de qualité et le classement du cru. Cela suffit pour décider Philippe Gasqueton, qui restaure dès 1960 la propriété.

■ Lieu de naissance

Le Tertre est entouré de forêts dont certaines, particulièrement à l'ouest, sont très importantes. Il est bien nommé car il culmine à 24 mètres, le point le plus élevé de la commune (coiffé d'un château érigé au XIXe siècle). Il s'agit d'une émergence de graves dont la finesse peut aller jusqu'au sable, déposées sur un socle de calcaire ferrugineux.

FICHE TECHNIQUE

AOC	Margaux		Temps de cuvaison	21 jours
Production	14 000 caisses		Chaptalisation	0,5o pour tendre à 12o
Date de création du vignoble	milieu du XVIIIe siècle		Température des fermentations	28o à 30o
Surface	45 ha		Mode de régulation	ruissellement sur cuves
Répartition du sol	presque d'un seul tenant		Type des cuves	acier revêtu
Géologie	graves fines et sable sur alios		Vin de presse	10 % environ
			Age des barriques	renouvellement par quart annuel

CULTURE

Engrais	compost, fumier		Temps de séjour	24 mois
Taille	Guyot double médocaine		Collage	blancs d'œufs frais
Cépages	C.S. 80 % - C.F. 10 % - M. 10 %		Filtration	rarement (légère sur plaques à la mise)
Age moyen	20 ans			
Porte-greffe	Riparia Gloire et 101-14			
Densité de plantation	5 600 pieds/ha		Maître de chai	Michel Ellisalde
Rendement à l'ha	30-35 hl		Œnologue conseil	Pascal Ribéreau Gayon
Replantation	pas encore nécessaire		Type de bouteille	Tradiver
Traitement antibotrytis	non		Vente directe au château	non

VINIFICATION

			Commande directe au château	possible
Levurage (origine)	par pied de cuve		Contrat monopole	non

■ Culture et vinification

Philippe Gasqueton s'est inspiré des méthodes qu'il a mises au point à Calon-Ségur. Il a donc replanté le Tertre en règes espacées (160 cm). Quelques vignobles, dont le Tertre et la Lagune, ont été totalement replantés en un temps très bref, ce qui pose, on s'en doute, de nombreux problèmes, tant pour la qualité permanente du vin que pour le renouvellement futur du vignoble. La vinification est classique et suit les méthodes mises au point depuis un demi-siècle.

■ Le vin

La qualité de la production s'améliore d'année en année puisque l'âge de ce vignoble totalement replanté s'accroît.

La très faible proportion de Merlot accentue le type du vin. Le rendement à l'hectare n'est pas très considérable, encore qu'il faille tenir compte de la relative rareté des Merlot, plant plus productif que le Cabernet, et surtout de la faible densité de ceps à l'hectare. Il est bon de se référer également au rendement par pied.

CRU CLASSÉ EN 1855

CHATEAU DU TERTRE
ARSAC
· 1973 ·
APPELLATION MARGAUX CONTROLÉE
MIS EN BOUTEILLES AU CHATEAU
S.C.A. Château du Tertre, propriétaire à Arsac
Product of France

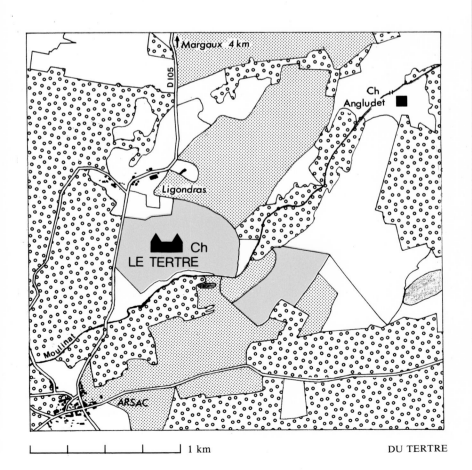

1 km

DU TERTRE

COTATIONS COMMENTÉES

Année	Note	Commentaire
1961	10	seulement 10 barriques. Grand vin • à boire
1962	7	vin léger • à boire
1964	8	bouqueté, délicat, typé • à boire
1966	9	bouquet exceptionnel, vin spécialement réussi • à boire
1967	6	dur avec une pointe d'acidité • à boire
1970	8	beau vin • à boire
1971	7	léger et délicat • à boire
1972	5	léger et « amusant » • à boire
1973	8	une réussite : coloré, concentré • à boire
1974	7	moins de corps que le 1973 • à boire
1975	9	racé, agréable, concentration moyenne • à boire
1976	9	souplesse et bouquet, très évolué • à boire
1977	5	petite année • à boire
1978	9	du caractère, du bouquet • à boire en 1985
1979	9	bouquet et souplesse • à boire en 1985
1980	7	2/3 de la récolte déclassés • à boire dès 1985
1981	8	bouqueté, fruité, équilibré • à boire dès 1988

CHATEAU LÉOVILLE-LAS CASES

Avant la Révolution, les trois Léoville (Las Cases, Poyferré et Barton) ne faisaient qu'un. Cette propriété appartenait aux Moitiers, dont la fille épousa un parlementaire, Blaise Alexandre de Gasq, seigneur de la terre de Léoville en Charente. Il donna ce nom à sa nouvelle propriété.

Après la Révolution, le domaine fut partagé. Un quart fut acquis en 1826 par Hugh Barton, le reste revenant à Jean de Lascases.

Cette propriété fut elle-même divisée lorsque Mlle de Lascases épousa le baron de Poyferré. C'est ainsi que furent créés les trois Léoville.

■ Lieu de naissance

Les trois quarts du vignoble sont visibles de la route qui conduit de Saint-Julien à Pauillac, sur la droite. Cette partie d'une cinquantaine d'hectares est baptisée « l'Enclos ». Elle est effectivement entourée d'un mur percé d'un monumental portail qui n'ouvre que sur les vignes.

Le sol de graves garonnaises günziennes très profondes rappelle celui de Latour, bien que les graves de Léoville-Las Cases soient plus fines.

FICHE TECHNIQUE

AOC	Saint-Julien		Temps de cuvaison	18 à 20 jours
Production	30 000 caisses		Chaptalisation	oui, pour obtenir 12°
Date de création du vignoble	1750 environ		Température des fermentations	28°
Surface	80 ha		Mode de régulation	par serpentin
Répartition du sol	divisé en 3 lots		Type des cuves	bois et ciment
Géologie	graves sur alios		Vin de presse	12 %
			Age des barriques	renouvellement par tiers annuel

CULTURE

Engrais	fumure (bœuf et mouton)
Taille	Guyot double médocaine
Cépages	C.S. 65 % - C.F. 13 % - M. 17 % - Petit Verdot 5 %
Age moyen	25 à 30 ans
Porte-greffe	Riparia Gloire 101-14 420 A
Densité de plantation	8 500 pieds/ha
Rendement à l'ha	1970 : 52hl 1978 : 29 hl
Replantation	par tranches de 1,5-2 ha
Traitement antibotrytis	oui

Temps de séjour	18 mois
Collage	blancs d'œufs
Filtration	avant la mise en bouteilles
Propriétaire	Société civile du Château Léoville Las Cases
Administrateur	Michel Delon
Maître de chai	Michel Rolland
Chef de culture	Jean Nemetz
Œnologue-conseil	Prof. Peynaud
Type de bouteille	bordelaise
Vente directe au château	éventuellement
Commande directe au château	éventuellement
Contrat monopole	non

VINIFICATION

Levurage (origine)	naturel

Michel Delon tient beaucoup aux Cabernet Franc et aux Petit Verdot. Aux premiers car, s'ils ne sont pas à l'origine du corps, ils ont l'apanage de la finesse ; aux seconds qui, bien que tardifs, ont l'avantage de donner beaucoup de sucre et de belles robes.

■ Culture et vinification

Le cycle de fumure de la propriété s'étend sur dix ans. En cas de carence, des engrais minéraux sont exploités, mais en tant que médecine uniquement. La chaptalisation n'est pas systématique, les très beaux millésimes en sont exempts (1975, par exemple). Les cuves de Merlot sont les moins « remontées ».

Les vastes cuves de fermentation en bois ont été conservées. Lorsque la récolte est trop abondante, les cuves de ciment entrent en service. L'acquisition de cuves en acier inoxydable est prévue, mais les cuves de bois demeureront. Le rythme de renouvellement des barriques de vieillissement ne doit rien au hasard (tous les 3 ans) : l'expérience a montré qu'un trop long séjour en bois neuf donnait aux vins de Léoville-Las Cases un goût trop boisé.

Les vins non retenus lors des sélections et les vins issus de vignes jeunes sont offerts sous la deuxième marque : Clos du Marquis.

■ Le vin

Les plus grands soins sont apportés à la culture et au ramassage des raisins, ce qui a conduit en outre à l'adoption du traitement anti-pourriture, car la pourriture est fatale à la qualité. De plus, elle est parfois invisible (1974).

Les Léoville-Las Cases sont très colorés, ils tendent à la concentration même si cela implique une évolution lente, trop lente au gré des impatients.

« Léoville-Las Cases se veut le Latour et non le Lafite des Saint-Julien. »

PLAT IDÉAL :
Viande grillée

AGE IDÉAL : 8 à 10 ans
Années exceptionnelles : 15 ans et plus

COTATIONS COMMENTÉES

Année	Note	Commentaire
1961	10	belle année à son apogée • **à boire**
1962	6	n'est plus ce qu'il a été • **à boire tout de suite**
1964	8	bien construit, intense ; déjà déclinant • **à boire**
1966	7	bonne année ; à la recherche de son équilibre • **à boire**
1967	6,5	léger, impression de dilution • **à boire**
1969	4	année maigre, vin maigre • **à boire**
1970	10	richesse, couleur, longueur • **à boire en 1984**
1971	7,5	belle robe, bon nez, petite charpente • **à boire**
1972	4	maigre avec des tannins • **devrait être bu**
1973	6	harmonie, souplesse • **à boire**
1974	4	bouquet, mais court • **à boire**
1975	9	puissant, complet • **à boire en 1988**
1976	7	rondeur, souplesse excessive • **peut être bu**
1977	5	manque de chair • **peut être bu**
1978	8	équilibre et harmonie • **à boire en 1985**
1979	7,5	proche des 1978 ; plus souple • **à boire en 1985**
1980	7	un 1973 en mieux, peu d'étoffe • **à boire dès 1986**
1981	9	gras, concentré, baies sèches, réglisse • **à boire dès 1992**

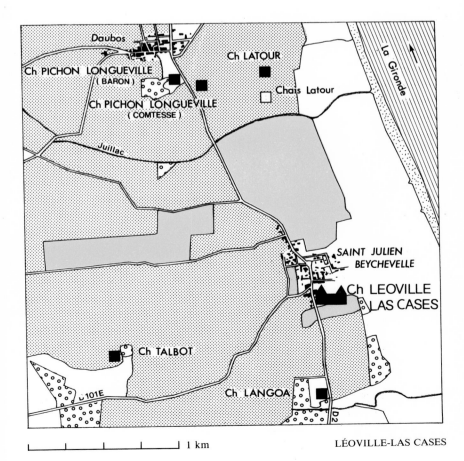

1 km

LÉOVILLE-LAS CASES

CHATEAU LÉOVILLE-POYFERRÉ

2e CRU CLASSÉ

Les Léoville sont trois puisque la propriété d'Alexandre de Gasq fut divisée en deux lots inégaux, le plus grand revenant à Jean de Lascase (ou de Las Cases), dont la fille épousa le baron de Poyferré, qui donna son nom à la terre que sa femme lui apporta en dot, créant ainsi le troisième Léoville.

En 1866, M. Lalande achète Poyferré, dont sa fille, Mme Lawton, héritera. En 1920, nouveau changement de main : les associés de la maison H. Cuvelier et fils, négociants en vin dans le nord et propriétaires du Château Le Crock à Saint-Estèphe, forment la Société civile du domaine de Saint-Julien pour acquérir Poyferré.

■ Lieu de naissance

Le vignoble est morcelé. Divers lots sont contigus des autres Léoville ainsi que des vignobles de Château Talbot, entre autres. Les sols sont constitués de graves garonnaises profondes de quelques

---

FICHE TECHNIQUE

AOC	Saint-Julien		Temps de cuvaison	21 jours
Production	23 000 caisses		Chaptalisation	si nécessaire (1º)
Date de création du vignoble	XVIIIe siècle		Température des fermentations	28º à 30º
Surface	53,4 ha (extension possible 25 ha)		Mode de régulation	ruissellement d'eau sur cuves
Répartition du sol	divisé		Type des cuves	acier émaillé
Géologie	graves garonnaises argileuses (2-3 m)		Vin de presse	15 à 20 %
			Age des barriques	renouvellement par tiers annuel

CULTURE

Engrais	chimique et organique		Temps de séjour	19 mois
Taille	Guyot double médocaine		Collage	blancs d'œufs frais
Cépages	C.S. 65 % - C.F. 5 % M. 30 %		Filtration	légère, sur plaques à la mise en bouteille
Age moyen	35 ans			
Porte-greffe	Riparia Gloire - 101-14		Maître de chai	Robert Lopez
Densité de plantation	9 000 pieds/ha		Chef de culture	Jean-Pierre Fatin
Rendement à l'ha	36 hl		Œnologue conseil	Prof. Peynaud
Mode de replantation	2,5 ha annuellement		Type de bouteille	bordelaise
Traitement antibotrytis	oui		Vente directe au château	oui

VINIFICATION

			Commande directe au château	oui
Levurage (origine)	pied de cuve		Contrat monopole	non

mètres, plutôt fines et argileuses. L'encépagement classique pour la commune comporte environ deux tiers de Cabernet Sauvignon dont l'âge élevé autorise la recherche de la qualité. A noter un rendement confortable. Une extension de la surface du vignoble est prévue. Elle portera progressivement sur 15 hectares.

■ Culture et vinification

Depuis quelques années, la société propriétaire consent des investissements destinés à l'amélioration des cultures et des vinifications.

Le principe de la sélection des cuvées est appliqué ici comme ailleurs. Cela a conduit à la création d'une deuxième marque : Château Moulin Riche.

La vinification est traditionnelle, le contrôle des températures de fermentation se fait par ruissellement sur les cuves et remontage des moûts ; l'élevage des vins se fait en barriques neuves (pour un tiers) par roulement.

■ Le vin

Que les vins de Léoville, par leur division, aient conduit à trois Châteaux, à trois marques comme on le dit si justement dans le Bordelais, permet aux consommateurs de passionnantes comparaisons et incite les propriétaires à une heureuse émulation. C'est ainsi que tel Léoville réussit mieux un millésime que ses frères de marque, que l'un des trois prend parfois la tête, mais la compétition reste ouverte d'année en année...

PLAT IDÉAL :
Baron d'agneau

AGE IDÉAL : 6 à 8 ans
Années exceptionnelles : 15 à 20 ans

COTATIONS COMMENTÉES

Année	Note	Commentaire
1961	10	plénitude et bouquet • à boire
1962	8,5	moins fin que le 1961 • à boire
1964	7,5	grosse récolte ; léger • à boire sans délai
1966	9,5	proche des 1961, très rond • à boire
1967	5,5	type Cabernet Sauvignon, évolution lente • peut se boire
1970	9	grande année à évolution lente • à boire en 1984
1971	7	rond, gras, parfumé • à boire dès maintenant
1972	5	charme d'un petit millésime • à boire sans délai
1973	6	aimable • à boire sans attendre
1974	6,5	peu de rondeur • à boire
1975	10	grand millésime complet • à boire en 1985
1976	8	finesse au détriment de la chair • à boire
1977	5,5	supérieur au 1972 • peut être bu
1978	9	aromatique, rond et souple • à boire
1979	9	proche des 1978 avec plus de nerf • à boire en 1985-1986
1980	7	souple, peu d'étoffe • à boire dès 1985
1981	9	tannique, charpenté, équilibré • à boire dès 1988

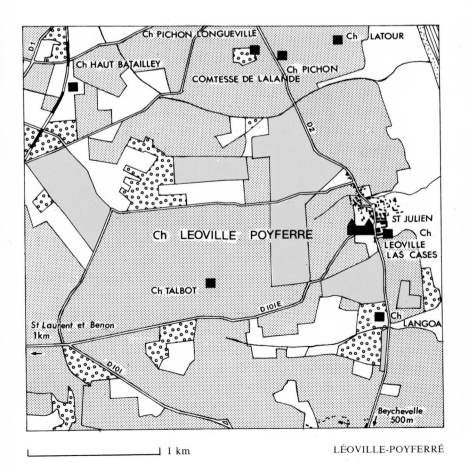

1 km   LÉOVILLE-POYFERRÉ

61

CHATEAU LÉOVILLE BARTON

2e CRU CLASSÉ

Avant la Révolution, Alexandre de Gasq dominait un très grand vignoble auquel il donna le nom de sa seigneurie charentaise : Léoville. A la suite de partages et d'expropriations de biens d'émigrés, Jean de Lascases, de la famille d'Alexandre de Gasq, se trouva à la tête des trois quarts du domaine.

Le quart restant fut acquis en 1836 par Hugh Barton, d'une famille d'origine irlandaise implantée depuis le XVIIIe siècle dans le Bordelais. Hugh Barton s'était offert cinq ans auparavant le Château Langoa.

Son arrière-petit-fils, Ronald Barton, le plus irlandais des Médocains, ou le plus médocain des Irlandais, conserve pieusement le patrimoine familial, assisté de son neveu Anthony Barton.

Le Château Léoville Barton est vinifié et embouteillé au château Langoa Barton, car, en 1826, Hugh Barton n'avait acheté que des vignobles, sans aucune construction.

■ Lieu de naissance

Les raisins sont traités dans les chais du Château Langoa Barton (se reporter donc aux pages 70 et 71 consacrées à ce Château). La plus grande partie du vignoble occupe une croupe entre le Château Langoa et Saint-Julien-Beychevelle, à l'ouest de la route départementale Cussac-Pauillac.

Les terrains de graves günziennes garonnaises de moyenne gros-

---

FICHE TECHNIQUE

AOC	Saint-Julien	Temps de cuvaison	10 à 30 jours
Production	16 000 caisses	Chaptalisation	oui, si nécessaire
Date de création du vignoble	1750 environ	Température des fermentations	28º
Surface	40 ha	Mode de régulation	refroidissement
Répartition du sol	divisé	Type des cuves	bois
Géologie	graves sur argile	Vin de presse	15 %
		Age des barriques	renouvellement annuel par moitié

CULTURE

Engrais	organique	Temps de séjour	24 mois
Taille	Guyot double médocaine	Collage	blancs d'œufs
		Filtration	aucune
Cépages	C.S. 70 % - C.F. 7 % - M. 15 % - Petit Verdot : 8 %		
		Propriétaire	Société agricole des Château Langoa et Léoville Barton
Age moyen	25 ans	Administrateurs	H. Ret, A. Barton
Porte-greffe	Riparia Gloire	Maître de chai Chef de culture	André Leclerc
Densité de plantation	8 000 pieds/ha		
Rendement à l'ha	1970 : 37 hl 1978 : 36 hl	Œnologue conseil	aucun, vins analysés par le laboratoire de Pauillac
		Type de bouteille	Tradiver
		Vente directe au château	non
		Commande directe au château	non

VINIFICATION

Levurage (origine)	naturel	Contrat monopole	non

seur sur socle argilo-calcaire permettent l'élaboration d'un vin qui allie finesse et corpulence.

■ Culture et vinification

Culture et vinification, tant pour Langoa que pour Léoville, respectent les traditions. On peut déduire les méthodes dont use Ronald Barton de la lecture du paragraphe suivant.

■ Le vin

Ronald Barton ne croit que modérément au progrès en matière de vin. Il ne méconnaît pas les pouvoirs d'une viticulture moderne dont le premier atout est l'augmentation des rendements. Mais quantité n'est pas qualité, c'est plutôt l'inverse. C'est pourquoi on taille la vigne, c'est pourquoi un sol trop riche ou trop enrichi ne produit rien de bon, c'est pourquoi les vieux ceps sont l'origine de la qualité et les jeunes vignes responsables de la quantité.

Il ne croit pas non plus, en dépit, à l'encontre même des œnologues, à la souplesse à tout prix, qui permettrait d'escamoter le vieillissement indispensable à l'accomplissement d'un vin. Rien à ses yeux ne saurait remplacer les lentes mutations qui s'amorcent dans les barriques et qui s'achèvent en bouteilles. Plus la maturation du vin est lente, plus le résultat est prometteur. « Quand mon grand-père est mort, en 1927, il trouvait les 1870 imbuvables parce que trop peu évolués. Pour ma part, après la guerre de 1939-1945, je buvais les petites années 1903, 1907, 1909, 1912 qui étaient très bien », dit Ronald Barton. Pour toutes ces raisons, il n'a jamais cru à l'omnipotence du Merlot que tout le monde plantait, soutenant qu'il donnait rendement et souplesse. « Un grand domaine de la commune en eut jusqu'à 60 %. ». Ronald Barton a-t-il toujours suivi sa voie parce qu'il se méfie un peu des œnologues, « ces médecins pour vins malades » ? Il faut souhaiter à ce gentleman-vigneron des émules car les fortes personnalités signent des vins de caractère.

PLAT IDÉAL :
Grouse, gibier à plume, lièvre

AGE IDÉAL : 10 ans
Années exceptionnelles : 15 à 20 ans et plus

Château
LEOVILLE BARTON

APPELLATION St JULIEN CONTRÔLÉE

PROPRIÉTAIRE : SOCIÉTÉ CIVILE AGRICOLE
DES CHATEAUX LANGOA ET LEOVILLE BARTON

MIS EN BOUTEILLE AU CHATEAU
1967

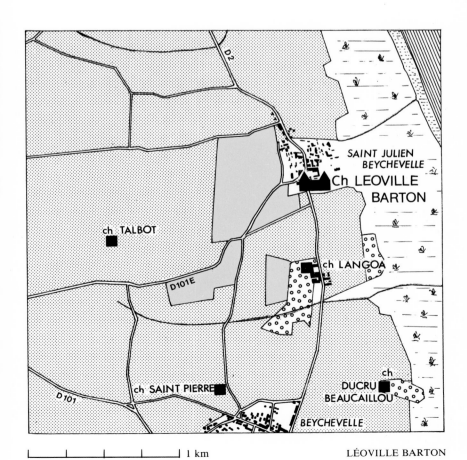

LÉOVILLE BARTON

1 km

COTATIONS COMMENTÉES

1959	10	vin de référence ; l'un des meilleurs du Médoc • **à boire**
1961	7,5	aurait dû être mieux ; vinification • **à boire**
1962	8	du style, du fruité • **commencer à le boire**
1964	7	vendanges sélectionnées d'avant la pluie • **à boire**
1966	8	corsé, complet • **commencer à le boire**
1967	6	léger et fait • **à boire**
1969	4	petit millésime • **devrait être bu**
1970	9	riche • **à boire en 1985**
1971	7,5	rondeur et souplesse relative • **commencer à le boire**
1972	4,5	petit millésime • **devrait être bu**
1973	5	agréable, charme • **à boire**
1974	6	pas de gras • **à boire**
1975	10	puissance, équilibre • **à boire en 1990**
1976	7	pulpeux, mais manque de nerf • **à boire**
1977	5,5	sans équilibre • **essayer de le boire**
1978	7,5	rond et velouté • **à boire en 1990**
1979	7	plein, bonne évolution prévisible • **à boire en 1987-1989**
1980	5	pronostic réservé, peu encourageant

CHATEAU GRUAUD-LAROSE
2e CRU CLASSÉ

A l'heureuse époque de M. Gruaud — c'était au milieu du XVIIIe siècle — on pouvait encore rassembler des parcelles et se tailler un grand domaine d'un seul tenant (116 ha). A la mort de ce dernier, le domaine échut à M. de Larose. Depuis, il porte le nom de ses deux premiers propriétaires.

Dans le courant du XIXe siècle, à ce double nom s'en est ajouté un troisième, à la suite de la division du vignoble ; apparaissent alors Château Gruaud-Larose-Faure de la branche Balguerie — de Bethmann — Faure, et Château Gruaud-Larose-Sarget de la branche Sarget de la Fontaine.

En 1917, M. Désiré Cordier achète Gruaud-Larose-Sarget ; en 1935, le même acquéreur prend le contrôle de la Société propriétaire de Gruaud-Larose-Sarget. Dès cet instant, le domaine, réunifié, reprend son double nom d'origine.

■ **Lieu de naissance**

En dépit de son apparence « XVIIIe siècle », le château est de construction récente. Il a néanmoins fière allure au milieu de son parc

FICHE TECHNIQUE

AOC	Saint-Julien
Production	32 000 caisses
Date de création du vignoble	1757
Surface	78 ha
Répartition du sol	3 parcelles
Géologie	graves profondes sur socle de marnes calcaires

CULTURE

Engrais	fumier de bovins tous les 5 ans (20 t/ha)
Taille	Guyot double médocaine
Cépages	C.S. 63 % - C.F. 9 % - M. 24 % - Petit Verdot 3 %
Age moyen	35 ans
Porte-greffe	Riparia 3309 - 50-14
Densité de plantation	7 500 pieds/ha
Rendement à l'ha	42 hl
Replantation	renouvellement de 1,5 ha annuel
Traitement antibotrytis	oui

VINIFICATION

Levurage (origine)	ensemencement levures lyophilisées

Temps de cuvaison	15 jours
Chaptalisation	oui, si nécessaire
Température des fermentations	moins de 30°
Mode de régulation	serpentin dans échangeur
Type des cuves	ciment vitrifié
Vin de presse	6 à 8 %
Age des barriques	renouvellement annuel par tiers
Temps de séjour	18 à 24 mois
Collage	blancs d'œufs frais
Filtration	légère sur plaques avant la mise

Maître de chai	Lucien Moreau
Régisseur	Henri Puzos
Œnologue conseil	Georges Pauli
Type de bouteille	retour à la bordelaise (1979)
Vente directe au château	non
Commande directe au château	oui
Contrat monopole	oui (Cordier)

superbement tenu. Gruaud-Larose occupe tout le terrain entre Branaire-Ducru, à l'est, et Lagrange, à l'ouest.

Le sol de graves moyennes de bonne profondeur sur socle marneux calcaire héberge un encépagement composé environ de 3/4 de Cabernet (S et F) et de 1/4 de Merlot.

Une dénivelation d'une quinzaine de mètres, côté nord, améliore encore le drainage.

■ Culture et vinification

Un troupeau d'une centaine de bovins assure la fumure de Gruaud-Larose et Talbot. En outre, des engrais minéraux compensent les carences accidentelles.

L'adjonction de chaux magnésienne s'oppose à l'acidité naturelle des sols. Ces soins conduisent ce vignoble d'un âge respectable ne comportant que 25 % de Merlot — le plant le plus productif — à des rendements confortables (42 hl/ha). Pour la description de la vinification, on se reportera à Château Talbot. Ces deux vins sont vinifiés selon les mêmes méthodes sous la houlette de Jean Cordier, Georges Pauli et des maîtres de chai respectifs.

■ Le vin

M. Georges Pauli, directeur et responsable des domaines Cordier, tire un bon parti d'un imposant vignoble, source d'un Saint-Julien abondant et souple. Jusqu'en 1978 inclusivement, les vins non étiquetés Gruaud-Larose étaient vendus sous l'appellation communale. Depuis 1979, ils sont embouteillés au Château sous une deuxième marque : « Sarget du Château Gruaud-Larose ».

PLAT IDÉAL :
Viande rouge

AGE IDÉAL : année moyenne : 5 ans
Années exceptionnelles : 10 à 12 ans

COTATIONS COMMENTÉES

Année	Note	Commentaire
1961	10	puissant, charnu, mûr • **à boire**
1962	9,5	complet et très bouqueté, réussi • **à boire**
1964	9	bouqueté et équilibré • **à boire**
1966	9	très proche des 1964 • **à boire**
1967	8	équilibré et déjà bien évolué • **à boire**
1969	7	année convenable • **à boire**
1970	9,5	puissant, équilibré • **commencer à le boire**
1971	9	bouqueté, fin et élégant • **à boire**
1972	5,5	année très moyenne • **à boire**
1973	6	assez moyenne, vin léger • **à boire**
1974	6	année moyenne proche de la précédente • **à boire**
1975	10	puissant, charpenté, équilibré • **à boire en 1984**
1976	9,5	puissant et équilibré • **à boire**
1977	8	réussi pour ce millésime • **à boire**
1978	9,5	excellente couleur et structure, très tannique • **à boire en 1988**
1979	9,5	proche du précédent et peut-être supérieur • **à boire en 1988**
1980	8,5	réussi, bouqueté, équilibré • **à boire dès 1987**
1981	9	complet, riche, long • **à boire dès 1990**
1982	10?	harmonie et finesse

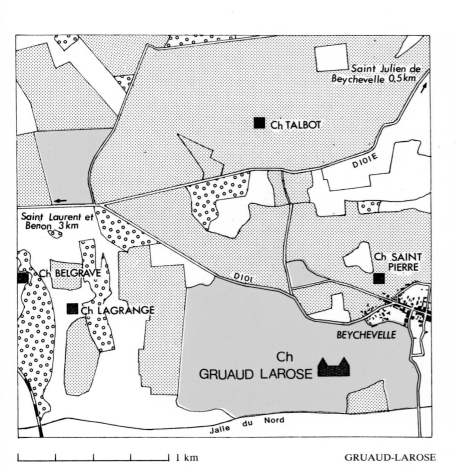

1 km   GRUAUD-LAROSE

CHATEAU DUCRU-BEAUCAILLOU

2e CRU CLASSÉ

Autrefois, cette terre de Beaucaillou portait le nom de Bergeron. En 1800, la famille Ducru en fit l'acquisition. En 1855, lorsque le vin de Ducru-Beaucaillou fut classé au 2e rang, la propriété avait pour maître Ducru-Ravez. En 1866, à la belle époque des investisseurs, il fut acquis par la famille du puissant négociant bordelais Johnston (qui dans le même élan fit également l'acquisition de Dauzac !).

C'est à eux que le château doit son apparence actuelle, témoin d'un âge d'or médocain. C'est à Ducru-Beaucaillou que l'on expérimenta, vers 1885, la « bouillie bordelaise », qui devait triompher du mildiou : le régisseur de cette propriété teintait les vignes de bordure d'un mélange contenant du sulfate de cuivre pour éloigner les maraudeurs. On s'aperçut alors que ces vignes n'étaient pas attaquées par le mildiou. C'est ainsi que Millardet et Ulysse Gayon firent les déductions qui les conduisirent à leur « invention ». Découverte que les Bourguignons avaient faite également.

Peu avant la guerre, Ducru-Beaucaillou perdit une part de la réputation qu'il avait su maintenir intacte pendant plus d'un siècle.

FICHE TECHNIQUE

AOC	Saint-Julien	Temps de cuvaison	variable selon l'année ; plutôt long
Production	12 000 à 19 000 caisses	Chaptalisation	si nécessaire
Date de création du vignoble	autour de 1700	Température des fermentations	environ 30º
Surface	45 ha	Mode de régulation	ruissellement d'eau
Répartition du sol	divisé	Type des cuves	béton : revêtues d'époxy
Géologie	graves	Vin de presse	différent suivant année
		Age des barriques	renouvelables tous les ans par moitié

CULTURE

Engrais	fumier de ferme	Temps de séjour	20 mois en moyenne
Taille	médocaine (selon décret I.N.A.O)	Collage	aux œufs
Cépages	C.S. 65 % - M. 25 %- C.F. 5 % - Petit Verdot 5 %	Filtration	aucune
Age moyen	30 ans		
Porte-greffe	selon les terrains	Maître de chai	René Lusseau
Densité de plantation	10 000 pieds/ha	Régisseur	André Faure
Rendement à l'ha	1970 : 45 hl 1978 : 35 hl	Œnologue conseil	Prof. Peynaud
Replantation	par tranches	Type de bouteille	bordelaise
Traitement antibotrytis	oui	Vente directe au château	non

VINIFICATION

Levurage (origine)	naturel	Commande directe au château	non
		Contrat monopole	non

En 1942, la famille Borie le prit en main pour le hisser à une altitude qu'il n'avait peut-être jamais atteinte auparavant.

■ Lieu de naissance
Ducru-Beaucaillou est situé exactement entre Beychevelle et la Gironde.

Le château est non seulement d'un grand agrément — son propriétaire l'habite — mais d'une grande utilité puisque dans ses vastes caves sont stockées d'innombrables bouteilles. Dans un caveau encore plus profond, les bouteilles personnelles de M. Borie font rêver : des archives œnologiques de plus d'un siècle peuvent y être consultées. Le sol du vignoble se compose de graves garonnaises günziennes de grosseur moyenne, sises à faible altitude, à environ 12-15 mètres. Ces graves d'une épaisseur de 5 mètres sont posées sur un socle calcaire de même épaisseur.

■ Culture et vinification
L'encépagement fait une belle part au Merlot. L'âge du vignoble est élevé : c'est un facteur de qualité. Les méthodes de culture et de vinification sont traditionnelles. Les assemblages sont réalisés suivant les avis de M. Borie, de ses proches, du maître de chai et de M. Peynaud.

■ Le vin
Le but poursuivi est de hisser Ducru-Beaucaillou en tête des 2e crus. La souplesse ne doit pas être acquise au détriment des tannins ni de la chair.

M. Borie y parvient car Ducru-Beaucaillou est exempt des goûts herbacés donnés par les tannins non évolués.

PLAT IDÉAL :
Entrecôte grillée

AGE IDÉAL : au-delà de 4 ans
Années exceptionnelles :
au-delà de 10 ans

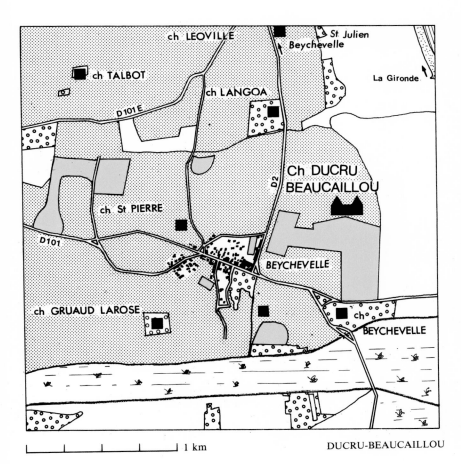

DUCRU-BEAUCAILLOU

COTATIONS COMMENTÉES

Année	Note	Commentaire
1961	10	concentré et rôti (fruits rouges et venaison) • **à boire**
1962	7	agréable • **à boire**
1964	7	vendangé avant les pluies, sauf une cuve éliminée • **à boire**
1966	8	plein, rond • **à boire**
1967	6	peu d'épaules • **à boire de suite**
1969	3	mince • **devrait être bu**
1970	8,5	concentré, belle robe • **commencer à le boire**
1971	7	bouquet, finesse • **à boire**
1972	5	fini court et brutalement • **à boire**
1973	6	plaisant • **à boire**
1974	6	soutien tannique pas évolué • **à boire**
1975	9	plein, complet • **à boire en 1985**
1976	7,5	souplesse, rondeur • **le goûter**
1977	6	gentil, équilibré, proche des 1973 • **à boire**
1978	8,5	belle robe, plein, complet • **à goûter dès 1984**
1979	7,5	bonne évolution prévisible • **à boire**
1980	6,5	aromatique et léger • **à boire dès 1984**
1981	8,5	complet, tannins fondus, long • **à boire dès 1986**

CHATEAU LAGRANGE

3e CRU CLASSÉ

Le Château La Tour Carnet, non loin de Lagrange, mais sur la commune de Saint-Laurent et Benon, est probablement le vignoble le plus ancien de cette région relativement éloignée de la Gironde. Le Château Lagrange peut sans doute revendiquer la deuxième place sur le plan de l'ancienneté. Fin XVIIIe, ce vignoble portait le nom d'Arbouet, il était déjà apprécié des connaisseurs. Ensuite il fut la propriété du comte français Cabarrus, qui fut ministre des Finances en Espagne et dont la fille, la belle Teresa, aussi belle qu'infidèle, fut tour à tour comtesse de Fontenay, Mme Tallien — elle adoucit quelque peu son mari — puis princesse de Chimay. Ce qui n'empêcha pas « Notre-Dame de Thermidor » d'être également la maîtresse du banquier Ouvrard (entre autres...).

Le comte Cabarrus était également propriétaire à Saint-Seurin-de-Cadourne. Aujourd'hui, le vin qu'on y fait porte toujours son nom : Château Pontoise-Cabarrus. En 1842, un autre personnage riche et important se porta acquéreur des quelque 300 hectares de Lagrange : le comte Duchâtel, ministre de Napoléon III. C'est alors

FICHE TECHNIQUE

AOC	Saint-Julien		Temps de cuvaison	15 jours
Production	20 000 caisses		Chaptalisation	0°5-1°
Date de création du vignoble	début XVIIIe siècle		Température des fermentations	29°-30°
Surface	50 ha		Mode de régulation	échangeur
Répartition du sol	un seul tenant		Type des cuves	ciment revêtu
Géologie	coteaux graves fines et siliceuses graves grosses		Vin de presse	5 %
			Age des barriques	2 ans
			Temps de séjour	19 mois
CULTURE			Collage	œufs
Engrais	organique et inorganique		Filtration	sur plaques cellulosiques
Taille	Guyot double médocaine			
Cépages	M. 40 % - C. 58 % - Petit Verdot 2 %			
Age moyen	25 ans		Maître de chai	Raoul Michel
Porte-greffe	101-14 - R-110		Régisseur	Alfonso Martin
Densité de plantation	7 700 pieds/ha		Œnologue conseil	Jacques Boissenot, avec la supervision Peynaud
Rendement à l'ha	1970 : 31 hl 1978 : 36 hl			
Replantation	par tranches		Type de bouteille	Tradiver
Traitement antibotrytis	oui		Vente directe au château	oui
VINIFICATION			Commande directe au château	oui
Levurage (origine)	naturel		Contrat monopole	non

que le 3e rang fut octroyé au vin de Lagrange. Après Sedan, M. de Muicy-Louis prend la propriété en main, puis, en 1919, une société de négociants la gouverne. Enfin, après l'Espagnol d'adoption Cabarrus au XVIIIe siècle, ce fut en 1925 que l'Espagnol Manuel Cendoya acheta le Château Lagrange. La famille Cendoya le possède toujours en dépit de problèmes d'indivision difficiles à régler.

■ Lieu de naissance

Venant de Saint-Julien-de-Beychevelle par la départementale 101E ou de Beychevelle par la départementale 101, nous croisons sur la gauche deux allées parallèles rectilignes qui conduisent au Château Lagrange, à la limite de la commune de Saint-Julien-de-Beychevelle.

Une tour de style roman, construite en 1820, épaule le château bien proportionné dans le goût du XVIIIe siècle. Les vignes enserrent château et chai au nord, au sud ainsi qu'à l'ouest, sur un plateau de graves plus ou moins fines, voire siliceuses, dont la pente douce s'abaisse au sud en direction de la Jalle du Nord qui draine la région. L'encépagement comprend une forte proportion de Merlot.

■ Le vin

Depuis la fin du XVIIIe siècle, les vins de Lagrange furent constamment recherchés, et cotés au niveau d'autres crus également classés au 3e rang en 1855. Certes, cette grande propriété richement entretenue requerrait un bon dynamisme commercial dont le classement est le reflet. Lagrange n'est-il pas aujourd'hui victime de la mode du Merlot, qui a sévi dans le Médoc ? La question reste à débattre.

PLAT IDÉAL :
Côtes d'agneau

AGE IDÉAL : 6 ans
Années exceptionnelles : 12 à 15 ans

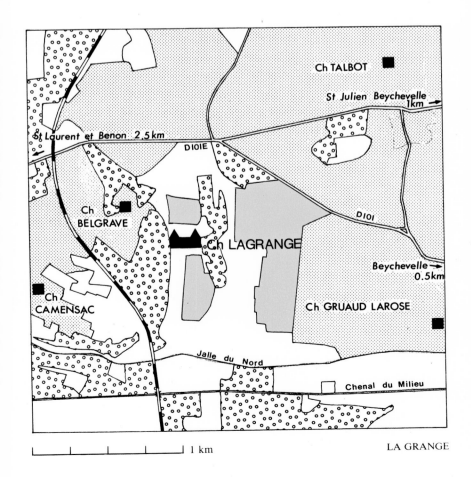

LA GRANGE

COTATIONS COMMENTÉES

Année	Note	Commentaire
1961	10	a atteint son apogée **• à boire**
1962	8	fruité, reste frais **• à boire**
1964	10	clair mais rond **• à boire**
1966	10	harmonieux **• à boire**
1967	7	court, sur le déclin **• devrait être bu**
1969	7	un peu mince **• à boire**
1970	10	bien construit **• peut être bu**
1971	9	souple **• à boire**
1972	6	petit, sur le déclin **• à boire sans délai**
1973	8	du charme, sur le déclin **• à boire sans délai**
1974	8	de la maigreur **• à boire**
1975	10	complet **• à boire en 1984**
1976	8	souple **• à boire**
1977	7	manque de chair **• à boire**
1978	10	rond et plein **• à boire en 1988**
1979	9	plus souple que les 1978 **• à boire en 1988**
1980	8	tient du 1974 et du 1976 **• à boire dès 1986**
1981	9	concentré, complet **• à boire dès 1989**

CHATEAU LANGOA-BARTON

3e CRU CLASSÉ

C'est en 1821 que Hugh Barton se rendit acquéreur du Château Langoa. Son arrière-petit-fils, Ronald Barton, est fier de souligner que seules deux familles se sont maintenues, se sont perpétuées jusqu'à nos jours, depuis le fameux classement de 1855 : les Rothschild de Mouton et la sienne.

Hugh Barton acheta Langoa — qui semble être une déformation de « Langlois » — à M. de Pontet, également propriétaire de Pontet-Canet. Il faut remarquer qu'autrefois Langoa s'appelait Pontet-Saint-Julien, ce qui paraît normal puisque le fondateur du vignoble se nommait Pontet — sans doute Jean-François. Les Pontet régnèrent donc un siècle sur Langoa, suivis par les Barton depuis 1821 jusqu'à nos jours.

FICHE TECHNIQUE

AOC	Saint-Julien	Temps de cuvaison	10 à 30 jours
Production	8 000 caisses	Chaptalisation	oui, si nécessaire
Date de création du vignoble	début XVIIIe siècle	Température des fermentations	28o
Surface	20 ha	Mode de régulation	refroidissement
Répartition du sol	divisé	Type des cuves	bois
Géologie	graves sur argile	Vin de presse	15 %
		Age des barriques	renouvellement annuel par moitié
		Temps de séjour	24 mois
CULTURE		Collage	blancs d'œufs
Engrais	organique	Filtration	aucune
Taille	Guyot double médocaine		
Cépages	C.S. 70 % - C.F. 7 % - M. 15 % - Petit Verdot 8 %	Maître de chai et chef de culture	André Leclerc
Age moyen	25 ans	Œnologue-conseil	aucun, vins analysés par le laboratoire de Pauillac
Porte-greffe	Riparia Gloire		
Densité de plantation	8 000 pieds/ha		
Rendement à l'ha	1970 : 37,5 hl 1978 : 36 hl	Type de bouteille	Tradiver
Replantation	5 % annuellement	Vente directe au château	non
VINIFICATION		Commande directe au château	non
Levurage (origine)	naturel	Contrat monopole	non

■ Lieu de naissance

Sur la route départementale n° 2 entre Beychevelle et Saint-Julien, du côté opposé à la Gironde, un vaste portail de fer forgé, généralement ouvert, donne accès au château Langoa.

S'il n'était déjà au bord de la route, on écrirait : « Vaut le détour. » C'est une construction symétrique datant du milieu du XVIIIᵉ siècle et comprenant un pavillon central doublé de deux ailes, chacune suivie de pavillons, lesquels sont prolongés par une nouvelle aile. Sur ces ailes extrêmes s'appuient deux grands bâtiments en retour, délimitant une cour d'honneur.

De belles caves sous le château permettent à la famille Barton qui l'habite de conserver son vin dans les meilleures conditions.

■ Culture et vinification

Ronald Barton se flatte de faire le vin de façon traditionnelle. Culture, cuvaison dans du bois, vieillissement de deux ans en barriques, collage aux blancs d'œufs et absence de filtration correspondent bien à cette doctrine.

■ Le vin

Puisque Ronald Barton se veut traditionaliste, il a évité de suivre la mode de la souplesse excessive dans laquelle le Médoc s'est complu après la guerre, et dont il revient à petit pas. Le Langoa-Barton est élaboré suivant les mêmes principes que le Léoville-Barton. Se reporter à cette description (p. 62).

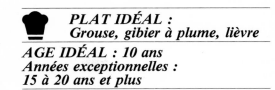

PLAT IDÉAL :
Grouse, gibier à plume, lièvre

AGE IDÉAL : 10 ans
Années exceptionnelles :
15 à 20 ans et plus

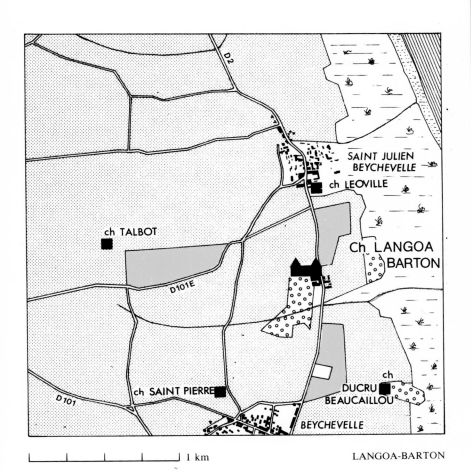

LANGOA-BARTON

├─────┼─────────── 1 km

COTATIONS COMMENTÉES

1959	10	vin de référence ; l'un des meilleurs du Médoc • **à boire**
1961	7,5	aurait dû être mieux ; vinification ? • **à boire**
1962	8	du style, du fruité • **commencer à le boire**
1964	7	vendanges sélectionnées d'avant la pluie • **à boire**
1966	8	corsé, complet • **commencer à le boire**
1967	6	léger et fait • **à boire**
1969	4	petit millésime • **devrait être bu**
1970	9	riche • **à boire en 1985**
1971	7,5	rondeur et souplesse relative • **commencer à le boire**
1972	4,5	petit millésime • **devrait être bu**
1973	5	agréable, charme • **à boire**
1974	6	pas de gras • **à boire**
1975	10	puissance, équilibre • **à boire en 1990**
1976	7	pulpeux, mais manque de nerf • **à boire**
1977	5,5	sans équilibre • **essayer de le boire**
1978	7,5	rond et velouté • **à boire en 1990**
1979	7	plein, bonne évolution prévisible • **à boire en 1987-1989**
1980	5	pronostic réservé, peu encourageant

CHATEAU TALBOT

4e CRU CLASSÉ

Ce vignoble porte un nom anglais, celui bien connu du comte Talbot, le célèbre chef de guerre anglais du XVe siècle. Quant à établir les relations qui unissent cette terre à cet illustre personnage, l'affaire est obscure. En 1855, cette propriété porte ce nom, le vin qu'elle produit est coté dans la catégorie des 4e crus. Le marquis d'Aux de Lescout en est le propriétaire. Son fils, puis ses petits-fils le conservèrent. En 1899, M. Claverie en fut l'enchérisseur.

A la fin de la guerre de 1914-1918, G. Cordier, père du propriétaire actuel, l'acquiert.

■ Lieu de naissance

Jouxtant les vignes de Léoville-Poyferré et s'étendant de part et d'autre de la route départementale 101E Saint-Julien de Beychevelle - Saint-Laurent et Benon, ce grand vignoble d'un seul tenant s'est

---

FICHE TECHNIQUE

AOC	Saint-Julien		Temps de cuvaison	15 jours
Production	38 000 caisses		Chaptalisation	oui, si nécessaire
Date de création du vignoble	XVIIIe siècle		Température des fermentations	moins de 30°
Surface	87 ha (+ 5 de vignes blanches + 25 possibles)		Mode de régulation	serpentin dans échangeur
Répartition du sol	un seul tenant		Type des cuves	ciment vitrifié
Géologie	graves fines sur calcaire		Vin de presse	6 à 8 %
			Age des barriques	renouvellement annuel par tiers

CULTURE

Engrais	fumier de bovins tous les 5 ans (20 t/ha)
Taille	Guyot double médocaine
Cépages	C.S. 70 % - C.F. 5 % - M. 20 % - Petit Verdot 5 %
Age moyen	25 ans
Porte-greffe	Riparia - 3 309 - 50-14
Densité de plantation	10 000 pieds/ha ; nouvelles plantations : 7 500 pieds/ha
Rendement à l'ha	45 hl
Replantation	renouvellement de 2 ha annuels
Traitement antibotrytis	oui

Temps de séjour	18 à 24 mois
Collage	blancs d'œufs frais
Filtration	légère sur plaques avant la mise

Maître de chai	Michel Potier
Régisseur	Jean-Marie Bouin
Œnologue-conseil	Georges Pauli
Type de bouteille	retour à la bordelaise dès 1979
Vente directe au château	non
Commande directe au château	oui
Contrat monopole	oui (Cordier)

VINIFICATION

Levurage (origine)	ensemencement levures lyophilisées

agrandi d'une cinquantaine d'hectares depuis 1900. 25 hectares sont susceptibles de recevoir encore de la vigne. Le sol est graveleux. Ce sont de fines graves günziennes garonnaises sur socle de calcaire à astéries.

Est-ce la richesse de ces terres qui explique le confortable rendement de 45 hectolitres à l'hectare, en dépit de la faible proportion de Merlot, plant productif ?

■ Culture - Vinification - Le vin

Les procédés culturaux sont ceux appliqués à Gruaud-Larose (se reporter à ce chapitre).

La vinification est traditionnelle. A noter l'emploi de pressoirs à baudruche, semblables à ceux en usage à Latour. Les assemblages sont choisis par Jean Cordier, Georges Pauli, directeur technique des domaines et œnologue, assistés du maître de chai. Le travail est facilité par le repérage des cuves, identifiées suivant leurs cépages, l'âge de la vigne, l'origine parcellaire et la densité des moûts (ceux de moins de 10,5° sont isolés). Toutes les cuves et tous les vins de presse sont goûtés. Les meilleurs assemblages sont étiquetés Château Talbot. Jusqu'en 1978 inclusivement, le reste portait l'appellation communale sans autre mention. Depuis 1979, une deuxième marque est née : Connétable du Château Talbot, également mis en bouteilles au château.

Cinq hectares de vignes blanches (80 % Sauvignon - 20 % Sémillon) sont à l'origine d'un Bordeaux blanc baptisé Caillou Blanc.

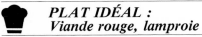

PLAT IDÉAL :
Viande rouge, lamproie

AGE IDÉAL : année moyenne : 5 ans
Années exceptionnelles : 10 à 12 ans

COTATIONS COMMENTÉES

1961	10	puissant, charnu, mûr • **à boire**
1962	9	puissant, complet, bouqueté • **à boire**
1964	9	bouqueté et équilibré • **à boire**
1966	9	très proche des 1964 • **à boire**
1967	8	très équilibré et déjà bien évolué • **à boire**
1969	7	année convenable • **à boire**
1970	9,5	puissant, équilibré • **commencer à le boire**
1971	9	bouqueté, fin et élégant • **à boire**
1972	5,5	année très moyenne • **à boire**
1973	6	bouqueté, léger • **à boire**
1974	6	année moyenne, proche de 1973 • **à boire**
1975	10	puissant, charpenté, équilibré • **à boire en 1984**
1976	9,5	puissant et équilibré ; évolue plus vite que le précédent • **à boire**
1977	8	moyennement étoffé • **à boire**
1978	9,5	excellente couleur et structure ; très tannique • **à boire en 1988**
1979	9,5	proche du précédent et peut-être supérieur • **à boire en 1988**
1980	8,5	fin, incisif, sous bois • **à goûter**
1981	9,5	construit, style 1962 • **à boire dès 1989**
1982	10	1929 ou 1961

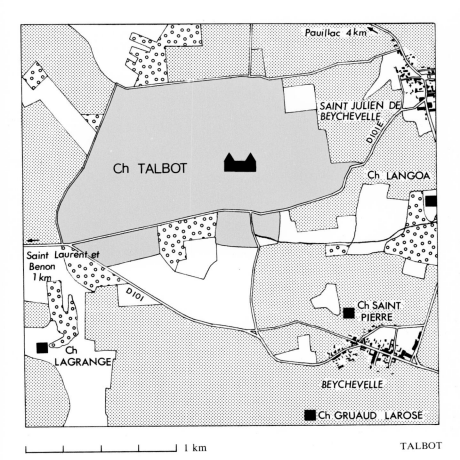

TALBOT

CHATEAU SAINT-PIERRE
(SEVAISTRE)

A la fin du XVIᵉ siècle, la famille de Cheverry gouvernait un domaine baptisé Serançan. En 1767, le baron de Saint-Pierre s'en porte acquéreur et lui donne son nom. En 1832, le domaine est partagé entre le gendre du baron de Saint-Pierre, le colonel Bontemps-Dubarry, et sa fille devenue Mme de Luetkens, M. de Luetkens étant propriétaire de La Tour Carnet.

Les deux moitiés du domaine, classé 4ᵉ cru en 1855, sont exploitées séparément, à telle enseigne que, lorsque, en 1892, Mme de Luetkens cède sa part à M. Léon Sevaistre, on distinguera nettement les vins étiquetés Saint-Pierre-Bontemps des Saint-Pierre-Sevaistre.

Cette situation se prolonge jusqu'en 1922, époque où les deux frères van den Bussche réunissent les deux moitiés du domaine et les lèguent à leurs héritiers. Un nouveau règlement familial, intervenu en mai 1980, permet à M. Castelein et à madame, née van den Bussche, d'être propriétaires exclusifs du Château Saint-Pierre. En 1982, Monsieur Henri Martin, maire de Saint-Julien, qui fut responsable avec Jean-Paul Gardère du renouveau de Château Latour et créateur de l'excellent vignoble du Château Gloria, acquit Château Saint-Pierre.

FICHE TECHNIQUE

AOC	*Saint-Julien*		Temps de cuvaison	*15 à 21 jours*
Production	*8 000 caisses*		Chaptalisation	*si nécessaire*
Date de création du vignoble	*1700*		Température des fermentations	*28º*
Surface	*18 ha*		Mode de régulation	*refroidisseur à eau*
Répartition du sol	*divisé*			
Géologie	*grosses graves*		Type des cuves	*ciment et acier émaillé*

CULTURE

			Vin de presse	*8 %*
Engrais	*tous les 2 ans, traitement chimique + fumier*		Age des barriques	*renouvellement par cinquième annuel*
Taille	*Guyot double médocaine*		Temps de séjour	*2 ans*
Cépages	*C.S. 63 % - C.F. 15 % - M. 20 % - Petit Verdot 2 %*		Collage	*avant le 2ᵉ hiver, au blanc d'œuf*
Age moyen	*30 ans*			
Porte-greffe	*SO4*		Maître de chai	*Robert Moutinard*
Densité de plantation	*10 000 pieds/ha*		Œnologue conseil	*Prof. Peynaud et Jacques Boissenot*
Rendement à l'ha	*40-45 hl*			
Replantation	*2 % annuels*		Type de bouteille	*Tradiver 77-78*
Traitement antibotrytis	*oui*		Vente directe au château	*possible*

VINIFICATION

			Commande directe au château	*possible*
Levurage (origine)	*levures déshydratées pour la 1ʳᵉ cuve*		Contrat monopole	*non*

■ Lieu de naissance

L'entrée du village de Beychevelle (D 2) est marquée par une grande bouteille publicitaire. En face de cette bouteille se dresse le château Saint-Pierre, habité par les descendantes Bontemps.

Les chais et la maison d'habitation jouxtent le vignoble à la sortie nord-ouest de Beychevelle, à peu près entre Château Gruaud-Larose et Château Talbot. A une quinzaine de mètres d'altitude, une forte épaisseur de graves garonnaises günziennes grossières ont recouvert un plateau argileux sur socle calcaire.

■ Culture et vinification

La terre est sérieusement amendée par du fumier lors des nouvelles plantations. Ultérieurement, un traitement classique chimique est appliqué selon un rythme biennal. M. Castelein, contrairement à d'autres propriétaires, ne se plaint pas des porte-greffes SO4 qui lui semblent bien adaptés au terrain.

De généreuses cuvaisons transforment le moût en vin. Le degré idéal à la décuvaison s'élève à 12,2 degrés afin d'obtenir un vin de 11,5 degrés lors de la mise en bouteilles, après les deux années passées en barriques. Le vin est collé avant le deuxième hiver et n'est pas filtré. Il n'en est pas moins limpide pour cela.

■ Le vin

La bonne constitution du Saint-Pierre est assurée par un vignoble dont l'âge est respectable. La conduite de la propriété et des vinifications permet l'élaboration d'un vin qui honore son classement tout en restant d'un rapport prix-qualité intéressant.

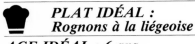

PLAT IDÉAL :
Rognons à la liégeoise

AGE IDÉAL : 6 ans
Années exceptionnelles : 15 ans

PRODUCE OF FRANCE
CHÂTEAU SAINT PIERRE
SEVAISTRE
SAINT - JULIEN
GRAND CRU CLASSÉ EN 1855
M.M. Castelein & Van den Bussche Propres
SAINT-JULIEN-BEYCHEVELLE (Gironde)
1976
Appellation Saint-Julien contrôlée   73 cl

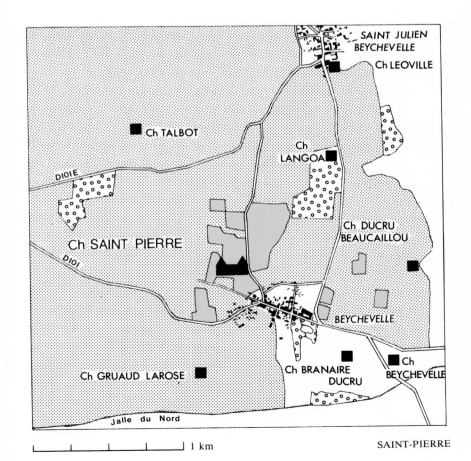

SAINT-PIERRE

COTATIONS COMMENTÉES

Année	Note	Commentaire
1961	10	plein, parfait • à boire
1962	7	fin, mais manque d'étoffe • à boire
1964	8	vendange avant la pluie ; enfin ouvert • à boire
1966	8	plus léger que le 1964 • à boire
1967	6	bouquet fin • à boire
1970	8,5	s'ouvriront-ils ? • à boire en 1985
1971	8	souple, facile, élégant • à boire
1972	5	petit millésime • à boire
1973	6	léger, agréable • à boire sans délai
1974	7	robe, corps assez puissant • à boire
1975	10	puissant ; grande année • à boire en 1990
1976	9	souple et puissant • à boire en 1982
1977	6	un peu maigre • à boire
1978	9	plein, tannique • à boire en 1986
1979	7,5	souple et facile • à boire en 1985
1980	7,5	pronostic réservé

CHATEAU BEYCHEVELLE
4e CRU CLASSÉ

Beychevelle eut pour propriétaire Jean-Louis de Nogaret de la Valette, duc d'Épernon. Il trouva cette terre de Saint-Julien et un château dans sa corbeille de mariage. Auparavant, la puissante famille des comtes de Foix de Candale en était propriétaire. C'est au duc d'Épernon que Beychevelle doit son nom. Pour rendre hommage au duc, grand amiral de France, les bateaux baissaient leurs voiles en passant devant le château visible de la Gironde (baisse voile : Beychevelle).

M. de Brassier, conseiller au parlement de Bordeaux, fit construire en 1757 le château actuel en remplacement de la forteresse médiévale habitée par d'Épernon. Château, chai et jardins constituent un merveilleux écrin pour les vins de Beychevelle. Il devint ensuite la propriété d'un armateur, M. Conte. Il appartenait au négociant Guestier lorsqu'il fut classé en 1855. Enfin, Armand Heine en prit possession en 1814 et une fois encore le château servit de dot, celle de sa fille lorsqu'elle épousa Achille Fould, dont la famille gère toujours le domaine. Actuellement, le vin Château Beychevelle se vend sensiblement plus cher qu'un 4e cru.

■ Lieu de naissance
Le Château Beychevelle jouxte la commune de Cussac. Le plateau de Beychevelle, de faible altitude, une quinzaine de mètres environ, se détache des marais et des palus avoisinants. Le lot le plus important du vignoble bénéficie d'un sol assez semblable à celui de

FICHE TECHNIQUE

AOC	Saint-Julien
Production	30 000 caisses
Date de création du vignoble	XVe-XVIe siècles
Surface	70 ha
Répartition du sol	en 5 lots
Géologie	grosses graves

CULTURE

Engrais	fumier de vache
Taille	Guyot double (8 yeux)
Cépages	C.S. 71,8 % - C.F. 3 % - M. 25,2 %- Petit Verdot prévu : 1 %
Age moyen	20 ans (voir texte)
Porte-greffe	SO4 - 101-14 Riparia Gloire
Densité de plantation	10 000 pieds/ha
Rendement à l'ha	1970 : 68,87 hl 1978 : 39,98 hl 1980 : 37,57 hl
Replantation	2 ha par an
Traitement antibotrytis	oui

VINIFICATION

Levurage (origine)	naturel

Temps de cuvaison	20-25 jours
Chaptalisation	1º1-1º2
Température des fermentations	30º (max. 32º)
Mode de régulation	arrosage et serpentin
Type des cuves	ciment et métal
Vin de presse	7 à 15 %
Age des barriques	renouvellement annuel par tiers
Temps de séjour	20 mois
Collage	blancs d'œufs
Filtration	aucune

Maître de chai	Lucien Soussotte
Régisseur	Maurice Ruelle
Œnologue conseil	autrefois Prof. Peynaud ; Pascal Ribéreau Gayon à titre amical
Type de bouteille	bordelaise
Vente directe au château	oui
Commande directe au château	oui
Contrat monopole	non (sauf USA)

Latour : forte épaisseur de grosses graves günziennes dont le drainage est favorisé par l'existence de canaux.

■ Culture et vinification

Beychevelle a l'avantage d'avoir sa propre ferme. Une centaine de vaches permettent au chef de culture de n'user que d'engrais organiques, ce qui est rare. L'encépagement comporte une forte proportion de Cabernet Sauvignon, très peu de Cabernet Franc et un quart de Merlot. On envisage de replanter 1 % de Petit Verdot.

Ce vignoble est relativement peu âgé, ainsi qu'en témoigne le descriptif ci-dessous (année de référence 1981) :

5,2 % des vignes ont plus de 35 ans ;
8,7 % ont 28 ans ;
11,6 % ont 23 ans ;
10,8 % ont 18 ans ;
7,1 % ont 13 ans ;
27,2 % ont 8 ans ;
11,4 % ont 3 ans.

Comme en d'autres lieux, le porte-greffe SO4 n'a pas donné toute satisfaction puisqu'il pousse les rendements et tend à la diminution du taux de sucre.

La jeunesse relative du vignoble explique le confortable rendement à l'hectare et la chaptalisation régulière des moûts.

■ Le vin

On ne peut nier le succès du vin de Beychevelle. Les goûts évoluent, celui du vin également. Il y a une vingtaine d'années, il est possible que les vins de Beychevelle aient été jugés trop souples. Depuis 10 ou 12 ans, la tendance va vers un raffermissement par une augmentation de la durée de cuvaison (elles ont passé de 12-15 jours à 20-25 jours) et par une extension des vignobles de Cabernet Sauvignon.

Cela est d'autant plus justifié qu'un vin plus ferme résiste mieux à de mauvaises conditions de garde, lesquelles sont fréquentes.

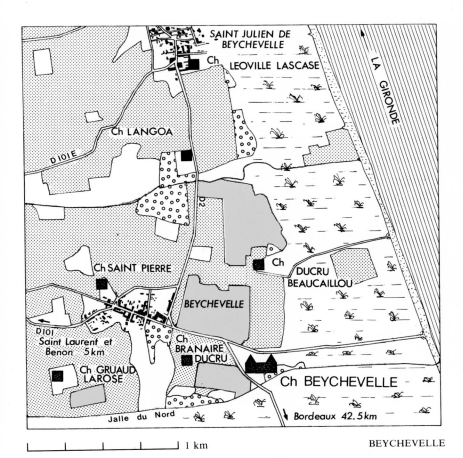

BEYCHEVELLE

PLAT IDÉAL :
Rôti de veau Soubise

AGE IDÉAL : 8 ans
Années exceptionnelles : 12 à 15 ans

COTATIONS COMMENTÉES

Année	Note	Commentaire
1961	10	complet • **à boire**
1962	8	fruité et gai • **à boire**
1964	8	vendangé avant la pluie ; souple • **à boire**
1966	8	dur ; s'ouvrira-t-il ? • **attendre et essayer**
1967	6	robe claire • **devrait être bu**
1969	4	très léger • **devrait être bu**
1970	8,5	bien construit, belle robe • **à boire**
1971	6,5	souple, rond • **à boire**
1972	4	millésime maigre • **devrait être bu**
1973	6	léger • **devrait être bu**
1974	6,5	plus charnu que le 1972 • **commencer à le boire**
1975	9,5	complet • **à boire en 1987-1988**
1976	9	rond et souple • **commence à s'ouvrir**
1977	5	un peu étriqué • **à boire**
1978	8	rondeur et générosité • **à boire en 1988**
1979	7,5	un 1978 de charme ; plus court • **à boire en 1985-1987**
1980	6	léger, type 1973 • **à boire dès 1984**
1981	7	vendanges pluvieuses, peu concentré • **à boire dès 1986**

CHATEAU BRANAIRE-DUCRU

4e CRU CLASSÉ

A la mort du dernier duc d'Épernon, en 1666, l'imposant domaine issu de la seigneurie de Lamarque fut morcelé. De ce morcellement devaient naître plus tard divers crus. La famille Duluc fit construire, en 1793-1795, le château de style très pur que l'on peut admirer aujourd'hui.

La même famille Duluc planta, au début du XVIIe siècle, le vignoble de « Branayre ». En 1855, le vin de cette propriété fut classé 4e cru sous le nom de Château Duluc. Peu après 1860, Léo Duluc vendit son Château à Gustave Ducru, qui joignit son nom à celui de Branaire. Vingt ans plus tard, ses héritiers, le comte Ravez et le marquis de Carbonnier de Marsar, prirent la direction du domaine. Ils eurent pour successeurs le vicomte du Périer de Larsan et le comte J. de la Tour, dont les quatre couronnes ornent les quatre coins des étiquettes de Branaire-Ducru. Entre les deux guerres, M. Édouard Mital se porte acquéreur du domaine que Jean Tapie achè-

FICHE TECHNIQUE

AOC	Saint-Julien	Temps de cuvaison	30 jours
Production	20 000 caisses	Chaptalisation	si nécessaire (degré idéal 11o-11o5)
Date de création du vignoble	1720-1745	Température des fermentations	27o-28o
Surface	48 ha	Mode de régulation	serpentin refroidi
Répartition du sol	divisé	Type des cuves	ciment plastifié
Géologie	graves quartzifères sur socle d'alios	Vin de presse	accessoirement
		Age des barriques	renouvellement annuel des trois quarts

CULTURE

Engrais	fumier et chimique (faiblement)	Temps de séjour	18-24 mois
Taille	Guyot double médocaine	Collage	blancs d'œufs frais
Cépages	C.S. 60 % - C.F. 10 % - M. 25 - Petit Verdot 5 %	Filtration	légère, sur plaques à la mise
Age moyen	20 ans		
Porte-greffe	420 A - SO4 - Riparia Gloire	Maître de chai	Marcel Renom
		Régisseur	Joseph Berrouet
Densité de plantation	6 600 pieds/ha	Œnologue-conseil	Prof. Émile Peynaud, si nécessaire
Rendement à l'ha	27 à 36 hl		
Replantation	par tranches	Type de bouteille	Tradiver
Traitement antibotrytis	non	Vente directe au château	possible
		Commande directe au château	possible

VINIFICATION

Levurage (origine)	naturel	Contrat monopole	non (oui, pour les USA)

tera en 1952. Mme N. Tari (de Giscours) et son frère Jean-Michel Tapie en sont aujourd'hui les propriétaires.

■ Lieu de naissance

Après avoir traversé la Jalle du Nord, la route départementale nº 2 monte brusquement. On ne voit sur la droite que le château Beychevelle, alors qu'en face, sur la colline, le sobre château Branaire-Ducru, son cadet de trente ans, le domine. Le vignoble, disséminé en divers lots, jouxte, ainsi qu'on le verra sur le plan ci-dessous, la plupart des grands crus de la commune. Il faut remarquer que sa superficie ne s'est guère modifiée depuis le classement de 1855. Dans l'ensemble, les sols de graves moyennes profondes reposent sur un socle d'alios de 60 centimètres.

■ Culture et vinification

La vinification classique implique de longues cuvaisons à température contrôlée. Le vin se bonifie dans des barriques neuves et presque neuves, puis est légèrement filtré avant d'être mis en bouteilles.

■ Le vin

Il se vend beaucoup aux USA ainsi qu'en Angleterre et dans divers pays, dont la France. Jean-Michel Tapie souhaite un vin élégant et délicat. Pour y parvenir, le vin de Branaire-Ducru ne cherchera pas à tout prix de fâcheux degrés alcooliques. Un modèle à suivre.

PLAT IDÉAL :
Gigue de chevreuil

AGE IDÉAL : 6 ans
Années exceptionnelles : 10 à 12 ans

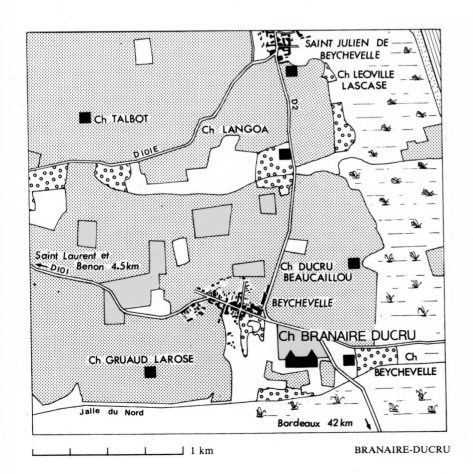

BRANAIRE-DUCRU

COTATIONS COMMENTÉES

Année	Note	Commentaire
1961	10	complet, tannique • à boire
1962	6	a dépassé son apogée • à boire
1964	5,5	a dépassé son apogée • à boire
1966	9	très élégant et long • s'ouvre
1967	6	sur le déclin • à boire sans délai
1970	9	riche • à boire
1971	7	presque superficiel • à boire sans délai
1972	5	quelque maigreur, court • à boire
1973	7	souple et élégant • à boire
1974	7	belle robe, manque d'étoffe • à boire
1975	9	n'a pas terminé son évolution • à boire en 1985
1976	8,5	très bouqueté • à boire
1977	5,5	manque d'ampleur • à boire
1978	8	bon équilibre • à boire en 1986
1979	8,7	plein, rond • à boire en 1987
1980	7	pronostic réservé

CHATEAU LAFITE ROTHSCHILD

1er CRU CLASSÉ

La seigneurie de Lafite s'étendait de la Jalle du Breuil à Bages, au sud de Pauillac. Depuis plus de trois siècles, si l'on excepte quelques agrandissements, les limites du domaine sont les mêmes, ainsi que l'emplacement du vignoble principal de Lafite au sud du château.

Histoire tout à la fois simple et complexe d'un domaine :

— Première moitié du XVIIe siècle, acquisition de Lafite par le parlementaire Saubat de Pommiers.

— Mort du propriétaire et remariage (1670) de sa veuve avec Jacques de Ségur, propriétaire de Calon (Ségur).

— 1695 : mariage de leur fils Alexandre de Ségur avec Marie-Thérèse de Clausel, héritière de Château Latour.

— 1697 : naissance de Nicolas-Alexandre de Ségur. Devient le « Prince des Vignes » lorsqu'il hérite de Lafite (50 hectares de vignes), de Latour (36 ha de vignes) et de Calon. Il meurt en 1755.

— 1755-1784 : le comte Marie-Nicolas-Alexandre de Ségur, petit-fils du précédent, hérite de Lafite. Il se ruine et vend son domaine. C'est le prélude à 84 ans de drames et de ventes fictives.

— 1868 : vente aux enchères de Lafite à la suite du décès de Vanlerberghe fils. Le baron James de Rothschild, banquier, le paie 4 400 000 F, somme énorme pour l'époque (avec les frais, 50 millions d'aujourd'hui, près du tiers de sa valeur actuelle). Il ne quittera plus la famille. De nos jours, les banquiers Rothschild en sont toujours propriétaires.

Cette chronologie des propriétaires de Lafite montre avec quelle

FICHE TECHNIQUE

AOC	Pauillac		Temps de cuvaison	12 à 30 jours
Production	20-30 000 caisses		Chaptalisation	si nécessaire, parfois sans
Date de création du vignoble	XIVe-XVIe siècles		Température des fermentations	inférieur à 30°
Surface	90 ha		Mode de régulation	par serpentin
Répartition du sol	en 2 lots		Type des cuves	bois
Géologie	grosses graves sur calcaire		Vin de presse	0 à 10 %
			Age des barriques	neuves

CULTURE

Engrais	peu de fumier, pas de chimique
Taille	Guyot double médocaine
Cépages	C.S. 70 % - C.F. 5 % - M. 20 % - Petit Verdot 5 %
Age moyen	40 ans
Densité de plantation	7 500 pieds/ha
Rendement à l'ha	20 hl
Replantation	Complantation et replantation

Temps de séjour	2 ans 1/2
Collage	blancs d'œufs frais
Filtration	parfois légère sur plaques

Maître de chai	Robert Revelle
Chef de culture	Jean Crété
Œnologue conseil	Prof. Peynaud
Type de bouteille	bordelaise
Vente directe au château	non
Commande directe au château	non
Contrat monopole	non

VINIFICATION

Levurage (origine)	pied de cuve

âpreté la propriété fut disputée en période de troubles, les seuls moments où les plus ambitieux et les plus riches purent postuler. La vraie chance de Lafite fut de bénéficier, dans l'incertitude de son destin, d'un régisseur de qualité exceptionnelle, Joseph Goudal, qui conduisit le domaine comme son bien propre dès 1797. Son successeur, Émile Goudal, fut plus actif encore puisqu'il parvint à acquérir le beau terroir des Carruades de Mouton d'Armailhac en 1845, alors que le régisseur de Mouton avait pour mission de l'acheter au prix fort. En fait, Lafite ne connut que deux propriétaires, Ségur et Rothschild, l'intérim ayant été assuré par la famille du régisseur Goudal.

■ Lieu de naissance.

Le vignoble principal est traversé par la route départementale Pauillac-Vertheuil. Son altitude oscille entre 10 et 25 mètres d'altitude. Le sol de Lafite est composé de graves günziennes garonnaises d'une grosseur supérieure à la moyenne et de forte épaisseur, encore que le calcaire de Saint-Estèphe affleure presque dans les points bas. A noter que les raisins récoltés sur la parcelle du Blanquet, dans la commune de Saint-Estèphe, ont le droit, par dérogation spéciale depuis 1868, de s'allier à ceux du vignoble principal.

■ Culture, vinification et vin

La lecture de la fiche technique montre qu'à Lafite les méthodes les plus classiques sont en usage. Les sélections font l'objet de longues dégustations réunissant Éric de Rothschild, le professeur Peynaud, M. Le Canu, le régisseur et le maître de chai. On comparera utilement l'encépagement et la vinification de Château Lafite et de Château Margaux. Les similitudes sont frappantes, le professeur Peynaud n'y est sans doute pas étranger. Le secret de Lafite ? En dehors du terroir, il tient en deux chiffres : l'âge moyen du vignoble : 40 ans, le rendement à l'hectare : 20 hl. Le second vin de Lafite porte l'étiquette Moulin des Carruades.

PLAT IDÉAL :
Début de repas : foie gras en papillotes
Plat principal : entrecôtes grillées sur des sarments

AGE IDÉAL : 7 à 8 ans
Années exceptionnelles : 15 ans

COTATIONS COMMENTÉES

Année	Note	Commentaire
1961	10	son évolution positive n'est pas achevée • **à boire tranquillement**
1962	6,5	bouqueté, léger, élégant, court • **à boire**
1964	5,5	victime de la pluie • **devrait être bu**
1966	8	puissant, charpenté, corpulent, équilibré, de longue garde • **à boire**
1967	5	moyen • **à boire sans délai**
1970	9	complet. Dur et fermé • **s'ouvrira-t-il ?**
1971	6	léger, manque de puissance • **à boire**
1972		non coté, sans intérêt
1973	5,5	trop tannique, déséquilibré (trop de fût) • **à boire sans délai**
1974	4,5	petite année, léger • **à boire**
1975	10	grand et puissant • **à boire en 1990**
1976	7	bouqueté, fin • **à boire**
1977	5	victime du gel, peu de finesse • **à boire**
1978	8,5	charnu, fin, réussi • **à boire en 1986**
1979	9	tiré 10 000 magnums car très rond et très construit • **à boire en 1989**
1980	6,5	aimable, un peu court • **à boire dès 1985**
1981	8,5	style 1966, supérieur • **le goûter dès 1991**

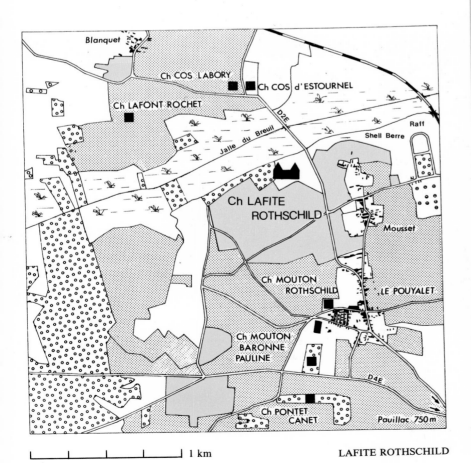

LAFITE ROTHSCHILD

CHATEAU LATOUR

1er CRU CLASSÉ

Nous nous contenterons de citer quelques points de repère de l'histoire de ce vignoble dont la surface s'élevait à 30 hectares déjà en 1705 ! Dès la fin du XIVe siècle la famille Mullet rassemble les terres du domaine. En 1695, Alexandre de Ségur, également propriétaire de Calon et de Lafite, épouse Marie-Thérèse de Clausel qui lui apporte Latour. On comprend pourquoi son fils unique, le marquis de Ségur (Nicolas Alexandre), fut surnommé « Prince des Vignes ». Ses descendants créèrent en 1842 la première Société civile agricole, évitant ainsi les dangers du morcellement. En 1963, deux groupes britanniques achètent 76 % des actions aux 68 porteurs, descendants ou héritiers du marquis de Ségur appartenant aux trois branches : Courtivron, Beaumont et Flers. Certains d'entre eux sont toujours actionnaires de la Société civile de Château Latour.

■ Lieu de naissance

Depuis le XIVe siècle, peut-être avant, des règes occupent la terre de Latour. Les géologues sont tous d'avis que la croupe de Latour est d'une qualité rare sinon unique. Remarquablement situé par rapport à la Gironde toute proche, Latour bénéficie ainsi d'un climat très égal. Le terrain (culminant à 16 mètres) présente des inclinaisons faibles facilitant le travail mais suffisantes pour assurer un bon drainage, grâce à ses trois pentes. Le sol est remarquable par la nature des graves garonnaises günziennes qui le composent, les plus grosses du Médoc sur une telle surface. La présence de « mouillè-

FICHE TECHNIQUE

AOC	Pauillac		Temps de cuvaison	15 à 21 jours
Production	20 000 caisses		Chaptalisation	parfois (voir texte)
Date de création du vignoble	fin XVIIe siècle		Température des fermentations	30º
Surface	50 ha		Mode de régulation	cuves thermorégulées
Répartition du sol	en 3 parcelles (voir texte)		Type des cuves	acier inoxydable
Géologie	graves günziennes		Vin de presse	2 à 7 %

CULTURE

			Age des barriques	neuves chaque année
Engrais	fumier de bovins + compost organique		Temps de séjour	20 à 26 mois
Taille	Guyot double médocaine		Collage	6 blancs d'œufs par barrique
Cépages	C.S. 75 % - C.F. 10 % - M. 10 % - Petit Verdot 5 %		Filtration	aucune
Age moyen	35 ans		Maître de chai	M. Malbec
Porte-greffe	majorité de Riparia Gloire		Régisseur-directeur	Jean-Paul Gardère
Densité de plantation	10 000 pieds/ha		Œnologue conseil	Jean-Louis Maudran
Rendement à l'ha	40 hl		Type de bouteille	bordelaise
Replantation	complantation		Vente directe au château	non

VINIFICATION

			Commande directe au château	non
Levurage (origine)	naturel		Contrat monopole	non

res » (bulles d'argile) impose l'établissement d'un système de drain en usage depuis cent ans. Nous décrivons ici la croupe de 50 hectares. La Société civile du vignoble de Latour est également propriétaire du Petit Batailley « sur le plateau ». Les vins qui en sont issus ne sont pas censés se retrouver dans les bouteilles de Château Latour mais dans celles des Forts de Latour (2e marque), avec ceux rejetés par les sélections. Dans certains cas (1969, 1973 par exemple), la Société embouteille également un vin étiqueté « Pauillac ».

■ Culture et vinification

L'âge moyen du vignoble de Latour est fort élevé. Pour conserver cet avantage, le renouvellement des ceps est réalisé non par tranche mais en complantation. Chaque cep remplacé est identifié par un collier de plastique jaune. Ainsi repérables, ces jeunes vignes sont vendangées trois jours avant les vendanges principales. Cet isolement des jeunes vignes se prolonge huit années.

Le problème de la chaptalisation n'est pas nouveau à Latour. Le 1816, par exemple, petite année, connut cet outrage. On ne chaptalise pas systématiquement. Les années 1970, 1971, 1975, 1976, 1978 ne doivent rien au sucrage. Dès 1964, les fermentations se firent dans des cuves d'acier inoxydable pourvues d'un système de régulation thermique automatique. A l'époque, cela parut révolutionnaire. Les assemblages et l'adjonction de vin de presse ont lieu à la suite de dégustations à l'aveugle organisées pour le maître de chai, le directeur et l'œnologue.

■ Le vin

Latour est dépositaire d'une réputation tricentenaire. Cette réputation s'applique à un type de vin que Latour se doit de perpétuer. Le Latour est un vin viril, ferme, tannique, de longue garde. Devant l'impatience de la clientèle qui boit toujours son vin trop tôt, la direction se propose de stocker le Château Latour en bouteilles dans des locaux spéciaux et de ne le vendre qu'à son apogée.

PLAT IDÉAL :
Venaison

AGE IDÉAL: 12 à 15 ans
Années exceptionnelles : 25 ans

COTATIONS COMMENTÉES

Année	Note	Commentaire
1961	10	plein, complet, équilibré • **à boire en 1990**
1962	7,5	très Cabernet Sauvignon • **à boire**
1964	8,5	vendanges terminées le 6/10 le meilleur du Médoc • **à boire**
1966	9	complet, charpenté, belle robe • **à boire en 1986-1990**
1967	7,5	bien pour un 1967 • **à boire**
1969	5,5	léger, clair • **à boire**
1970	9,5	très complet, violent • **à boire en 1990-2000**
1971	8	légèreté et élégance • **peut être bu**
1972	6	dans l'esprit des 1969 • **à boire**
1973	7	un Latour paradoxal : féminin • **à boire**
1974	7	sans grâce • **à boire en 1985**
1975	9	épicé mais fermé • **à boire en 1990-1995**
1976	8	trop souple, pas d'acidité • **à boire**
1977	6,5	verdeur, tannins herbacés
1978	8,5	rondeur ; plénitude prévue • **à boire en 1990-2000**
1979	7,5	un 1978 souple • **à boire dès 1988**
1980	7	bons moûts (10 à 11) mais semble dilué
1981	9	entre 1970 et 1978, tannique • **à boire dès 1993**

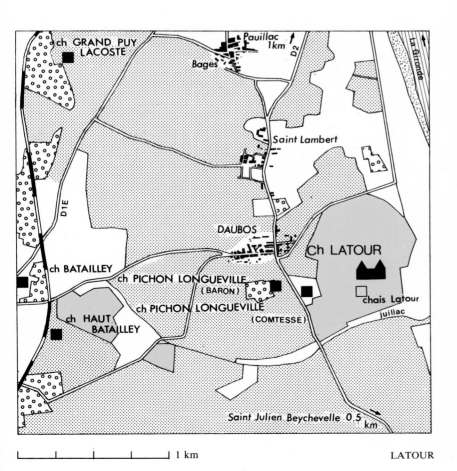

LATOUR

1 km

CHATEAU MOUTON ROTHSCHILD
1er CRU CLASSÉ (1973)

C'est avec Joseph de Brane que, entre 1730 et 1740, le destin viticole de Mouton se scelle. La constitution du domaine devait se poursuivre et lorsque le baron de Brane vend, en 1830, « Brane Mouton » au banquier parisien Isaac Thuret, le vin de cette propriété atteint des prix très élevés, proches de ceux obtenus par les futurs 1ers grands crus classés. En mai 1853, le Londonien Nathaniel de Rothschild, arrière-grand-père du propriétaire actuel, s'en rend acquéreur. En dépit d'une politique commerciale très active, Mouton est classé 2e cru. Il faudra attendre 1973 pour qu'il accède au rang de 1er cru, alors que, depuis plus d'un demi-siècle, les courtiers l'achetaient au cours de la catégorie suprême. La construction du château baptisé « Petit Mouton » date de 1855, moment où tout le Médoc investissait dans la pierre. En outre, divers bâtiments, des chais, des caves sont l'œuvre de l'actuel propriétaire. Un admirable musée d'objets d'art se rapportant au vin est ouvert au public. Dès 1924, le baron Philippe de Rothschild adopte la « mise au château » ; il est le premier en Médoc à imposer une méthode qui élimine la fraude, car le négoce ne se privait pas « d'allonger la sauce ». Il faudra un demi-siècle pour que cette mesure de salubrité publique devienne une obligation.

A partir de 1945, Mouton invente l'étiquette annuelle. A chaque millésime, un peintre de renom illustre à sa manière la partie supérieure de l'étiquette.

FICHE TECHNIQUE

AOC	Pauillac	Temps de cuvaison	15 à 21 jours
Production	22 500 caisses	Chaptalisation	1º sauf grandes années (1970, 1975, 1976)
Date de création du vignoble	XVIIe siècle	Température des fermentations	32 º-33º
Surface	72 ha en production (80 ha de vignes)	Mode de régulation	refroidisseur par remontage
Répartition du sol	un seul tenant	Type des cuves	bois
Géologie	graves sur alios	Vin de presse	3 % maximum
		Age des barriques	neuves tous les ans

CULTURE

Engrais	organique	Temps de séjour	22 à 24 mois
Taille	Guyot double médocaine	Collage	blancs d'œufs
Cépages	C.S. 85 % - C.F. 10 % - Merlot 5 %	Filtration	aucune
Age moyen	39 ans		
Porte-greffe	Riparia Gloire	Maître de chai	Raoul Blondin
Densité de plantation	8 800 pieds/ha hors sentier	Régisseur	Gilbert Faure
Rendement à l'ha	1970 : 24 hl - 1978 : 17 hl	Type de bouteille	bordelaise
Replantation	par complantation	Vente directe au château	non

VINIFICATION

Levurage (origine)	naturel	Commande directe au château	non
		Contrat monopole	non

■ Lieu de naissance

Sur la route qui joint Pauillac à Hourtin, la route départementale 4E, en face de Pontet-Canet, donc du côté nord, nous empruntons le chemin de Mouton. Superficiellement, rien ne semble distinguer le plateau de Mouton (altitude 25-26 m) de Pédesclaux ou de Pibran, par exemple, que nous avons croisés en venant de Pauillac. La réalité est tout autre. Les analyses du sol natal de Mouton Rothschild expliquent son accession au rang de 1er grand cru. Il est démontré que la nature des graves günziennes garonnaises, que leur grossièreté, leur densité, associées à d'autres éléments, dont certains oxydes de fer et certains sels, sans oublier un drainage intense, se retrouvent dans tous les 1ers grands crus. Ce sol est celui de Mouton Rothschild. Ces graves, d'une grande pauvreté organique et de plusieurs mètres d'épaisseur, reposent sur un socle marno-calcaire.

■ Culture et vinification

Rien à signaler que de très logique : le grand âge du vignoble est assuré par son renouvellement en complantation. La très forte proportion des Cabernet implique l'élaboration d'un vin de grande longévité.

Le rendement à l'hectare est très faible : parce que la proportion de Merlot est dérisoire, parce que la vigne est sévèrement conduite, parce qu'on ne recherche que la qualité.

■ Le vin

Qu'ajouter à ce qui est écrit précédemment ?

Le vin de Mouton Rothschild couronne la recherche opiniâtre de la perfection. Il illustre l'incompatibilité fondamentale entre quantité et qualité. Que souhaiter d'autre, sinon qu'on l'imite ?

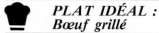

PLAT IDÉAL :
Bœuf grillé

AGE IDÉAL : pas avant 7 ans
Années exceptionnelles : pas avant 15 à 20 ans

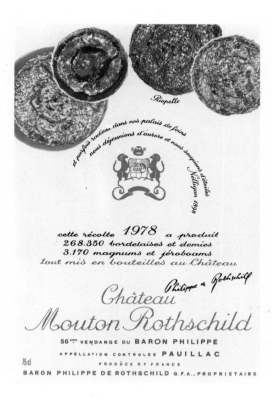

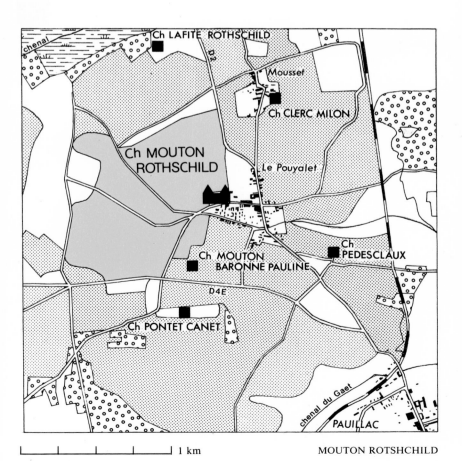

1 km   MOUTON ROTSHCHILD

COTATIONS COMMENTÉES

Année	Note	Commentaire
1961	10	superbe, complet, dense • **commencer à le boire**
1962	7	belle robe, bouqueté • **à boire**
1966	8	typé Cabernet • **à boire**
1967	7	fruité • **à boire**
1969	5	mince • **devrait être bu**
1970	9,5	vin très complet, évolue • **pas avant 1985**
1971	9,5	fruité et élégant • **à boire**
1972	5,5	petit millésime • **à boire**
1973	6	bien construit pour ce millésime • **à boire**
1974	5,5	manque de gras, de générosité • **à boire**
1975	10	le plus concentré depuis 1961 • **à boire en 1985**
1976	9,5	fruité et équilibré • **à boire en 1985**
1977	5	manque d'ampleur • **à boire en 1984**
1978	9,5	complet, rond et riche • **à boire en 1992**
1979	8	plus souple que le précédent • **à boire en 1987-1989**
1980	7	pas typé, charme, dentelles • **à boire dès 1986**
1981	9- 9,5	style 1959, acidité basse, charpenté • **à boire dès 1990**

CHATEAU PICHON-LONGUEVILLE

2e CRU CLASSÉ

Il est souvent fort difficile de fixer avec certitude la date de création d'un vignoble. Pourtant, dans le cas des Pichon, la période 1686-1690 est essentielle puisqu'une série de contrats prouve que le sieur de Mesures de Rauzan, négociant mais également « fermier de Latour », fonction importante permettant de percevoir les droits seigneuriaux, acquiert 40 lots à Saint-Lambert. Le « sieur Rauzan » avait la rage d'acheter et de planter de la vigne. A sa mort, sans doute entre 1693 et 1695, sa femme, Jeanne, hérite des domaines dont les actuels Pichon et Rauzan (A.O.C. Margaux). Jeanne Rauzan meurt en 1700, et sa fille Thérèse peut déposer dans sa corbeille de mariage « l'enclos de Rauzan », à Saint-Lambert, alors que ses frères héritent des actuels 2e crus Rauzan. Elle épouse Jacques de Pichon, baron de Longueville, qui donne son nom à cette propriété de plus de 20 hectares dont 18 hectares plantés en vignes. Pendant près d'un siècle et demi, le domaine est agrandi jusqu'au moment de sa division en cinq lots (se reporter au chapitre concernant le Château Pichon-Longueville Comtesse de Lalande).

Raoul de Pichon-Longueville, héritier d'un tiers du domaine, le transmet à son fils et, en 1935, le baron de Pichon-Longueville cède sa propriété aux Bouteiller, qui l'administrent actuellement.

FICHE TECHNIQUE

AOC	Pauillac		Temps de cuvaison	21 jours
Production	11 000 caisses		Chaptalisation	si nécessaire
Date de création du vignoble	1686-1690		Température des fermentations	28º-30º
Surface	30 ha		Mode de régulation	serpentin
Répartition du sol	en 2 lots		Type des cuves	ciment plastifié
Géologie	graves moyennes		Vin de presse	7 %
			Age des barriques	renouvellement par tiers annuel

CULTURE

Engrais	fumier, chaux, scories
Taille	Guyot double médocaine
Cépages	C.S. 75 % - M. 23 % - Malbec 2 %
Age moyen	22 ans
Porte-greffe	101-14 - Riparia - 44-53
Densité de plantation	9 500 pieds/ha
Rendement à l'ha	35 hl
Mode de replantation et %	1 ha annuel
Traitement antibotrytis	non

Temps de séjour	24 mois
Collage	blancs d'œufs frais
Filtration	aucune

Maître de chai	Francis Souquet
Œnologue conseil	Boissenot
Type de bouteille	Tradiver
Vente directe au château	oui
Commande directe au château	oui
Contrat monopole	non

VINIFICATION

Levurage (origine)	naturel

■ Lieu de naissance

On se doute que les vignes des deux Pichon sont contiguës. Elles sont même entremêlées ainsi qu'on peut le constater en comparant les plans de l'un et de l'autre. La majeure partie du « Pichon Baron » borde la route départementale 2 Saint-Julien - Pauillac. Comme il se doit, le vignoble occupe les terres de graves. Des graves günziennes garonnaises de moyenne grosseur, profondes sur socle argileux. Le château, bel exemple de l'architecture médocaine du XIXᵉ siècle (1851), marque l'extrémité nord de la propriété.

■ Culture et vinification

A remarquer un encépagement particulier d'où est banni le Cabernet Franc. Culture et vinification sont conduites selon les méthodes qui ont fait leurs preuves depuis un quart de siècle. Sur ce plan, les deux Pichon se ressemblent, tout y est identique sauf la nature des cuves. Les autres paramètres sont semblables (cuvaison, température, vin de presse, séjour en barriques, etc.), jusqu'à l'absence de filtration.

■ Le vin

Chacun se livrera au petit jeu des comparaisons entre les deux Pichon. Cela est d'autant plus légitime que les deux vignobles se confondent presque. Curieusement, le vignoble le plus âgé est celui qui produit le plus. L'abondance des Merlot n'explique pas tout.

Des réussites (et des échecs !) des uns et des autres naît l'émulation, et de la diversité le plaisir de la découverte.

PLAT IDÉAL :
Lapin chasseur

AGE IDÉAL : 6 ans
Années exceptionnelles : 20 ans

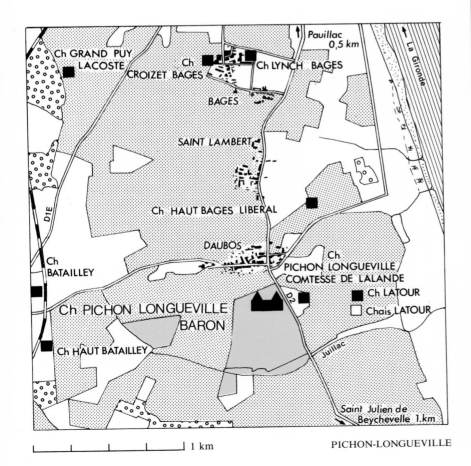

PICHON-LONGUEVILLE

COTATIONS COMMENTÉES

Année	Note	Commentaire
1961	10	commence à s'ouvrir • à boire
1962	9,5	vin de classe • à boire
1964	8	moins plein que le 1962 • à boire
1966	8,5	dense • à boire
1967	8,5	s'ouvre à peine • à boire
1970	10	grand vin fermé • à boire en 1986
1971	8	astringent • à boire
1972	5	petit millésime • à boire
1973	7	le charme de l'équilibre • à boire
1974	8,5	grande réussite d'un millésime ingrat • à boire
1975	10	corps, charpente, ampleur • à boire en 1988
1976	8,5	souplesse • à boire
1977	7,5	millésime moyen, bon à boire • à boire
1978	10	complet • à boire en 1988
1979	10	complet • à boire en 1988
1980	7,5	supérieur au 1977 • à boire dès 1985
1981	9	rond et complet • à boire dès 1991

CHATEAU PICHON-LONGUEVILLE COMTESSE DE LALANDE

2e CRU CLASSÉ

Son histoire est longue : elle commence avec Pierre des Mesures de Rauzan, important propriétaire du Médoc (des deux Rauzan actuels de Margaux, entre autres), lorsque sa fille Thérèse épouse Jacques de Pichon, baron de Longueville, et apporte en dot la terre de Saint-Lambert. Au XIXe siècle, le baron Joseph de Pichon-Longueville donne un tiers du vignoble à son fils Raoul, léguant les deux tiers restant à ses trois filles : la comtesse Sophie de Pichon-Longueville, la comtesse de Lalande et la vicomtesse de Lavaur. Mmes de Pichon-Longueville et de Lavaur n'ayant pas de descendants, la comtesse de Lalande hérite de ses deux sœurs, d'où la division actuelle du vignoble. En 1926, une société administrée par Éd. Miailhe acquiert le Château Pichon-Longueville Comtesse de Lalande. Depuis 1978, sa seconde fille, l'énergique Mme de Lencquesaing, dirige le domaine et habite le château dont le mobilier est très exactement celui acheté il y a un siècle et demi.

■ **Lieu de naissance**

Le château Pichon-Longueville Comtesse de Lalande est visible de la route qui joint Saint-Julien-Beychevelle à Pauillac, sur la droite, juste après Latour qu'il jouxte. Par contre, le vignoble est situé à

FICHE TECHNIQUE

AOC	Pauillac		Temps de cuvaison	18 à 20 jours
Production	20 000 caisses		Chaptalisation	si nécessaire (70, 75, 82 sans)
Date de création du vignoble	1686-1690		Température des fermentations	28°-30°
Surface	60 ha dont 58 en production		Mode de régulation	groupes frigorifiques
Répartition du sol	sensiblement un seul tenant		Type des cuves	1/3 acier inoxydable 2/3 ciment revêtu Epoxy
Géologie	graves profondes sur alios et argile		Vin de presse	5 à 8 %
			Age des barriques	renouvellement annuel par moitié

CULTURE

			Temps de séjour	24 mois
Engrais	organique et chimique		Collage	blancs d'œufs
Taille	Guyot double médocaine		Filtration	aucune
Cépages	C.S. 45 % - C.F. 12 % - M. 35 % - Petit verdot 8 %			
Age moyen	voir texte		Administrateur	Mme H. de Lencquesaing
Porte-greffe	Riparia Gloire - 101-14		Maître de chai	Francis Lopez
Densité de plantation	9 500 pieds/ha		Régisseur	Jean-Jacques Godin
Rendement à l'ha	40 hl		Œnologue conseil	Prof. É. Peynaud
Replantation	par tranches de 1,5 ha		Type de bouteille	bordelaise (armoriée jusqu'en 1975)
Traitement antibotrytis	Oui		Vente directe au château	oui
			Commande directe au château	oui

VINIFICATION

Levurage (origine)	naturel		Contrat monopole	non

gauche de la route. Essentiellement après la traversée du ruisseau de Juillac, mais pas uniquement. Huit à dix hectares de ce Pauillac sont tributaires de la commune de Saint-Julien.

Les graves profondes bien drainées contribuent à justifier le classement en 2e cru classé. Le sous-sol d'alios et d'argile implique une certaine robustesse, tempérée par la proportion inusitée de Merlot.

■ Culture et vinification

Pas de désherbage chimique mais six passages dans le vignoble pour résoudre ce problème. Maintien d'un vignoble d'un âge suffisant tout en assurant le renouvellement des ceps. Le tableau ci-dessous permet d'établir l'âge du vignoble :

moins de 5 ans	2 ha
de 5 à 10 ans	15 ha
de 10 à 20 ans	18 ha
plus de 20 ans	27 ha

Les assemblages sont conduits par les propriétaires eux-mêmes, assistés du régisseur, du maître de chai et des conseils de M. Peynaud. Les installations de vinification ont été refaites et le chai de vieillissement est efficace et somptueux. Toutes les conditions sont réunies pour obtenir un grand vin. A noter un rendement à l'hectare élevé. L'abondance des Merlot y contribue.

■ Le vin

Le Pichon-Longueville Comtesse de Lalande est souple, moelleux et concentré. Il peut se boire à partir de 8 à 10 ans selon les millésimes mais possède assez d'ampleur pour vieillir longtemps.

Tous les efforts de la propriété concourent à cela sans que, pour autant, la qualité soit sacrifiée, ce qui serait la voie la plus facile. Suite à une sévère sélection du grand vin, un deuxième vin étiqueté « Réserve de la comtesse » (Pauillac) autorise une approche moins coûteuse du vin principal.

PLAT IDÉAL :
Gibier à plume

AGE IDÉAL : 8 à 10 ans
Années exceptionnelles : 15 ans et plus

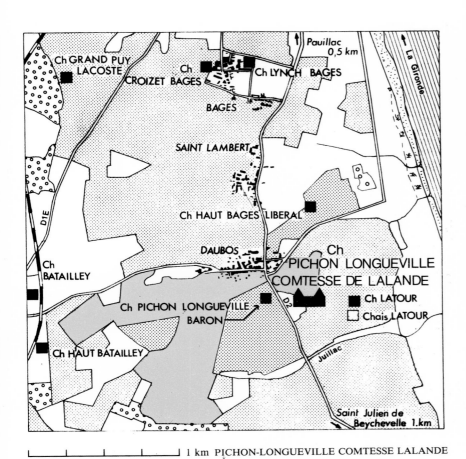

1 km PICHON-LONGUEVILLE COMTESSE LALANDE

COTATIONS COMMENTÉES

Année	Note	Commentaire
1961	**10**	complet • **à boire**
1962	7	a du charme • **à boire**
1964	8	fruité, un peu court • **à boire**
1966	9	de qualité, lent à s'ouvrir
1969	5	maigre • **devrait être bu**
1970	9	typé Cabernet, profond • **le goûter**
1971	8	plus souple que le précédent • **le commencer**
1972	5	petit et faible • **devrait être bu**
1973	7	trop souple (trop de vin sans doute) • **à boire**
1974	6	petit millésime • **devrait être bu**
1975	10	le plus complet depuis 1961 • **pas avant 1990**
1976	8	riche et plein • **le boire vers 1986**
1977	7	premier des 2e crus lors d'une dégustation • **pas avant 1984**
1978	9	premier ex aequo des 2e crus lors d'une dégustation • **pas avant 1994**
1979	9	bonne évolution ; aimable • **pas avant 1990**
1980	7	tri sévère, proche des 1976-1977
1981	9	un 1978 plus souple • **à boire dès 1989**
1982	9?	complet, souple • **à boire vers 1992**

CHATEAU DUHART-MILON-ROTHSCHILD

4e CRU CLASSÉ

La commune de Pauillac, si riche en crus classés, ne comporte qu'un seul 4e : Château Duhart-Milon-Rothschild. Ce grade lui fut attribué en 1855, alors qu'il était la propriété de M. Castéja. Auparavant, divers courtiers, au début du XIXe siècle, lui avaient déjà conféré ce rang puisque Franck, en 1824, et Lawton, en 1815, le notaient ainsi. Fin XVIIIe, son propriétaire semblait s'appeler Mandavid, et l'on peut imaginer que le créateur du vignoble portait le nom de Duhart.

A l'aube de XXe siècle, M. Castéja, notaire, et Mme Jules Calvé en sont propriétaires. Le château de Duhart-Milon, ou ce qui peut être considéré comme tel, est situé sur les quais de Pauillac et appartient toujours aux Castéja. Ce n'est qu'en 1962 que la branche française des Rothschild acquiert Duhart-Milon, auquel ils confèrent, par adjonction, leur patronyme. Les raisons de cette acquisition semblent évidentes lorsqu'on constate la proximité des vignobles de Lafite et de Duhart-Milon.

FICHE TECHNIQUE

AOC	*Pauillac*
Production	*10-15 000 caisses*
Date de création du vignoble	*XVIIIe siècle*
Surface	*40 ha*
Répartition du sol	*un seul tenant*
Géologie	*graves sur calcaire*

CULTURE

Engrais	*peu de fumier, pas de chimique*
Taille	*Guyot double courte*
Cépages	*C.S. 70 % - C.F. 5 % - M. 20 % - Petit Verdot 5 %*
Age moyen	*12 ans*
Densité de plantation	*7 500 pieds/ha*
Rendement à l'ha	*inférieur à 20 hl*
Replantation	*par roulement sur 30 ans*

VINIFICATION

Levurage (origine)	*pied de cuve*

Temps de cuvaison	*12 à 30 jours*
Chaptalisation	*si nécessaire, parfois sans*
Température des fermentations	*inférieure à 30°*
Mode de régulation	*par serpentin*
Type des cuves	*acier*
Vin de presse	*0 à 10 %*
Age des barriques	*33 à 50 % neuves ; 66 à 50 % 2 ans*
Temps de séjour	*2 ans 1/2*
Collage	*blancs d'œufs frais*
Filtration	*parfois légère, sur plaques*

Maître de chai	*Francis Huguet*
Régisseur	*Jean Crété*
Œnologue-conseil	*Prof. Peynaud*
Type de bouteille	*bordelaise*
Vente directe au château	*non*
Commande directe au château	*non*
Contrat monopole	*non*

■ Lieu de naissance

Les vignes de Duhart-Milon sont situées à l'ouest des vignobles de Mouton et Lafite, limitées au nord par les terres humides et basses de la Jalle du Breuil ; au sud elles ne s'étendent guère au-delà de la route départementale 4E. Sur son côté nord le vignoble accuse un dénivellement important de plus de 10 mètres, la croupe culminant à 26 mètres. Le sol est composé de graves, sensiblement plus fines que celles des vignobles voisins, mêlées à des terres relativement lourdes. La proximité de la forêt accroît les dangers de gel.

■ Culture et vinification

Lors de l'achat du domaine, on s'aperçut qu'il n'existait pas de plan d'implantation des drains, ce qui interdisait tous travaux en profondeur. Il fallut donc repartir de zéro, arracher les ceps, établir un nouveau système de drainage et replanter les trois quarts de la propriété. Fidèle aux principes en honneur à Lafite, la taille est très courte : 4 yeux par pied. L'encépagement est désormais celui de Lafite, la vinification identique, aux cuves près, celles de Duhart-Milon-Rothschild étant en acier revêtu. D'autre part, une partie des barriques d'élevage est neuve, l'autre partie provient de Lafite où elles n'ont « fait » qu'un vin (2 ans).

■ Le vin

En dépit de la jeunesse du vignoble, pour les raisons indiquées ci-dessus, le rendement à l'hectare est très limité. La rigueur de la taille en est responsable. Il est remarquable d'obtenir des vins aussi fermes et aussi colorés avec des vignes si jeunes. Pour cette raison, on suivra avec intérêt l'évolution du vignoble et des vins du Château Duhart-Milon-Rothschild. Le second vin du Château est étiqueté Moulin de Duhart ou vendu en appellation régionale.

PLAT IDÉAL :
Poulet des Landes grillé

AGE IDÉAL : 5 à 6 ans
Années exceptionnelles : 10 à 12 ans

MIS EN BOUTEILLES AU CHÂTEAU

CHATEAU
DUHART · MILON · ROTHSCHILD
1978
PAUILLAC
APPELLATION PAUILLAC CONTRÔLÉE
75 cl   GRAND CRU CLASSÉ

SOCIÉTÉ CIVILE DE DUHART-MILON-ROTHSCHILD, PROPRIÉTAIRE A PAUILLAC (GIRONDE)

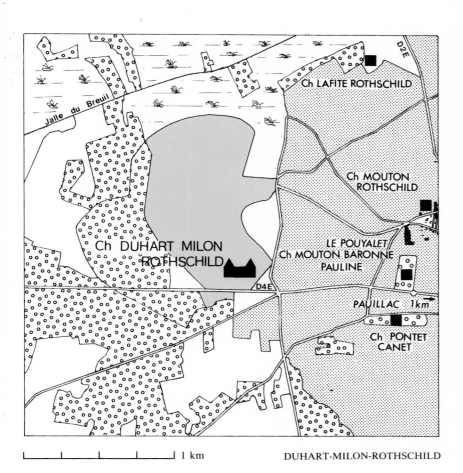

DUHART-MILON-ROTHSCHILD

COTATIONS COMMENTÉES

Année	Note	Commentaire
1961	10	dense • **à boire**
1962	7	tuilé, nez moyen, court • **devrait être bu**
1964	6	belle robe, bon nez, court en bouche • **à boire**
1966	8,5	bonne attaque, franc, fin, floral • **à boire**
1967	4,5	nez faible ; encore dur • **peut être bu**
1970	9,5	corpulent, boisé, long en bouche mais dur ; s'ouvrira-t-il ? • **à boire**
1971	6,5	tuilé, tannique, fin • **devrait être bu**
1972		vin mis en bouteilles par erreur avant les fermentations malolactiques ; vendu comme bordeaux supérieur
1973	4,5	léger, fruité mais court • **devrait être bu**
1974	4	léger, faible, maigre • **devrait être bu**
1975	9	belle charpente, belle robe • **devrait être bu en 1985**
1976	8	corpulent, nez peu développé • **à boire**
1977	7	faible constitution • **à boire**
1978	8	bon mais manque de rondeur et d'élégance • **à boire**
1979	8,5	rondeur, charme • **à boire en 1985**
1980		pronostic réservé

CHATEAU BATAILLEY

Le château date du milieu du XIXe siècle ; il a pris le nom de la terre qu'il domine. Ce nom rappelle une bataille célèbre entre Français et Anglais, qui ravagea son sol. Cela se passait au XVe siècle et eut pour conséquence, après la victoire du camp français, la destruction de la forteresse de Latour, qui était située à l'emplacement de l'actuel vignoble de Latour. Deux siècles et demi après cette bataille — la date exacte n'est pas connue, sans doute entre 1700 et 1750 — les premières vignes de Batailley firent leur apparition. En 1818, le dynamique négociant de Bordeaux F. Guestier racheta Batailley à l'amiral de Bedoux. Il ne devait pas en rester là puisque, au moment du classement de 1855, il était également propriétaire de Beychevelle. Lorsque les spéculateurs investirent dans le vignoble, au XIXe siècle, la propriété fut vendue et le château construit. Les cours du vin étaient alors au plus haut ; de même qu'en 1929 (mais pas pour longtemps !), lorsque Marcel Borie s'en rendit acquéreur. Depuis, il n'a plus changé de mains puisque Mme Castéja le tient de son père, Marcel Borie ; mais la propriété n'est plus tout à fait ce qu'elle était

FICHE TECHNIQUE

AOC	*Pauillac*	Temps de cuvaison	*15 à 20 jours*
Production	*20 000 caisses*	Chaptalisation	*toujours selon les années*
Date de création du vignoble	*XVIIe et XVIIIe siècles*	Température des fermentations	*28o - 30o*
Surface	*45 ha*	Mode de régulation	*refroidisseur*
Répartition du sol	*2 lots*	Type des cuves	*acier, bois, ciment*
Géologie	*graves*	Vin de presse	*0 à 20 % (1re presse)*
		Age des barriques	*renouvellement annuel par quart*
		Temps de séjour	*18 mois*
		Collage	*blancs d'œufs*
		Filtration	*sur plaques avant la mise*

CULTURE

Engrais	*fumier de mouton + chimique*
Taille	*Guyot double médocaine*
Cépages	*C.S. 70 % - C.F. 5 % - M. 22 % - Petit Verdot : 3 %*
Age moyen	*25 ans*
Porte-greffe	*420 A - SO4 - 3309 - 101-14*
Densité de plantation	*8 500 pieds/ha*
Rendement à l'ha	*40 à 50 hl*
Replantation	*par tranches*

Maître de chai	*Max Becker*
Régisseur	*Lucien Servant*
Œnologue conseil	*1967-1972 : Prof. Peynaud. Depuis 1978 : Pascal Ribereau-Gayon*
Type de bouteille	*bordelaise*
Vente directe au château	*possible*
Commande directe au château	*possible*
Contrat monopole	*oui - Borie-Manoux à Bordeaux*

VINIFICATION

Levurage (origine)	*naturel*

puisque en 1942, à la suite d'un partage, une partie, appelée le Haut-Batailley, en fut détachée.

■ Lieu de naissance

Château Batailley est situé au sud-ouest de la commune de Pauillac, exactement en bordure (et à gauche) de la route qui joint Pauillac à Saint-Laurent et Benon. Quelques modestes vallons assurent le drainage de graves de bonne épaisseur. L'éloignement de l'estuaire contribue au classement de 5e cru, si l'on en croit les dictons locaux.

■ Culture et vinification

L'encépagement est conforme à l'appellation Pauillac, avec une forte proportion de Cabernet. Les Petit Verdot n'ont pas la faveur d'Émile Castéja, qui sans doute ne les renouvellera pas. Le choix des cuves de vinification (bois, ciment, acier) varie selon la nature du millésime et son abondance.

■ Le vin

Obtenir un vin conforme à son classement, se garder de la dureté excessive des Cabernet Sauvignon, qui ont toutes les qualités sauf celle d'autoriser une maturation rapide des vins, tels sont les propos de M. Castéja. Il considère que la « vente au Château » n'est une bonne affaire pour personne. Ni pour les vendeurs, dont ce n'est pas exactement le travail, ni pour les acheteurs à qui il arrive de payer le vin plus cher à la propriété que chez le marchand spécialisé ! Par contre, on peut admirer le château et visiter le superbe parc de 5 hectares qui l'entoure.

PLAT IDÉAL :
Carré d'agneau

AGE IDÉAL : 5 à 6 ans
Années exceptionnelles : 10 à 12 ans

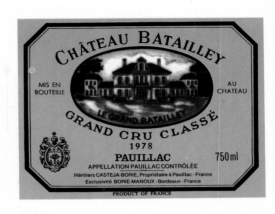

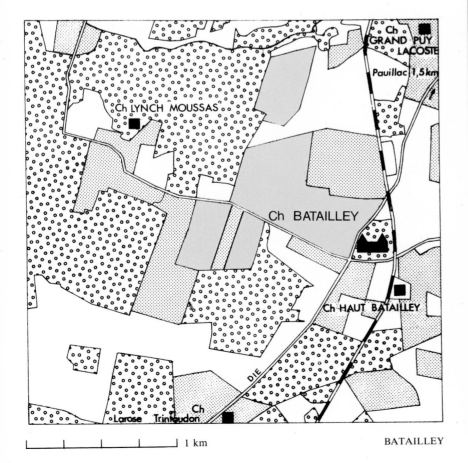

1 km   BATAILLEY

COTATIONS COMMENTÉES

Année	Note	Commentaire
1961	10	complet, dense • **à boire**
1962	7	a dépassé son apogée • **devrait être bu**
1964	7	léger • **devrait être bu**
1966	8	fruité, bouqueté • **à boire sans délai**
1967	6,5	léger • **devrait être bu**
1970	9	construit, ferme • **à boire**
1971	8	nez encore faible, en cours d'évolution • **à boire en 1984**
1972	6	se « fait » lentement, court • **à boire**
1973	6	gentil, manque d'étoffe • **à boire sans délai**
1974	5	année moyenne • **à boire**
1975	9,5	bien construit, un vin réservé • **à boire en 1985**
1976	8,5	déjà aimable • **à boire**
1977	6	un peu court • **commencer à le goûter**
1978	9	belle robe, de la rondeur • **à boire en 1988**
1979	8	se « fera » assez vite • **à boire en 1986**
1980	6,5	tient du 1973 et du 1977 • **à boire dès 1985**
1981	8	équilibré, construit • **à boire dès 1988**

CHATEAU HAUT-BATAILLEY

5e CRU CLASSÉ

Château Batailley et Château Haut-Batailley ont une histoire commune puisque ce n'est qu'en 1942 que fut créé, à la suite d'un partage, Château Haut-Batailley, jusqu'alors partie intégrante de Château Batailley. La conquête de ce plateau par la vigne date du XVIIIe siècle. En 1787, dans son fameux carnet de notes, Thomas Jefferson ne mentionne rien qui puisse faire songer à ce qui allait s'appeler Batailley. Néanmoins, la réputation de ce vignoble s'établit rapidement puisque, en 1815, alors que le futur Batailley appartenait à l'amiral de Bedou, le courtier Lawton lui attribue le 4e rang. En 1929, les Borie acquièrent Batailley. En 1942, la propriété est morcelée en deux parts, la première revenant à Mme Castéja, née Borie, alors que la seconde, baptisée Haut-Batailley, échoit à Mme des Brest-Borie. Jean-Eugène Borie, dont les talents s'exercent déjà à Ducru-Beaucaillou et à Grand-Puy-Lacoste, dirige le domaine.

■ Culture et vinification

Les méthodes traditionnelles sont à l'honneur à Château Haut-Batailley. L'âge du vignoble atteint une moyenne élevée, surtout pour un 5e cru classé. Comme en beaucoup d'autres vignobles, même (certains diraient « surtout ») classés au 5e rang, l'usage de

FICHE TECHNIQUE

AOC	Pauillac		Temps de cuvaison	variable selon les années - plutôt longue
Production	6 000 à 9 500 caisses		Chaptalisation	si nécessaire
Date de création du vignoble	1750 environ		Température des fermentations	environ 30º
Surface	20 ha		Mode de régulation	refroidissement par ruissellement d'eau
Répartition du sol	divisé		Type des cuves	acier
Géologie	graves		Vin de presse	varie suivant les années
			Age des barriques	renouvellement annuel par tiers

CULTURE

Engrais	fumier de ferme		Temps de séjour	20 mois en moyenne
Taille	Guyot double		Collage	blancs d'œufs
Cépages	C.S. 65 % - C.F. 10 % - M. 25 %		Filtration	aucune
Age moyen	28 ans			
Porte-greffe	différents selon les parcelles		Maître de chai	René Lusseau
Densité de plantation	10 000 pieds/ha		Régisseur	André Faure
Rendement à l'ha	1970 : 47 hl - 1978 : 35 hl		Œnologue conseil	Émile Peynaud
Traitement antibotrytis	oui		Type de bouteille	bordelaise
			Vente directe au château	non

VINIFICATION

			Commande directe au château	non
Levurage (origine)	naturel		Contrat monopole	non

fûts neufs ou presque neufs ne peut avoir que d'heureuses répercussions. L'absence de filtration semble elle aussi aller dans le sens de la qualité, encore que ce point soit controversé (voir Cos d'Estournel et Haut-Brion, par exemple).

■ Lieu de naissance

Le château Batailley et son parc jouxtent la voie de chemin de fer au nord-ouest, alors que la maison des champs baptisée château Haut-Batailley jouxte la même voie côté sud-ouest. Le vignoble est divisé en deux lots. Le premier lot est composé de deux parcelles, l'une faisant face au château Batailley, de l'autre côté de la voie de chemin de fer, l'autre faisant face au château Haut-Batailley, mais séparé de lui par la même voie de chemin de fer. L'altitude de ces parcelles très peu inclinées oscille entre 28 et 24 mètres. Le deuxième lot, à moins d'un kilomètre du premier au nord - nord-est, est traversé par la route Saint-Lambert - Artigues. Ces parcelles, faiblement inclinées vers le sud-est, sont à une altitude moyenne de 20 mètres. Le plateau de Bages est graveleux, des graves de grosseur moyenne à fine, d'origine garonnaise et de l'époque günzienne. Ce dépôt graveleux s'est amassé sur un socle calcaire.

■ Le vin

Comme toujours lorsqu'une propriété a été scindée, la comparaison des vins qui en sont issus s'impose. La personnalité des propriétaires et des vinifications se reflète dans les vins. Pendant des années, le professeur Peynaud s'est occupé des deux Batailley ; ce n'est plus vrai aujourd'hui. La collaboration d'Eugène Borie et d'Émile Peynaud nous vaut un vin relativement souple pour un Pauillac, si on le compare au viril Château Batailley d'Émile Castéja.

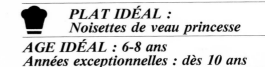

PLAT IDÉAL :
Noisettes de veau princesse

AGE IDÉAL : 6-8 ans
Années exceptionnelles : dès 10 ans

GRAND CRU CLASSÉ EN 1855

CHATEAU
Haut-Batailley
PAUILLAC
1967
APPELLATION PAUILLAC CONTROLEE
FRANCIS BORIE, PROPRIETAIRE A PAUILLAC - GIRONDE
MIS EN BOUTEILLE AU CHATEAU

COTATIONS COMMENTÉES

Année	Note	Commentaire
1961	10	concentré, goût roti et de fruit rouge • **à boire**
1962	7	bien, évolution positive • **à boire sans attendre**
1964	7	bon vin qui ne peut que décliner • **à boire sans attendre**
1966	8	rondeur et générosité ; a encore de l'avenir • **à boire**
1967	6	moins de rondeur qu'en 1966 • **à boire sans délai**
1969	4	mince, voire maigre • **à boire**
1970	8,5	vin complet ; évolution très lente ; s'ouvre • **commencer à le goûter**
1971	7	petite charpente, agréable • **à boire**
1972	4	un peu maigre, un peu court • **à boire**
1973	6	trop de souplesse • **devrait être bu**
1974	6	évolution positive en cours • **peut se boire**
1975	8	moins de rôti qu'en 1961 ; grand vin • **à boire en 1984-1985**
1976	7,5	plus rond que les 1971 • **commencer à le goûter**
1977	5,5	un peu mince • **à boire**
1978	8,5	vaut les 1975 mais pas les 1970 ; très bon • **à boire en 1986**
1979	8	moins construit que les 1978 • **à boire en 1984**
1980	6,5	genre 1973-1974 ; souple, délicat • **à boire dès 1984**
1981	8	plein, charpenté • **à boire dès 1987**

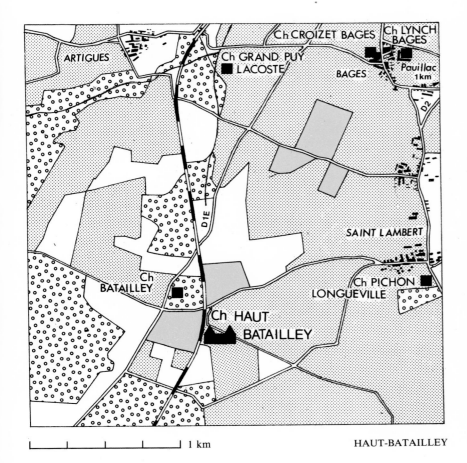

├──────┼──────┼──────┼──────┤ 1 km   HAUT-BATAILLEY

CHATEAU CLERC MILON

5e CRU CLASSÉ

Milon est le nom d'un petit village sis à l'ouest du Château Lafite, en bordure de la Jalle du Breuil.

A vrai dire, pourquoi évoquer le village de Milon alors qu'il conviendrait bien davantage de nommer celui de Mousset ? En effet, la plupart des vignobles et les bâtiments d'exploitation sont proches de ce dernier, qui a, par ailleurs, la mauvaise fortune de voisiner avec la raffinerie Shell.

En 1855, lors du célèbre classement, la famille Clerc était productrice du Château Clerc Milon auquel elle a donné son nom. Le vin du domaine fut classé dans la 5e catégorie. Au début du siècle, Jacques Mondon, notaire à Pauillac, se rend acquéreur de la propriété auquel il donne également son nom. Ainsi peut-on découvrir encore aujourd'hui des bouteilles étiquetées Château Clerc Milon Mondon. Les petites-filles du notaire, Mlle Marie Vialard et Mme Louis Hédon, ont vendu leur bien en 1969-1970 au baron Philippe de Rothschild, déjà propriétaire de Mouton Rothschild et de Mouton Baronne Philippe. Depuis 1970, ce cru est de nouveau étiqueté Château Clerc Milon.

FICHE TECHNIQUE

AOC	Pauillac		Temps de cuvaison	15 à 21 jours
Production	9 500 caisses		Chaptalisation	quand nécessaire
Date de création du vignoble	XVIIe siècle		Température des fermentations	32°
Surface	27 ha		Type des cuves	ciment, inox
Répartition du sol	divisé		Vin de presse	3 %
Géologie	graves ou alios et sables		Age des barriques	2 ans
			Temps de séjour	20/24 mois

CULTURE

Engrais	organique		Collage	blancs d'œufs
Taille	Guyot double médocaine		Filtration	non
Cépages	C.S. 70 % - C.F. 10 % - Merlot 20 %			
Porte-greffe	Riparia Gloire		Maître de chai	Raoul Blondin
Densité de plantation	8 800 pieds/ha		Chef de culture	Gilbert Faure
Rendement à l'ha	1970 : 37 hl - 1978 : 26 hl		Œnologue conseil	aucun
Replantation	complantation		Type de bouteille	bordelaise
			Vente directe au château	non

VINIFICATION

Levurage (origine)	naturel		Commande directe au château	non
			Contrat monopole	non

■ Lieu de naissance

Lorsqu'on sort de Pauillac par la route départementale 2E en direction de Lesparre, on ne peut pas éviter de voir la torchère de la raffinerie sur la droite. Le petit village de Mousset se niche au pied des citernes de pétrole. Le château lui-même ne se distingue pas des maisons avoisinantes.

■ Culture et vinification

Depuis 1970, l'encépagement du vignoble se transforme. On remarquera qu'il n'est ni celui de Mouton Rothschild ni celui de Mouton Baronne Philippe.

Les méthodes de vinification ont beaucoup de points communs avec celles habituellement suivies dans les deux autres crus classés du baron Philippe de Rothschild : Mouton Rothschild et Mouton Baronne Philippe. Néanmoins pour la première fois des cuves métalliques font leur apparition dans le matériel de vinification du baron Philippe. Par contre les températures de fermentation sont élevées comme dans les deux autres crus classés, afin de favoriser une bonne extraction. L'élevage prolongé dans les barriques dont une partie provient des chais de Mouton Rothschild ne peut que favoriser ce 5e cru en constante progression.

■ Le vin

Fidèle à ses habitudes, dès l'achat, le baron Philippe de Rothschild a appliqué ses méthodes, à savoir : rénover les installations de vinification, restaurer le vignoble, adapter les variétés de vignes au sol et au type de vin possible ou souhaité. Un problème nouveau se pose pour lui à Clerc Milon : celui du remembrement, car si Mouton Rothschild et Mouton Baronne Philippe sont d'un seul tenant, on ne saurait en dire autant de son dernier enfant.

PLAT IDÉAL :
Brochettes de bœuf

AGE IDÉAL : 8 à 10 ans
Années exceptionnelles : 15 ans

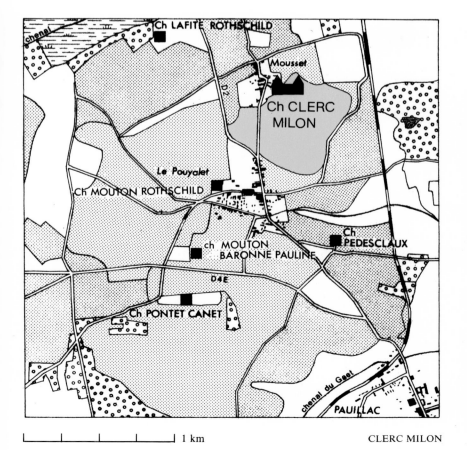

1 km — CLERC MILON

COTATIONS COMMENTÉES

Année	Note	Commentaire
1970	9	beau vin • **à boire**
1971	8	souple • **à boire**
1972	5,5	millésime aride • **à boire**
1973	6	charme et facilité • **à boire**
1974	5,5	vin moyen • **à boire**
1975	10	le vin le plus complet depuis l'acquisition de la propriété • **à boire en 1985-1988**
1976	9	bon vin souple et généreux • **à boire en 1985**
1977	5	millésime moyen • **à boire en 1985**
1978	9,5	plein et rond • **à boire en 1990**
1979	8	plus souple que le précédent • **à boire en 1988**
1980	7	brutal, pas équilibré • **attendre 1986**
1981	9	beau vin complet • **à boire dès 1989**

CHATEAU CROIZET-BAGES

5e CRU CLASSÉ

Comme beaucoup d'autres, ce domaine porte le nom de l'un de ses propriétaires, en l'occurrence celui de son fondateur. La famille Croizet conserva ce bien pendant plus d'un siècle. Au début du XIXe siècle, Jean Puytavac s'en rend acquéreur. En 1853, nouveau changement de propriétaire : M. Calvé prend en main ce vignoble qui deux ans plus tard est classé 5e cru. Le vin est désormais vendu sous le nom de Calvé Croizet-Bages. Vers 1900, quelques hectares détachés ont pour propriétaire Mme veuve de Solminihac. Ces vignes sont à l'origine du Château Croizet-Bages-Libéral, vendu comme 5e cru classé. (On retrouve le nom de M. Libéral en 1855 au Château Le Tertre-Margaux (5e cru classé), puis comme propriétaire du Haut-Bages (Pauillac, 5e cru classé), auquel il laissa son nom.) C'est Julien Calvé qui fait édifier en 1875 le château qui figurait autrefois sur les étiquettes de Croizet-Bages. Ce bâtiment n'avait de château que le nom, sa situation sur les quais de Pauillac l'éloignait d'un kilomètre du vignoble. Cela explique pourquoi, de nos jours, aucun bâtiment ne peut se parer du titre de « Château » Croizet-Bages. La famille Calvé a vendu Croizet-Bages en 1930 à M. Monod. Depuis la guerre, Paul Quié, puis son fils, ont maintenu la réputation de ce 5e cru classé.

FICHE TECHNIQUE

AOC	Pauillac		Temps de cuvaison	10-15 jours
Production	8 000 caisses		Chaptalisation	si nécessaire pour 12° en bouteille
Date de création du vignoble	XVIIe siècle		Température des fermentations	30° maximum
Surface	21 ha		Mode de régulation	pompe à chaleur
Répartition du sol	un seul tenant		Type des cuves	ciment
Géologie	graves		Vin de presse	0 à 8 % (1re presse)

CULTURE

			Age des barriques	6 ans
Engrais	organique		Temps de séjour	12-20 mois
Taille	Guyot double médocaine		Collage	blancs d'œufs surgelés
Cépages	C.S. 37 % - C.F. 30 % - M. 30 % - Petit Verdot, Malbec : 3 %		Filtration	sur plaques avant la mise (6 plaques)
Age moyen	30 ans			
Porte-greffe	SO4 - 420 A - 44-53 - Riparia		Maître de chai	Claude Ribeaux
Densité de plantation	1/3 : 6 500 pieds/ha 2/3 : 10 000 pieds /ha		Régisseur	Claude Ribeaux
			Œnologue conseil	Boissenot-Peynaud
Rendement à l'ha	30 hl		Type de bouteille	bordelaise
Replantation	1,5 ha annuels		Vente directe au château	oui
			Commande directe au château	oui

VINIFICATION

Levurage (origine)	naturel		Contrat monopole	non

■ Lieu de naissance

A la sortie de Bages, côté ouest, le chai de Croizet-Bages marque le début du vignoble qui se développe à droite et à gauche de la route Bages-Artigues. De nombreux crus classés naissent des vignes du plateau de Bages. Il doit sa qualité aux graves garonnaises du günz, moyennes à fines, déposées à une vingtaine de mètres d'altitude sur un socle comprenant des marnes argileuses et du calcaire. Des drains assèchent le sol et captent les sources.

■ Culture et vinification

L'encépagement du Château Croizet-Bages n'est pas celui de tous les Pauillac. Alors que, bien souvent, les Pauillac s'enorgueillissent d'une dominante de Cabernet Sauvignon de l'ordre de 70 %, assisté de 10 % de Cabernet Franc, l'encépagement du Château Croizet-Bages, avec moins de 40 % de Cabernet Sauvignon et 30 % de Merlot, fait songer aux Margaux plus qu'aux Pauillac. Les Cabernet Franc sont fortement représentés puisqu'on en compte 30 %.

L'âge du vignoble est respectable et les replantations se font en rangs larges, ce qui se traduit par une forte diminution de la densité de pieds à l'hectare. La vinification suit le rituel actuel, encore que les cuvaisons soient plutôt courtes. Le vin est élevé dans des barriques dont la plupart ont « fait » plusieurs vins.

■ Le vin

Il appartient au bataillon des Pauillac qui proviennent, tout ou partie, du célèbre plateau de Bages. Sa vinification est bien adaptée à son rang et c'est pour cela qu'on peut le consommer sans trop l'attendre, en dépit d'une certaine fermeté démentie (maix c'est une caractéristique de ce millésime dans le Médoc) par le Croizet-Bages 1976.

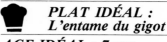

PLAT IDÉAL :
L'entame du gigot

AGE IDÉAL : 7 ans
Années exceptionnelles : 12 ans

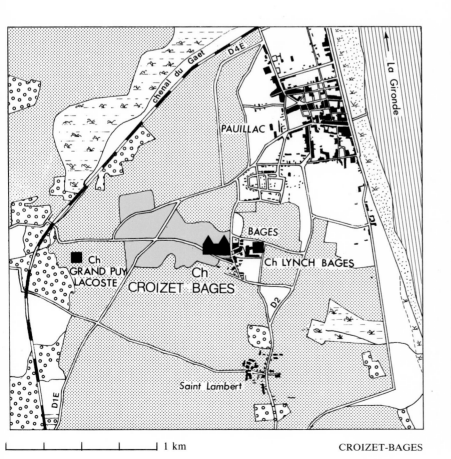

1 km   CROIZET-BAGES

COTATIONS COMMENTÉES

Année	Note	Commentaire
1961	10	sombre et dense • **à boire**
1962	8	harmonieux • **à boire**
1964	9,5	beau millésime vendangé avant la pluie • **à boire**
1966	8	bien construit quoique souple • **à boire**
1967	8	corsé pour le millésime • **à boire**
1970	10	charpente et chair • **à boire**
1971	7,5	finesse au détriment de l'ampleur • **commencer à le boire**
1972	5	clair, léger • **à boire sans attendre**
1973	6,5	agréable mais peu d'ampleur • **à boire sans délai**
1974	6,5	rappelle les 1973 • **à boire**
1975	9,5	complet et dense • **à boire en 1985**
1976	9	très fruité, souple • **à boire**
1977	6	un peu court et décevant • **commencer à le boire**
1978	8	belle robe, charme • **à boire en 1987-1988**
1979	7,5	bien construit, évolue bien • **à boire en 1987-1988**
1980	6	pronostic réservé

CHATEAU GRAND-PUY DUCASSE

5e CRU CLASSÉ

Les deux Grand-Puy ont une origine commune et leurs destins sont constamment mêlés. Il semble que Grand-Puy ait été scindé en deux lorsque M. Déjean, qui tenait le domaine de sa femme, née de Guiraud, le partagea entre son fils Bertrand et sa fille, Mme de Cormière. On date parfois ce partage de 1587. Nous ne pouvons y souscrire ; 1687 serait plus adapté aux événements ultérieurs, dont on est certain. Bertrand Déjean eut une fille qui épousa M. d'Issac. Cette branche sera propriétaire de Grand-Puy-Lacoste (voir ce chapitre).

M. de Cormière vendit son domaine à M. Ducasse, qui lui laissa son nom bien que 1855 ce vignoble et le vin de cette propriété fussent connus sous le nom de Château Artigues-Arnaud (Artigues est un village sis au-delà du plateau de Bages). Par voie d'héritage, il passa dans la famille Duroy de Suduiraut qui le conserva deux siècles. A noter que les Duroy de Suduiraut étaient copropriétaires de Grand-Puy-Lacoste en 1855 et que les deux « Grand-Puy », dans ces conditions, auraient pu être réunis. En 1971, le vignoble, réduit à une dizaine d'hectares, est acquis par une dynamique société bordelaise qui entreprend restructuration et rénovation des vignes et du chai. Le château Grand-Puy Ducasse donne sur les quais de Pauillac. Il est ouvert au public puisqu'il abrite la Maison

FICHE TECHNIQUE

AOC	Pauillac	Chaptalisation	1 an en moyenne
Production	14 000 caisses	Température des fermentations	25° à 30°
Date de création du vignoble	XVIIIe siècle	Mode de régulation	réfrigération par ruissellement d'eau
Surface	31 ha 86 ca	Type de cuves	inox 250 hl
Répartition du sol	en 3 blocs	Vin de presse	10 à 20 %
Géologie	graves garonnaises	Age des barriques	2 ans maximum
		Temps de séjour	1 an en moyenne
		Collage	albumine d'œuf
		Filtration	sur terre ; sur plaques

CULTURE

Engrais	organique
Taille	Guyot double médocaine
Cépages	C.S. 70 % - M. 25 % - Petit Verdot 5 %
Age moyen	10 ans, 30 ans
Porte-greffe	101-14 - 420 A - Riparia
Densité de plantation	10 000 pieds/ha
Rendement à l'ha	48 hl
Replantation	10 % par an

Régisseur	M. Fournier
Œnologue conseil	M. F. Chaussé
Type de bouteille	bordelaise
Vente directe au château	non
Commande directe au château	non
Contrat monopole	oui, Mestrezat-Preller SA, 17, cours de la Martinique, 33000 Bordeaux

VINIFICATION

Temps de cuvaison	20 à 30 jours

du Vin de Pauillac (ainsi que la Commanderie du Bontemps du Médoc et des Graves). L'aile droite du château est réservée à l'élaboration du vin.

■ Lieu de naissance

Trois vignobles séparés produisent le Grand-Puy Ducasse. Ils sont assez éloignés, à tel point que le plan de situation ci-dessous use d'une échelle légèrement supérieure à celle communément employée dans ce volume.

Tout au sud, et passablement à l'ouest, une première parcelle voisine deux autres 5e crus : Château Batailley et Château Lynch-Moussas, à 25 mètres d'altitude. Un deuxième groupe de parcelles jouxte Grand-Puy-Lacoste sur un terrain très vallonné, alors que la troisième parcelle, plus au nord, borde la route départementale 4 E, proche du Château Pontet-Canet (également 5e cru) et s'incline au nord en direction de Pibran. Toutes ces vignes comme leurs voisines sont complantées dans des sols de graves assez fines, d'origine garonnaise et du günz, sur un socle de calcaire à astéries.

■ Culture, vinification et vin

La société bordelaise qui s'est rendue acquéreur de Grand-Puy Ducasse en 1971 est également propriétaire du Château Chasse-Spleen et du Château Rayne-Vigneau dans le Sauternais. C'est dire qu'elle est rompue à la culture de la vigne et à la vinification. La fiche technique ci-dessous fixe les procédés de vinification tels qu'ils sont communément admis et pratiqués dans les années 80 par une société d'exploitation. Il y a lieu de remarquer qu'à Grand-Puy Ducasse on a choisi un élevage relativement bref dans des barriques neuves ou qui n'ont « fait » qu'un vin.

PLAT IDÉAL :
Longe de veau

AGE IDÉAL : 4 ans
Années exceptionnelles : 10 ans

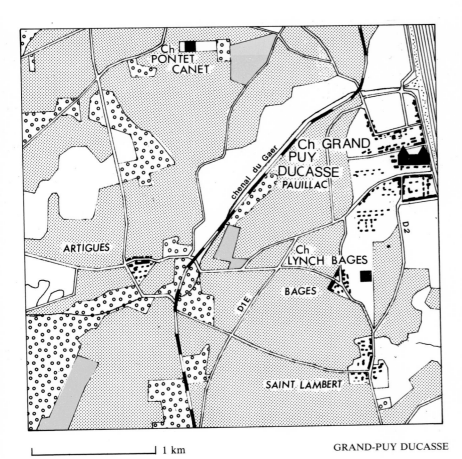

_____ 1 km

GRAND-PUY DUCASSE

COTATIONS COMMENTÉES

Année	Note	Commentaire
1961	10	très concentré • **à boire**
1962	8	bon vin évolué • **à boire**
1964	8	fruité • **à boire sans trop attendre**
1966	9	bien mais très évolué • **devrait être bu**
1967	7	souple et évolué • **à boire sans délai**
1970	9,5	très plein, belle robe, évolue très lentement • **commencer à le goûter**
1971	8	facile et souple • **à boire sans trop attendre**
1973	6	millésime léger bien équilibré • **à boire très rapidement**
1974	6	un peu mieux que 1972 • **à boire**
1975	9,5	rond et plein • **à boire en 1984-1985**
1976	6	assez rond et souple • **à boire**
1977	5	manque de gras • **à boire**
1978	8,5	rond, plein, généreux, belle robe • **à boire en 1984**
1979	8	dans l'esprit des 1978 • **à boire en 1989**
1980	5	année moyenne, fin • **à boire**
1981	9	bien construit • **à boire dès 1985**
1982		grand vin

CHATEAU GRAND-PUY-LACOSTE

5e CRU CLASSÉ

L'histoire de Grand-Puy-Lacoste est longue, puisque, dès 1743, « Grand-Puy », entouré de quelques règes, est connu sur le plateau de Bages. Des avocats et des parlementaires se succédèrent à la tête d'un vignoble qui fut l'un des premiers à se développer. Au XVIIIe siècle, une demoiselle d'Issac épousa l'avocat Saint-Guirons dont le nom figure encore de nos jours sur les étiquettes de Grand-Puy-Lacoste. A son tour, une demoiselle Saint-Guirons épousa un M. Lacoste, qui, lui aussi, laissa son nom au Grand-Puy dont il édifia le château.

En 1855, les familles Lacoste et Duroy de Suduiraut en sont propriétaires. Grand-Puy se voit gratifier du rang de 5e cru. Duroy de Suduiraut est également propriétaire de ce qui deviendra le Château Grand-Puy Ducasse. Au début du XXe siècle, cette famille conduit toujours la destinée de Grand-Puy-Lacoste qui, par mariage et successions, entre dans la famille des Saint-Léger. Ces derniers vendent Grand-Puy-Lacoste en 1932 à Raymond Dupin qui le cède, en 1978, à Jean Eugène Borie, le bienheureux propriétaire de Ducru-Beaucaillou.

FICHE TECHNIQUE

AOC	Pauillac		Temps de cuvaisón	variable, mais plutôt long
Production	8 000 à 14 000 caisses		Chaptalisation	si nécessaire
Date de création du vignoble	autour de 1730		Température des fermentations	autour de 30°
Surface	35 ha		Mode de régulation	refroidissement par ruissellement d'eau
Répartition du sol	un seul tenant autour du château		Type des cuves	acier émaillé
Géologie	graves		Vin de presse	différent suivant millésime
			Age des barriques	renouvelées tous les ans par tiers

CULTURE

			Temps de séjour	18 à 20 mois
Engrais	fumier de ferme		Collage	aux blancs d'œufs
Taille	médocaine			
Cépages	C.S. 75 % - M. 25 %		Propriétaire	Société du Château Grand-Puy-Lacoste
Age moyen	30 ans		Administrateur	Jean-Eugène Barie
Porte-greffe	différents suivant terrain		Maître de chai	Pierre Richard
Densité de plantation	10 000 pieds/ha		Régisseur	Roland Seriat
Rendement à l'ha	1970 : 40 hl - 1978 : 30 hl		Œnologue conseil	Émile Peynaud
			Type de bouteille	bordelaise
Traitement antibotrytis	oui		Vente directe au château	non

VINIFICATION

			Commande directe au château	non
Levurage	non		Contrat monopole	non

■ Lieu de naissance

Au nord du village de Bages, au nord de la départementale 1E qui relie Pauillac à Saint-Laurent et Benon, le Château Grand-Puy-Lacoste culmine à plus de 20 mètres, altitude élevée pour ce lieu. Le sol de graves de grosseur moyenne et d'épaisseur relative sur un socle calcaire de forte épaisseur explique sans doute la solidité des vins.

■ Culture et vinification

L'encépagement de Grand-Puy-Lacoste ne comporte que deux variétés de cépages, ce qui est rare pour la commune.

On peut donc soutenir paradoxalement qu'il se compose de beaucoup de Cabernet Sauvignon et de beaucoup de Merlot. La vinification traditionnelle est menée dans des cuves de chêne, suivie d'un séjour en barriques neuves ou presque neuves. Les rendements sont modérés et l'âge du vignoble respectable. Tout cela contribue à produire un vin concentré habillé d'une robe foncée que les amateurs du XIXe siècle classaient à un rang supérieur à celui qui lui fut attribué en 1855.

■ Le vin

Grand-Puy-Lacoste produit depuis longtemps des vins d'une qualité régulière. Ce vignoble a eu la chance d'être dirigé pendant plus d'un demi-siècle par des propriétaires aussi attentifs que compétents.

PLAT IDÉAL :
Côte de bœuf

AGE IDÉAL : dès 4 ans
Années exceptionnelles : dès 10 ans

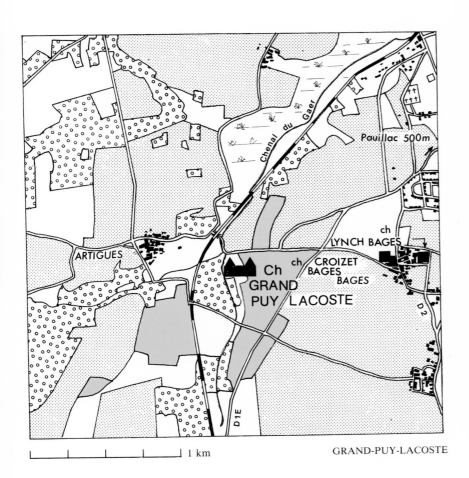

1 km

GRAND-PUY-LACOSTE

COTATIONS COMMENTÉES

Année	Note	Commentaire
1961	10	grande réussite, concentration • **à boire**
1962	7,5	sur le déclin • **devrait être bu**
1964	7	sur le déclin • **devrait être bu**
1966	8	bon équilibre • **à boire**
1967	5,5	sur le déclin • **devrait être bu**
1970	8	bon millésime, robe noire • **à boire**
1971	6,5	une pointe d'acidité • **à boire**
1972	4	un peu étriqué • **devrait être bu**
1973	5,5	un peu facile • **à boire**
1974	5	n'atteint pas l'équilibre • **à boire**
1975	8	inférieur au 1961, genre 1970 • **à boire**
1976	8	se fait bien, surclasse les 1975 • **à boire**
1977	5,5	assez facile • **à boire**
1978	9	très tannique, vin d'amateur, à encaver • **à boire en 1988**
1979	8	plus léger que les 1978 • **le goûter**
1980	6,5	concentré pour l'année • **à boire dès 1984**
1981	8,5	entre 1978 et 1979, tannins fondus • **à boire dès 1986**

CHATEAU HAUT-BAGES LIBÉRAL

5e CRU CLASSÉ

Le Château Haut-Bages Libéral s'appelait Haut-Bages tout court lorsqu'en 1855 il fut classé dans la 5e catégorie. C'était alors la propriété de M. Henry. Il devint peu après celle de M. Libéral, personnage connu du côté de Margaux puisqu'il fut propriétaire du Château du Tertre. Il serait intéressant d'en savoir plus sur l'histoire de cette propriété, car pourquoi porte-t-elle le nom de Haut-Bages, allusion évidente au plateau de Bages qui héberge deux parcelles de Haut-Bages Libéral, alors que le gros du vignoble est contigu à celui de Latour, donc sis entre la Gironde et la route départementale 2 reliant Pauillac à Saint-Julien-Beychevelle ?

Le château lui-même, dépourvu de caractères particuliers, ne saurait nous renseigner. Depuis 1960, la société Charreules qui a pour actionnaires les membres de la famille Cruse a financé de gros investissements, spécialement du côté du cuvier et des chais. Depuis quelques années, une restauration systématique du vignoble a été entreprise. Celle-ci était nécessaire car certaines parcelles étaient très âgées, surtout dans le vignoble du bas.

■ Lieu de naissance

Ainsi qu'il en a été fait mention ci-dessus, le vignoble se divise principalement en deux lots. Un lot composé de deux parcelles sur le plateau de Bages à l'ouest de la route Saint-Julien-Beychevelle -

---

FICHE TECHNIQUE

AOC	Pauillac		Temps de cuvaison	15 jours
Production	8 000 caisses		Chaptalisation	si nécessaire
Date de création du vignoble	XIXe siècle		Température des fermentations	25o-30o
Surface	22 ha		Mode de régulation	ruissellement sur cuves
Répartition du sol	divisé en 3 parcelles		Type des cuves	inox
Géologie	graves fines, sable, socle argilo-calcaire		Vin de presse	5 à 15 %
			Age des barriques	renouvellement par quart annuel

CULTURE

Engrais	organique		Temps de séjour	18 mois
Taille	Guyot double médocaine		Collage	blancs d'œufs
Cépages	C.S. 78 % - M. 17 % - Petit Verdot 5 %		Filtration	sur plaques avant la mise
Age moyen	18 ans			
Porte-greffe	Riparia - S04 - 420A - 3309			
Densité de plantation	8 500 pieds/ha		Maître de chai	Jean Lafforgue
Rendement à l'ha	35 hl		Œnologue conseil	M. Couesnon
Replantation	0,7 ha annuel		Type de bouteille	bordelaise
Traitement antibotrytis	oui		Vente directe au château	non

VINIFICATION

Levurage (origine)	naturel		Commande directe au château	non
			Contrat monopole	non

Pauillac. C'est un plateau très convoité puisque le Château Latour lui-même y possède deux parcelles également (au Petit Batailley), imité en cela par nombre de crus classés. Néanmoins, il est probable que les meilleures vignes de Haut-Bages Libéral sont celles qui sont contiguës au vignoble principal de Latour. Ces deux propriétés ne sont séparées que par une petite route d'intérêt local et un léger vallonnement. Chacune occupe une croupe ; Latour culmine à 14 mètres, Haut-Bages Libéral à 12 mètres. En dépit de cette proximité, les terres de Haut-Bages Libéral ne sont pas celles de Latour : les graves sont plus fines, le sable n'est pas exclu ni les terres argilo-calcaires.

■ Culture et vinification

Côté encépagement, on remarquera l'absence de Cabernet Franc. A signaler que le Château d'Issan, autre cru classé propriété de la famille Cruse, est tributaire d'un encépagement presque identique. Les procédés culturaux et la vinification sont classiques. Latour, à la suite de Haut-Brion, a lancé la mode des cuves en acier inoxydable. Depuis 1974, Haut-Bages Libéral est cuvé dans ce type de logement si bien adapté au contrôle des températures.

■ Le vin

Il est relativement peu consommé en France car la demande des pays anglo-saxons est très forte. Le nouveau cuvier autorise de belles vinifications. Les vignobles jeunes ne peuvent désormais qu'évoluer favorablement.

PLAT IDÉAL :
Rôti de biche

AGE IDÉAL : 7 à 8 ans
Années exceptionnelles : 12 à 15 ans

GRAND CRU CLASSÉ EN 1855

Château
Haut-Bages Libéral
PAUILLAC
APPELLATION PAUILLAC CONTROLÉE
1976
SOCIÉTÉ CIVILE CHARREULES PROPRIÉTAIRE
MIS EN BOUTEILLES AU CHÂTEAU   73cl

COTATIONS COMMENTÉES

1961	10	exemplaire • à boire
1962	7	belle robe, évolué • à boire sans délai
1964	8	fruité, un peu court • à boire
1966	8	typé Cabernet • à boire
1967	7	facile, évolué • à boire sans délai
1970	10	riche mais encore fermé • à boire en 1985
1971	8	totalement évolué • à boire maintenant
1972	5	petite année • à boire maintenant
1973	6	charme sans ampleur • à boire sans délai
1974	6	n'évolue pas, peut attendre • à boire en 1984
1975	10	excellent vin • à boire en 1986
1976	8,5	souplesse • à boire en 1984
1977	5	dur et obstiné • à boire
1978	8	plein • à boire en 1985
1979	8	plus souple que le précédent • à boire en 1985
1980	6	corsé, long pour ce millésime • à boire dès 1985
1981	8	bien construit, rond • à boire dès 1986

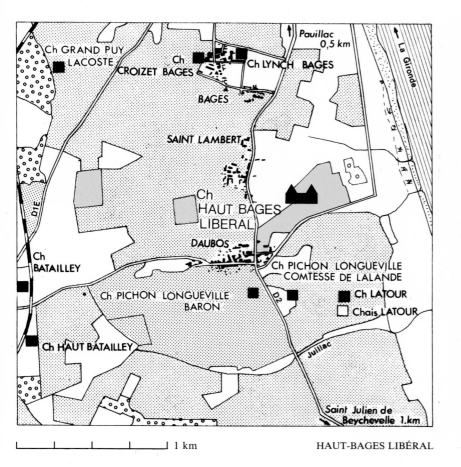

HAUT-BAGES LIBÉRAL

CHATEAU LYNCH-BAGES
5e CRU CLASSÉ

On fait du vin à Lynch-Bages depuis fort longtemps. C'est évidemment à la famille Lynch, d'origine irlandaise, que cette terre, comme quelques autres, doit son nom. Les Lynch quittèrent l'Irlande en 1690 car ils étaient catholiques. Sans doute n'abandonnèrent-ils pas leurs biens, ou il faut leur prêter beaucoup d'astuce, car, 60 ans plus tard, Thomas Lynch se trouve à la tête du domaine de Bages (à la suite d'un mariage ?). La famille donnera son nom à un autre 5e cru classé de Pauillac : Lynch-Moussas, alors que le plus célèbre des Lynch, maire de Bordeaux peu après la Révolution, ne légua pas son nom au 5e cru de Margaux : Château Dauzac, dont il était propriétaire. A Bages, le règne des Lynch s'acheva en 1824.

Sébastien Jurine, d'origine suisse, se porte acquéreur de ce que l'on appelle alors le « Château Lynch ». C'est sous ce nom que le vin de la propriété est classé au 5e rang en 1855, palmarès presque moyen si l'on songe au cours atteint par ce vin dans le siècle qui pré-

FICHE TECHNIQUE			
AOC	Pauillac	Temps de cuvaison	12 à 15 jours suivant les années
Production	25 000 caisses	Chaptalisation	si nécessaire (0°5 - 1°) pour atteindre 12°5
Date de création du vignoble	1750	Température des fermentations	30° maximum
Surface	70 ha	Mode de régulation	aspersion des cuves
Répartition du sol	divisé	Type des cuves	acier plastifié
Géologie	graves moyennes	Vin de presse	10 %

CULTURE

Engrais	fumier (rotation sur 5 ans) et compost	Age des barriques	renouvellement annuel par quart
Taille	Guyot double	Temps de séjour	18 mois
Cépages	C.S. 70 % - C.F. 10 % - M. 15 % - Malbec et Petit Verdot 5 %	Collage	blancs d'œufs frais
		Filtration	aucune
Age moyen	30 ans		
Porte-greffe	Riparia - 101-14 - 44-53 - SO4 (peu)	Maître de chai	Guy Bergey
		Régisseur	Daniel Llose
Densité de plantation	8 700 pieds/ha	Œnologue conseil	laboratoire de Pauillac
Rendement à l'ha	32-33 hl		
Replantation	2 ha actuellement	Type de bouteille	bordelaise
Traitement antibotrytis	oui	Vente directe au château	oui

VINIFICATION

Levurage (origine)	naturel	Commande directe au château	oui
		Contrat monopole	non

céda son classement. Ultérieurement, Maurice Cayrou puis Mme de Vial dirigeront la propriété que M. Charles Cazes acquerra en 1935. Depuis, la famille Cazes l'administre.

■ Lieu de naissance

Cinq parcelles composent le vignoble. On traverse l'une d'elles en montant de la route départementale 2 au château lui-même, solide construction du XIXᵉ siècle qui domine l'estuaire de la Gironde. Des terres de graves günziennes garonnaises moyennes sur socle argileux accueillent divers vignobles dont l'altitude oscille entre 20 et 5 mètres.

■ Culture et vinification

Suivant l'usage dans la commune, les Cabernet se taillent la part du lion. Culture et vinification sont conduites selon les méthodes classiques.

■ Le vin

Les facteurs de qualité exploités sont les suivants : maintien d'un vignoble relativement âgé et rendements volontairement limités. Des cuvaisons plutôt brèves conduisent à des vins que l'on peut boire sans trop les attendre.

Les sélections, ainsi qu'un petit vignoble de 4 hectares (situé sur le plateau de Bages), permettent l'élaboration d'un deuxième vin : le Château Haut-Bages-Averous (A.O.C. Pauillac).

PLAT IDÉAL :
Contrefilet de bœuf

AGE IDÉAL : 6 ans
Années exceptionnelles : 12 ans

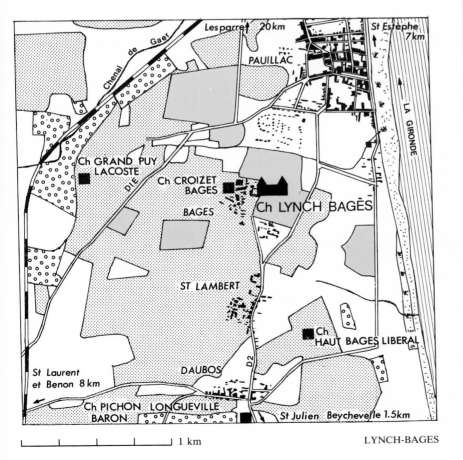

LYNCH-BAGES

COTATIONS COMMENTÉES

Année	Note	Commentaire
1961	10	magnifique ; commence à s'ouvrir • **à boire**
1962	9	équilibré • **à boire**
1964	4	vendanges tardives sous la pluie ; pourriture • **devrait être bu**
1966	8	encore un peu dur • **à boire**
1967	7	manque d'ampleur • **à boire**
1970	9,5	charpenté, robe superbe • **à boire en 1988**
1971	7,5	• **à boire**
1972	6	a « digéré » son acidité • **à boire**
1973	7	moyen sans défaut • **à boire**
1974	6	maigre • **à boire**
1975	10	équilibré, moins dur que les 1970 • **à boire en 1988**
1976	8,5	souplesse ; raisins très mûrs • **à boire**
1977	6,5	légère verdeur • **à boire**
1978	9	souple, complet, réussite d'une vendange tardive • **à boire en 1986**
1979	8,5	mêmes remarques que pour 1978 • **à boire en 1985**
1980	7	proche des 1973

CHATEAU LYNCH-MOUSSAS

Si Batailley a une longue histoire, Lynch-Moussas ne saurait rivaliser avec lui sur ce plan. Les deux châteaux sont comparables car tous deux sont situés dans le sud-ouest de la commune, leurs vignobles sont contigus puisque Lynch-Moussas coupe Batailley. Les deux châteaux ont été construits au cours du XIXᵉ siècle (Lynch-Moussas sans doute peu après Batailley), enfin les deux domaines sont administrés par Émile Castéja.

Lynch-Moussas a appartenu à la famille Lynch, d'origine irlandaise, à qui la propriété doit son nom. En 1855, le domaine appartenait à M. Vasquez, dont le vin fut classé dans la 5ᵉ catégorie. Les descendants poursuivirent sans grande énergie l'exploitation du vignoble dont la surface diminuait d'année en année. A tel point que, lorsque M. Castéja (père) acheta le domaine en 1919, la quantité produite était presque nulle.

La remise en exploitation du vignoble fut lente. Sous la conduite d'Émile Castéja, les travaux s'accélérèrent puisque la surface productive passa de 5 hectares en 1969 à 22 hectares actuellement.

Les travaux ne sont pas achevés pour autant. La remise en état du château est en cours et, en fonction de la conjoncture, l'extension

FICHE TECHNIQUE

AOC	Pauillac		Temps de cuvaison	15 à 20 jours
Production	8 500 caisses		Chaptalisation	toujours, selon les années
Date de création du vignoble	XVIIᵉ siècle		Température des fermentations	28°-30°
Surface	actuellement 22 ha ; 100 ha possibles		Mode de régulation	refroidisseur
Répartition du sol	divisé en 2 lots		Type des cuves	acier inoxydable
Géologie	graves		Vin de presse	0 à 20 %
			Age des barriques	renouvellement annuel par quart

CULTURE

			Temps de séjour	18 mois
Engrais	organique et chimique		Collage	blancs d'œufs
Taille	Guyot double médocaine		Filtration	sur plaques avant la mise
Cépages	C.S. 70 % - C.F. 5 % - M. 25 %			
Age moyen	15 ans			
Porte-greffe	101-14 entre autres		Maître de chai	Max Becker
Densité de plantation	6 500 pieds/ha		Régisseur	Lucien Servant
Rendement à l'ha	50 hl		Œnologue conseil	Pascal Ribereau-Gayon
Replantation	pas de replantation ; des plantations		Type de bouteille	bordelaise
			Vente directe au château	possible

VINIFICATION

			Commande directe au château	possible
Levurage (origine)	naturel		Contrat monopole	non

du vignoble peut se poursuivre sur les terrains de Lynch-Moussas contigus aux vignobles actuellement en exploitation. Si le vignoble couvrait toute la propriété, Lynch-Moussas serait le plus vaste cru classé.

■ Lieu de naissance

Le château lui-même n'est pas bâti sur la commune de Pauillac. Il s'en faut de 300 mètres ! Le vignoble comprend deux lots principaux. Le premier enclavé dans celui de Château Batailley, le second (sur la commune de Saint-Sauveur) proche du château et en partie gagné (ou regagné) sur la forêt. Cette proximité de la forêt aggrave le risque de gel. Le sol est modérément graveleux.

■ Culture et vinification

A vignoble moderne — puisque très récemment recréé — plantation moderne. Alors que la densité de ceps à l'hectare s'élève à 8 500 au Château Batailley, Château Lynch-Moussas se contente de 6 500 pieds/hectare, ce qui se traduit par un rendement par pied assez important, d'autant plus important que le rendement à l'hectare de ce jeune vignoble est élevé.

La vinification rappelle beaucoup Château Batailley, ce qui n'étonnera personne puisque les propriétés sont non seulement contiguës mais toutes deux dirigées par Émile Castéja.

■ Le vin

D'année en année, les caractères « Pauillac » de Lynch-Moussas s'affirment, encore que le jeune âge du vignoble ne permette pas au terroir d'exprimer toutes les qualités potentielles qu'on lui reconnaît. La situation ne peut qu'évoluer favorablement.

PLAT IDÉAL :
Côtes de veau poêlées

AGE IDÉAL : 4 ans
Années exceptionnelles : 8 ans

GRAND CRU CLASSÉ

CHATEAU
LYNCH-MOUSSAS
PAUILLAC
APPELLATION PAUILLAC CONTROLÉE
1978
CASTÉJA
PROPRIÉTAIRE A PAUILLAC (GIRONDE)
MIS EN BOUTEILLE AU CHATEAU   750 ml
PRODUCT OF FRANCE PRODUIT DE FRANCE

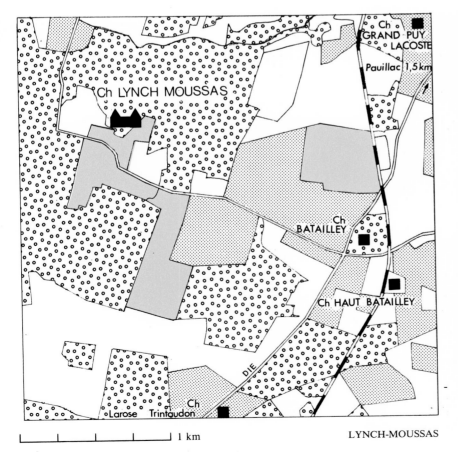

1 km   LYNCH-MOUSSAS

COTATIONS COMMENTÉES

Année	Note	Commentaire
1966	8	agréable • **à boire**
1967	6,5	léger et fruité • **devrait être bu**
1970	9	léger en regard du millésime ; bon vin • **à boire**
1971	9	bon vin à la recherche de son équilibre • **à boire**
1972	5	de la maigreur • **à boire**
1973	6	robe claire, légère, pointe d'acidité • **à boire sans délai**
1974	5	court et pâle • **à boire**
1975	9	fruité, bouqueté • **à boire**
1976	8	robe légère • **à boire**
1977	5	millésime sans étoffe • **à boire**
1978	9	coloré, prend de la rondeur • **à boire en 1984**
1979	8	souple • **à boire en 1983-1984**
1980	7	léger, style 1973 • **à boire dès 1985**
1981	8	complet, bel avenir • **à boire dès 1988**

CHATEAU
MOUTON BARONNE PHILIPPE

C'est Dominique Armailhac qui, avant 1750, créa, sans doute par achats successifs de parcelles en bordure du plateau de Mouton, le Château d'Armailhac. Ce domaine s'accrut, puis des difficultés financières obligèrent les propriétaires à se défaire d'une dizaine d'hectares. Contigus à Lafite et à Mouton, il était évident que ces terrains allaient intéresser les propriétaires de ceux-ci. Cela se produisit en effet, car ces terres étaient promises à un bel avenir ; elles portaient le nom de Carruades. Lafite les acquit. En 1855, la famille d'Armailhac vit le vin produit sur ses terres classé au 5e rang. Par la suite, le comte de Ferrand prit la propriété en main. Enfin, le baron Philippe de Rothschild s'en rendit acquéreur. La contiguïté de Mouton Rothschild et de Mouton d'Armailhac imposait cet achat. En 1956, le nom d'Armailhac disparut et fut remplacé par celui du propriétaire : le vin fut étiqueté Mouton Baron Philippe jusqu'en 1974 inclusivement, puis Mouton Baronne Philippe. Philippe de Rothschild a voulu dès 1979 donner à ce vin le nom de sa femme disparue en 1976. C'est ainsi que devait naître le Château Mouton Baronne Pauline, désignation que nous avons employée dans les plans des vignobles. Le Conseil de Surveillance

FICHE TECHNIQUE

AOC	*Pauillac*	Temps de cuvaison	*15 à 21 jours*	
Production	*15 000 caisses*	Chaptalisation	*quand nécessaire*	
Date de création du vignoble	*XVIIe siècle*	Température des fermentations	*32º*	
Surface	*50 ha en vignes ; 17 ha non plantés*	Type des cuves	*ciment*	
Répartition du sol	*un seul tenant*	Vin de presse	*5 % et 8 %*	
Géologie	*graves ou alios et sables*	Age des barriques	*2 ans*	
		Temps de séjour	*20 à 24 mois*	

CULTURE

Engrais	*organique*	Collage	*blancs d'œufs*
Taille	*Guyot double médocaine*	Filtration	*non*
Cépages	*C.S. 65 % - C.F. 5 % - Merlot 30 %*		
Age moyen	*29 ans*	Maître de chai	*Raoul Blondin*
Porte-greffe	*Riparia Gloire*	Chef de culture	*Gilbert Faure*
Densité de plantation	*8 800 pieds/ha*	Œnologue conseil	*aucun*
Rendement à l'ha	*1970 : 36 hl 1978 : 26 hl*	Type de bouteille	*bordelaise*
Replantation	*par complantation*	Vente directe au château	*non*
		Commande directe au château	*non*

VINIFICATION

Levurage (origine)	*naturel*	Contrat monopole	*oui - la Baronnie à Pauillac*

n'ayant pas accepté cette nouvelle modification, l'étiquette sera désormais ainsi libellée :

Château Mouton Baronne Philippe
en hommage à Pauline
Baronne Philippe de Rothschild

■ Lieu de naissance

On se rend au Château Mouton Baronne Philippe en empruntant peu après Pauillac — côté nord — la route départementale 4E puis, à la hauteur de Pontet-Canet (sur la gauche), une allée rectiligne conduit au domaine de Mouton. Le vignoble, d'un seul tenant, est proche du village de Loubeyres. Bien que sises à droite de la route, les anciennes terres d'Armailhac par la nature de leurs graves et par leur appartenance au bassin hydrographique d'Artigne Pibran, se rattachent plus à Pontet-Canet qu'à Mouton Rothschild, d'où le classement des vins qui en sont issus.

■ Culture et vinification

Fidèle à sa recherche de la qualité, le baron Philippe de Rothschild transforma de fond en comble la propriété dès qu'il la gouverna. Chais, matériel de vinification et vignobles furent modernisés. Une sévère sélection des terrains conduisit à ne pas replanter une quinzaine d'hectares de terres estimées de moindre qualité.

■ Le vin

La confrontation du Mouton Rothschild et Mouton Baronne Philippe est passionnante car elle illustre parfaitement la notion de terroir et la nécessité de s'y adapter, sinon de s'y soumettre. Ces deux vins démontrent que deux propriétés contiguës, toutes deux traitées avec le plus grand soin, bénéficiant de conditions météorologiques identiques, ont des capacités spécifiques qu'en biologie on appellerait génétiques.

PLAT IDÉAL : *Paupiettes de veau*

AGE IDÉAL : 5 ans
Années exceptionnelles : 10 à 12 ans

1978
Château Mouton Baronne Philippe
Cru Classé du Baron Philippe
PAUILLAC
APPELLATION PAUILLAC CONTROLEE
Baron Philippe de Rothschild. g.f.a.
Propriétaire
75 cl
PRODUCE OF FRANCE
MIS EN BOUTEILLES AU CHATEAU

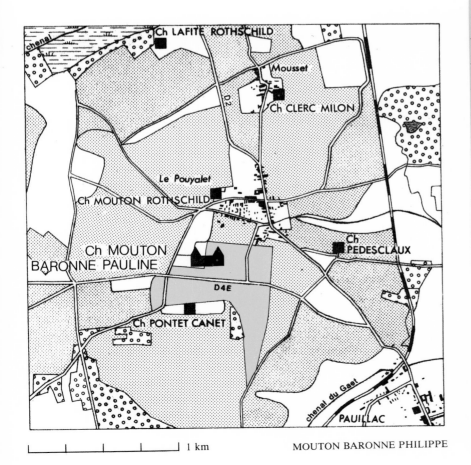

1 km   MOUTON BARONNE PHILIPPE

COTATIONS COMMENTÉES

Année	Note	Commentaire
1961	10	profond, plein, riche • **à boire**
1962	7	bon millésime sur le déclin • **à boire sans délai**
1966	9	superbement réussi • **à boire**
1967	6	trop léger, évolution rapide • **devrait être bu**
1970	8,5	bouqueté et fruité • **à boire**
1971	9	léger, parfaitement équilibré • **à boire**
1972	5,5	millésime moyen • **à boire**
1973	5,5	manque de complexité • **à boire sans délai**
1974	5,5	millésime pauvre • **à boire**
1975	9	belle harmonie • **à boire**
1976	8,5	rond, typé Cabernet • **à boire**
1977	5	manque de générosité • **à boire**
1978	9,5	généreux et plein • **commencer à le goûter**
1979	8,5	souplesse et rondeur • **à boire en 1984**
1980		vin de dentelle • **à boire dès 1985**
1981	8,5	belle construction, plein • **à boire dès 1986**

CHATEAU PÉDESCLAUX

5ᵉ CRU CLASSÉ

À l'ouest et au nord de Pauillac, la vigne a depuis longtemps remplacé la forêt et le taillis. Pédesclaux, en tant que cru, n'existe que depuis 1821, 1830. C'est à M. Urbain Pédesclaux, propriétaire en 1855, qu'il doit son nom et sa classification en position de 5ᵉ cru. En 1891, il devient la propriété de M. de Gastebois, puis de ses héritiers, jusqu'en 1950 où le père du propriétaire actuel l'achète après l'avoir administré durant plus de quinze années. Actuellement, M. Bernard Jugla dirige cette propriété, assisté de son frère qui la régit tout en étant maître de chai.

■ Lieu de naissance

La division du vignoble en deux parcelles donne à Pédesclaux l'occasion d'exploiter deux types de sol. Il tire des graves argilo-calcaires du nord de Pauillac, non loin de Mouton Rothschild et de Pontet-Canet, corps et robustesse, alors que des graves siliceuses de l'ouest de la même ville il puise finesse et bouquet. Ces dernières vignes sont proches du château Lynch-Bages. Le propriétaire de ce château a eu l'occasion d'acheter 4 ou 5 hectares à Pédesclaux en 1951.

FICHE TECHNIQUE

AOC	Pauillac	Temps de cuvaison	15-18 jours (21 en 1980)
Production	8 000 caisses	Chaptalisation	0º5 pour atteindre 12º-12º5 (pas en 1976)
Date de création du vignoble	1830	Température des fermentations	inférieur à 30º
Surface	20 ha	Mode de régulation	pompe à chaleur
Répartition du sol	divisé en 2 parcelles	Type des cuves	acier revêtu ; de 100 hl
Géologie	graves argilo-calcaires et siliceuses	Vin de presse	5 à 12 % (0 % en 1970 et 1975)
		Age des barriques	renouvellement annuel par moitié

CULTURE

Engrais	compost	Temps de séjour	18 à 24 mois
Taille	Guyot double médocaine	Collage	blancs d'œufs
Cépages	C.S. 70 % - C.F. 7 % - M. 20 % - Petit Verdot 3 %	Filtration	sur terre après les fermentations malolactiques
Age moyen	30 ans		
Porte-greffe	antérieur à 1960 : Riparia Gloire ; postérieur : 420 A, 44-53	Maître de chai	Jean Jugla
		Régisseur	Jean Jugla
Densité de plantation	8 200 pieds/ha hors sentier	Œnologue conseil	laboratoire œnologique du syndicat du Médoc
Rendement à l'ha	1970 : 42 hl 1978 : 30 hl	Type de bouteille	Tradiver
Replantation	0,5 ha annuel	Vente directe au château	oui

VINIFICATION

Levurage (origine)	pied de cuve	Commande directe au château	oui
		Contrat monopole	non

■ Culture et vinification

L'encépagement comporte une forte proportion de Cabernet ainsi qu'il sied aux vins de Pauillac. Les rendements en dessous de la moyenne contribuent à donner de la solidité aux vins. Signalons pour la petite histoire que le premier fouloir-érafloir exploité dans le Médoc le fut (sauf erreur) à Pédesclaux : en 1928 un « foulo-grappe » de marque Coq trônait à la cuverie !

Le caractère viril des vins de Pédesclaux est renforcé par le faible âge des barriques renouvelées par moitié chaque année.

■ Le vin

Tout n'a pas toujours été facile à Pédesclaux. Bernard Jugla a même songé à élaborer deux types de Pédesclaux : l'un de primeur (plus ou moins !), l'autre de garde, car la clientèle n'a pas la sagesse d'attendre, à telle enseigne qu'un millésime encore totalement fermé, le 1975, qui méritait une longue garde, est déjà bu pour moitié ! Bernard Jugla pense à juste titre qu'un cru classé doit vieillir et doit pouvoir vieillir. En dépit de cette certitude, sans doute en fonction de certaines modes, les cuvaisons ont été raccourcies de 20 % en 20 ans (ce n'est pas un cas isolé). Pédesclaux n'est pas très connu en France. 10 % du vin sont vendus directement à la clientèle particulière, le reste est exporté : 60 % au Benelux, 22 % aux États-Unis, 10 % en Suisse ainsi qu'en République fédérale d'Allemagne, en Angleterre, etc.

Le deuxième vin de Pédesclaux est étiqueté Château Bellerose et Château Grand Duroc-Milon, cru bourgeois.

PLAT IDÉAL :
Un gigot

AGE IDÉAL : 6 à 10 ans
Années exceptionnelles : 10 à 15 ans

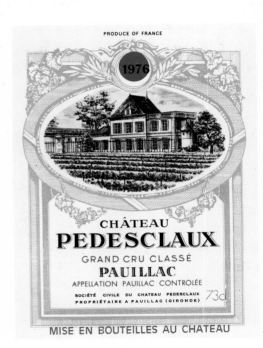

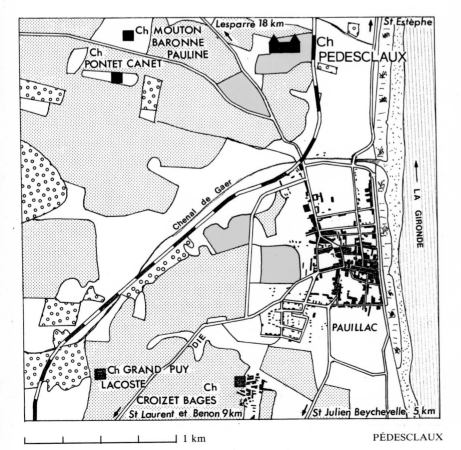

1 km   PÉDESCLAUX

COTATIONS COMMENTÉES

Année	Note	Commentaire
1961	10	complet, concentré • **à boire**
1962	10	spécialement réussi • **à boire**
1964	8	vendangé avant la pluie • **à boire**
1966	9	plus corpulent que les 1964 • **à boire**
1967	7	récolte abondante, corps faible • **à boire sans délai**
1969	5	maigre • **à boire**
1970	10	dense, complet mais fermé • **à boire**
1971	9	généreux, ouvert • **à boire**
1972	5	petit millésime • **devrait être bu**
1973	5	petit avec charme • **à boire**
1974	4	pointe de tannin, astringent • **à essayer**
1975	9,5	concentré mais fermé • **à boire en 1985-1988**
1976	8	« type californie » (soleil) • **à goûter**
1977	5	la maigreur des 1969 • **à boire**
1978	9	complet, équilibré, tannique ; plus harmonieux que les 1975 • **à boire en 1988**
1979	6,5	entre les 1973 et les 1976 • **à boire en 1984**
1980	5	un 1977 plus charnu • **à boire dès 1986**
1981	9	style 1966-1978, tannique, complet • **à boire dès 1991**

CHATEAU PONTET-CANET

5e CRU CLASSÉ

La création du vignoble de Pontet-Canet est exemplaire. Elle illustre l'obstination de ceux qui façonnèrent les crus que nous connaissons aujourd'hui. Dès 1725, mais sans doute avant, Jean-François Pontet achète, lopin par lopin, des terres et des vignes au nord et au sud des terres de Canet dont avaient hérité les Touzac de Bordeaux. Avant 1855, tous ces morceaux ont été regroupés, y compris les terres de Canet qui ont donné leur nom au domaine. Lors du fameux classement officiel, M. de Pontet est propriétaire du Château Canet à qui échoit le 5e rang dans la classification des crus, ce qui est modeste si l'on se réfère à des tentatives de classement antérieures. En 1865, à la plus belle époque des investisseurs dans le Médoc, Herman Cruse acquiert la propriété. En 1975, Guy Tesseron — un grand homme du Cognac — achète Pontet-Canet. Le domaine ne quitte pas pour autant la famille Cruse, puisque Mme Tesseron est née Cruse !

■ Lieu de naissance

Sur la route départementale 4 E qui joint Pauillac à Hourtin, deux propriétés se font face : Mouton Rothschild et Baronne Philippe au nord, et Pontet-Canet au sud, sis sur des croupes graveleuses de 25 mètres d'altitude. Il s'agit de graves garonnaises günziennes de dimensions moyennes sur socle calcaire ; le substrat argileux n'apparaît que vers 15 mètres de profondeur.

FICHE TECHNIQUE

AOC	Pauillac		Temps de cuvaison	20 à 35 jours
Production	20 000 à 45 500 caisses		Chaptalisation	obtenir 11°,8 en moyenne
Date de création du vignoble	XVIIIe siècle		Température des fermentations	30° à 31° maximum
Surface	75 ha dont 72 ha en production		Mode de régulation	serpentin Alfa Laval refroidi
Répartition du sol	2 lots (50 + 20 ha)		Type des cuves	chêne
Géologie	graves		Vin de presse (%)	0 à 10 %
			Age des barriques	18 à 25 mois
CULTURE			Temps de séjour	renouvellement annuel par tiers
Engrais	organique (nouvelles plantations) chimique		Collage	blancs d'œufs
			Filtration	non (sauf USA)
Taille	Guyot double médocaine			
Cépages	C.S. 70 % - C.F. 8 % - M. 20 % - Malbec : 2 %			
Age moyen	30 ans		Maître de chai	Perrier
Porte-greffe	Riparia Gloire - S04 et d'autres		Régisseur	P. Geffier
			Œnologue conseil	Alfred Tesseron
Densité de plantation	8 000 pieds/ha		Type de bouteille	bordelaise filtrante Tradiver
Rendement à l'ha	37-40 hl			
Replantation	par tranches		Vente directe au château	oui
			Commande directe au château	oui
VINIFICATION			Contrat monopole	non (sauf USA)
Levurage (origine)	pied de cuve si nécessaire			

■ Culture et vinification

L'encépagement correspond bien à un Pauillac avec sa forte dominante de Cabernet. L'âge du vignoble est confortable. Entrer dans le cuvier impressionne. D'énormes cuves de bois se succèdent. Elles sont recouvertes par un immense plancher posé sur leur sommet. C'est au niveau de ce plancher que la vendange arrive. Cette disposition n'est pas nouvelle, elle s'est généralisée il y a un siècle. Les dimensions généreuses de l'ensemble permettent un tri aisé des raisins. Pourquoi des cuves de bois ? Elles sont les plus difficiles à entretenir, leur inertie thermique pose des problèmes lorsqu'on veut réguler les températures des fermentations. Ces deux défauts ne sont pas compensés, semble-t-il, par un apport quelconque du bois lors des fermentations, mais M. Tesseron tient à ses cuves pour la discipline qu'elles imposent. L'état d'esprit ainsi créé s'étend à l'ensemble de l'entreprise, le vin en bénéficie. Les caves elles aussi suscitent l'admiration. Il n'y a guère qu'en Champagne qu'on puisse voir tant de bouteilles empilées.

■ Le vin

On remarquera, à la lecture des données techniques ci-dessous, de larges marges de manœuvre pour s'adapter à chaque récolte, dont la disparité volumétrique (200 à 450 tonneaux) illustre de façon frappante que jamais deux années ne se ressemblent. On veut faire et on parvient à faire des vins assez souples à Pontet-Canet. Bien sûr, cela n'apparaît pas à la lecture des données techniques ci-dessous.

PLAT IDÉAL :
Le gigot de sept heures

AGE IDÉAL : 6 ans
Années exceptionnelles : 12 à 15 ans

GRAND CRU CLASSÉ EN 1855

CHATEAU
PONTET-CANET
PAUILLAC
1978
APPELLATION PAUILLAC CONTRÔLÉE

STE CIVILE DU CHATEAU PONTET-CANET
ADM. GUY TESSERON . PROPRIETAIRE A PAUILLAC (GIRONDE) FRANCE

MIS EN BOUTEILLES AU CHATEAU 75 cl

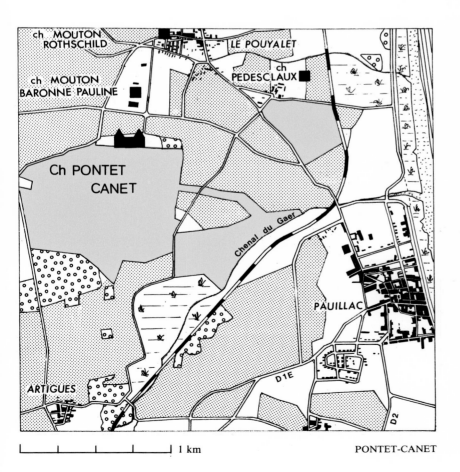

1 km   PONTET-CANET

COTATIONS COMMENTÉES

Année	Note	Commentaire
1961	10	vin complet proche de son apogée • à goûter
1962	8	bien évolué, ne pas attendre • à boire
1964	6	trop léger • à boire sans délai
1966	7	s'ouvre seulement, tannique • à boire
1967	6,5	très léger • devrait être bu
1969	4	trop léger, transparent • devrait être bu
1970	7,5	charpenté, tannique, coloré • à boire
1971	7	relativement fluet ; décline-t-il ? • à boire
1972	4,5	petit millésime étriqué • devrait être bu
1973	6	charmant ; sur le déclin • devrait être bu
1974	5	peu harmonieux • devrait être bu
1975	9	en cours d'évolution • à boire en 1985
1976	7	imposant, cherche son équilibre • à boire en 1984
1977	6	évolution rapide ; moyen • à boire
1978	8,5	équilibre, harmonie • à boire
1979	8	proche des 1978, plus léger • à boire
1980	6	petit millésime • à boire dès 1985
1981	8	vaut les 1979 ; couleur et chair • à boire dès 1988

CHATEAU COS D'ESTOURNEL
2e CRU CLASSÉ

Cos viendrait de Caux, colline de cailloux. Vers 1820, un original, Louis Gaspard d'Estournel, est propriétaire d'une lande et de quelques vignes sises à Caux. Il se prend de passion pour le vin comme il s'était pris de passion précédemment pour les chevaux arabes. Il plante, tente d'introduire la Syrah dans le Médoc (!), construit les incroyables chais orientaux encore visibles de nos jours et meurt en 1853. Un an auparavant, il avait été contraint de vendre sa vigne à des Anglais, les Martyn. Ces nouveaux propriétaires bénéficieront des efforts précédents : en 1855, le Cos d'Estournel est classé 2e cru. Quelques propriétaires se succèdent, maintenant la propriété a un niveau élevé : Errazu pour 20 ans (1869-1889), Hostein-Charmolüe, propriétaire de Montrose, pour 30 ans (1899-1919). Depuis, Cos d'Estournel est l'apanage des familles Ginestet et Prats.

■ Lieu de naissance
Le vignoble de Cos d'Estournel est entièrement situé entre la voie de chemin de fer du vallon de la Plagne et la Jalle du Breuil, à quelque 20 mètres d'altitude. Le sous-sol est calcaire, surmonté d'une forte couche de graves garonnaises günziennes, dont l'épaisseur varie entre 1,5 et 10 mètres.

■ Culture et vinification
L'adéquation du sol au cep a été fortement étudiée à Cos d'Estour-

FICHE TECHNIQUE

AOC	Saint-Estèphe		Chaptalisation	pas en 1975 ; idéal : 12°5-12°6
Production	20 000 caisses		Température des fermentations	28° à 35° (voir texte)
Date de création du vignoble	environ 1750, en tant que cru : 1810		Mode de régulation	rafraîchissement et pompe à chaleur
Surface	57 ha en production (71 ha potentiels)		Type des cuves	acier émaillé, ciment
Répartition du sol	un seul tenant		Vin de presse	rarement plus de 10 %
Géologie	graves günziennes sur calcaire		Age des barriques	selon le millésime, 4-5 ans max.
			Temps de séjour	18 mois maximum
CULTURE			Collage	blancs d'œufs
Engrais	fumier de ferme tous les 3 ans		Filtration	1) sur terre après fermentation malolactique 2) sur plaques à la mise
Taille	Guyot double médocaine			
Cépages	C.S. 50 % - C.F. 10 % - M. 40 %		Procédés spéciaux	1) chauffage pour fermentation malolactique 2) sous balayage carbonique
Age moyen	35 ans			
Porte-greffe	Riparia - 120-14		Propriétaire	Sté fermière Domaines Prats
Densité de plantation	10 000 pieds/ha		Administrateur	Bruno Prats
Rendement à l'ha	avant sélection (1965 à 1980) 42 hl ; après sélection : 35 hl		Maître de chai	J. Coudouin
			Chef de culture	Jacques Pélissier
Replantation	par tranches de 2 ha annuelles		Œnologue conseil	R. Hallay et Ribéreau-Gayon
Traitement antibotrytis	oui		Type de bouteille	Tradiver
			Vente directe au château	oui
VINIFICATION			Commande directe au château	oui
Levurage (origine)	pied de cuve		Contrat monopole	non
Temps de cuvaison	20 à 30 jours			

nel. Les Cabernet sont plantés en sommet de croupe afin de bénéficier au maximum des graves, alors que les Merlot occupent les zones à affleurement calcaire. Les porte-greffes sont soit des Riparia soit des 120-14. Quelques terrains très acides (chlorosants) ont nécessité l'usage des 41B, bien connus en Champagne.

Signalons quelques particularités propres à Cos d'Estournel :
— les fermentations sont sévèrement conduites à faible température, inférieure à 28 ºC, pour capter un maximum d'éléments aromatiques, puis du refroidissement on passe au réchauffement jusqu'à 35 ºC, lorsque la fermentation alcoolique est terminée afin de faciliter l'extraction des tannins (et de la couleur) ;
— le séjour en barriques a tendance à être écourté (18 mois), sans doute pour éviter une oxydation préjudiciable à certains bouquets ;
— la filtration sur plaques est très poussée pour gagner en propreté et en brillance. Y perd-on par ailleurs ? Certains le pensent ;
— le bouchage sous balayage carbonique — procédé nouveau qui tend à remplacer l'air bloqué entre le vin et le bouchon par du gaz carbonique — est utilisé.

■ Le vin

Cos d'Estournel n'échappe pas à une évolution générale : vendanger plus tard, ce qui a pour conséquence de diminuer l'acidité des vins de 4 g à moins de 3 g.

A Cos d'Estournel, Bruno Prats veille à ce que les tannins ne présentent aucun caractère agressif. Mais il est parfaitement conscient que, si la science œnologique a donné aux vinificateurs une vaste marge de manœuvre, la viticulture quant à elle a connu un « progrès à rebours », la recherche de la vigueur du cep s'opposant à l'obtention de la concentration des tannins. D'autre part, les tannins peu évolués sont à l'origine de goûts herbacés peu agréables.

Cos d'Estournel est certainement l'un des vignobles où le mariage de la tradition et des progrès les plus récents est le plus audacieux. Le « deuxième vin » porte l'étiquette Château de Marbuzet (sélection et jeunes vignes), résidence Bruno Prats.

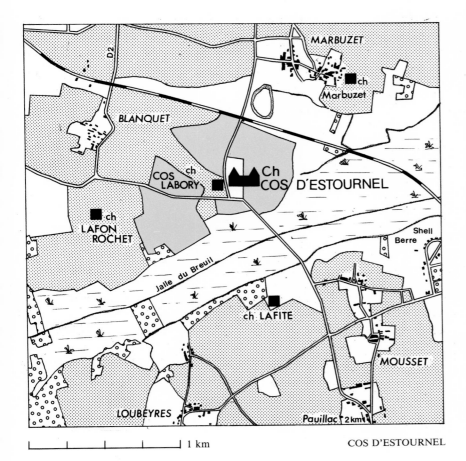

COS D'ESTOURNEL

PLAT IDÉAL :
Gigot à la ficelle peu aillé, haricots blancs frais

AGE IDÉAL : pas avant 10 ans
Années exceptionnelles : 25 ans

MIS EN BOUTEILLE AU CHATEAU

CHATEAU **COS** D'ESTOURNEL
GRAND CRU CLASSÉ EN 1855
SAINT-ESTÈPHE
APPELLATION SAINT-ESTÈPHE CONTROLÉE
1977   750 ml
SOCIÉTÉ FERMIERE DES DOMAINES PRATS A SAINT-ESTÈPHE (GIRONDE) FRANCE

COTATIONS COMMENTÉES

Année	Note	Commentaire
1961	10	extrême concentration • **à commencer**
1962	8	charme et rondeur • **à terminer**
1964	7	les Merlot - récoltés avant la pluie - dominent • **à boire vivement**
1966	8	de style classique • **à boire**
1967	5	évolue vers la sécheresse • **devrait être bu**
1969	3	maigre et astringent • **devrait être bu**
1970	8	finesse, concentration, robe superbe ; ferme • **à essayer**
1971		...esse, richesse moyenne, stabilité durable • **à boire**
1972	4	n'est pas représentatif du Cos d'Estournel • **devrait être bu**
1973	6	très bon équilibre à son niveau • **à boire**
1974	5	svelte ; potentiel limité • **à boire**
1975	9	riche, fermé sans agressivité • **à essayer en 1985-1988**
1976	8,5	tannins aimables • **à boire**
1977	6	franchise et santé ; sans ampleur • **à boire**
1978	8	spéciale : 1re année de classe tardive : peut-être sous-coté • **à goûter vers 1985**
1979	7	plus léger que 1978 • **à boire dès 1985**
1980	6,5	sélection de vieilles vignes • **à boire dès 1986**
1981	8	tient du 1970 et du 1978 • **à boire dès 1991**

CHATEAU MONTROSE

Le vignoble de Montrose est récent et son histoire parfaitement connue. Trois familles se partagent l'honneur de sa création et de son expansion. Les Desmoulins, qui achetèrent une lande à Alexandre de Ségur en 1778, construisirent le château en 1815 et plantèrent les premiers ceps (5 hectares). C'est eux qui baptisèrent cette propriété et son vin « Montrose », en souvenir de cette lande envahie de bruyères en fleur. C'est sous la houlette des Desmoulins que le vin de Montrose fut classé 2e cru en 1855. En 1866, un Alsacien, Mathieu Dolfuss, acquit le domaine, construisit des chais très rationnels, toujours en usage, et le petit « village » privé de Montrose, habité par le personnel. C'est lui qui dut faire face à l'épidémie de phylloxera. Il lutta si bien contre elle qu'il produisit une bonne quantité de vin chaque année. A sa mort, un riche personnage, déjà propriétaire de Cos d'Estournel (et de Pomys), acquit Montrose qu'il revendit en 1896 à son gendre Charmolüe, dont le blason figure toujours sur les étiquettes de Montrose. De nos jours, Jean-Louis Charmolüe, petit-fils du précédent, conduit l'exploitation avec sûreté et précision tout en s'adaptant au monde moderne puisqu'il est assisté d'un ordinateur ! Aujourd'hui, comme il y a un siècle, le vignoble couvre 66 hectares, demain il pourrait atteindre 75 hectares.

■ **Lieu de naissance**

Le vignoble de Montrose se caractérise par son homogénéité. Il est, en effet, d'un seul tenant et, de plus, ramassé sur lui-même. Il est

FICHE TECHNIQUE

AOC	Saint-Estèphe		Temps de cuvaison	21 à 25 jours
Production	23 500 caisses		Chaptalisation	quand nécessaire
Date de création du vignoble	1815-1820		Température des fermentations	25° à 30°
Surface	66 ha (75 ha possibles)		Mode de régulation	refroidisseur
Répartition du sol	un seul tenant		Type des cuves	bois et béton
Géologie	graves profondes ferrugineuses sur argile		Vin de presse	7- 8 %
			Age des barriques	4 ans (25 % de neuf)
			Temps de séjour	22-23 mois

CULTURE

Engrais	50 % chimique		Collage	blancs d'œufs
Taille	Guyot double médocaine		Filtration	aucune
Cépages	C.S. 65 % - C.F. 5 % - M. 30 %			
Age moyen	25 ans		Maître de chai	Jean-Louis Papot
Porte-greffe	Riparia 44-53 ; maintenant SO4		Régisseur	Roger Bareille
			Œnologue conseil	Laboratoire de Pauillac, M. Couassnon et M. Pascal Ribereau-Gayou
Densité de plantation	9 000 pieds/ha			
Rendement à l'ha	33 hl		Type de bouteille	Tradiver
Replantation	par tranches 1 ha - 1,5 ha		Vente directe au château	oui
Traitement antibotrytis	non		Commande directe au château	oui

VINIFICATION

Levurage (origine)	naturel		Contrat monopole	non

d'autre part géologiquement unitaire : les vignes sont plantées dans des graves rouges ferrugineuses très profondes (plusieurs mètres), établies sur socle argileux. Il est homogène, enfin, car la totalité du vignoble occupe un vaste plan incliné qui passe de l'altitude de 2 mètres à celle de 16 mètres en pente douce et régulière.

Autre particularité : Montrose est le cru classé le plus proche de l'estuaire. Est-ce pour cela que le climat y est particulièrement tempéré ? Si l'on excepte 1956 et 1977, il ne gèle pas à Montrose.

■ Culture et vinification

A Montrose, la moindre poussière est interdite. L'ordre et l'organisation règnent. Lorsque l'on sait qu'on ne peut faire de bon vin sans une hygiène vinaire absolue, les meilleures conditions semblent réunies à Montrose.

La fiche descriptive ci-contre indique une volontée de classicisme : le rapport 2/3-1/3 Cabernet-Merlot est conforme à l'esprit de Saint-Estèphe. Notons l'absence de Petit Verdot à qui M. Charmolüe reproche d'être fragile et tardif, et l'exploitation du porte-greffe SO4 dont la réputation est douteuse dans le Médoc. A Montrose, les ceps sont généralement arrachés à l'âge de 50 ans environ et les règes sont orientés nord-sud, donc parallèlement à la Gironde, afin que les rangs bénéficient du soleil sur leurs deux côtés. Cette orientation se retrouve à Latour et à Léoville Las Cases.

■ Le vin

J.-L. Charmolüe pense qu'un cru classé doit se différencier par la qualité, cela va de soi, mais surtout par la longévité. Il sied qu'aujourd'hui les 1920 et 1921 soient encore excellents, il convient que la sélection des vins soit rigoureuse. C'est pourquoi le personnel de Montrose boit 18 tonneaux de vin par an provenant de jeunes vignes, entre autres. C'est ainsi qu'une deuxième marque « dégriffe » une part de Château Montrose : le Château Demereaulemont.

PLAT IDÉAL :
Salmis de palombes

AGE IDÉAL : 10 à 12 ans
Années exceptionnelles : 15 ans

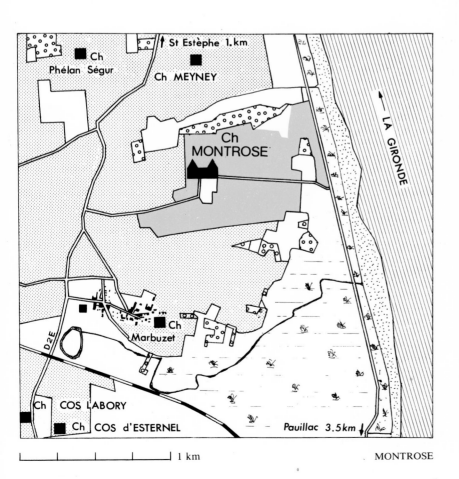

1 km   MONTROSE

COTATIONS COMMENTÉES

Année	Note	Commentaire
1961	10	ouvert depuis peu • **à boire**
1962	8,5	bien construit, viril • **à boire**
1964	8	vendangé avant les pluies ; puissant, tannique, dur • **à boire**
1966	8	souple et élégant ; charme • **à boire**
1967	7	tannique • **devrait être bu**
1970	10	parfait ; totalement fermé • **pas avant 1985**
1971	7,5	vin de charme ; un petit 1966 • **à boire sans délai**
1972	4	petit vin • **à boire sans délai**
1973	6	équilibre et charme ; court • **à boire d'urgence**
1974	5,5	un petit 1973 • **à boire d'urgence**
1975	9,5	n'aura pas l'ampleur des 1970 • **essayer en 1983-1984**
1976	9	vendangé avant les pluies ; proche des 1964 • **commencer à le boire**
1977	5	faible et léger • **à boire**
1978	8	très aromatique, plus le charme des 1966 • **le goûter en 1988**
1979	7	manque d'élégance ; genre 1967 • **le goûter en 1987**
1980	6	corps et chair mieux que 1977 • **à boire dès 1987**
1981	8	style 1966-1978 ; acidité basse (3,2) • **à boire dès 1988**

CHATEAU CALON-SÉGUR
3e CRU CLASSÉ

C'est un vignoble chargé d'ans et d'histoire, très probablement le plus ancien de la commune. Depuis sept siècles on en connaît les propriétaires, mais on ignore à quelle époque furent plantés les premiers ceps. Du temps de M. Gasq, au XVIIe, on faisait du vin à Calon. Au XVIIIe siècle, le Prince des Vignes, le marquis de Ségur, déjà propriétaire de Latour et de Lafite (entre autres), l'acquit par mariage. Est-ce pour cette raison « matrimoniale » qu'il prononça la fameuse phrase : « Je fais du vin à Latour et à Lafite, mais mon cœur est à Calon » ? De nos jours, ce cœur figure sur les étiquettes de ce cru, qui fut classé en 3e catégorie en 1855, alors que M. Lestapis en était propriétaire. MM. Georges Capbern-Gasqueton et Charles Hanapier l'acquirent en 1894. C'est M. Capbern-Gasqueton, propriétaire d'un autre cru classé — le Tertre, à Margaux —, qui l'administre.

FICHE TECHNIQUE

AOC	Saint-Estèphe		Temps de cuvaison	21 jours
Production	20 000 caisses		Chaptalisation	0°5 en moyenne pour tendre à 12°
Date de création du vignoble	fin du XVIIe siècle		Température des fermentations	28° à 30°
Surface	50 ha			
Répartition du sol	un seul tenant		Mode de régulation	ruissellement sur cuves
Géologie	graves fortes et moyennes sur socle calcaire ferrugineux		Type des cuves	acier revêtu
			Vin de presse	10 % environ
			Age des barriques	renouvellement par quart annuel

CULTURE

Engrais	compost, fumier		Temps de séjour	24 mois
Taille	Guyot double médocaine		Collage	blancs d'œufs frais
Cépages	C.S. 50 % - C.F. 25 % - M. 25 %		Filtration	rarement (légère sur plaques à la mise)
Age moyen	34 ans			
Porte-greffe	Riparia			
Densité de plantation	5 600 pieds/ha		Maître de chai	André Ellisalde
Rendement à l'ha	30 à 35 hl		Œnologue-conseil	Pascal Ribéreau-Gayon
Replantation	renouvellement d'un ha annuel		Type de bouteille	Tradiver
Traitement antibotrytis	non		Vente directe au château	non

VINIFICATION

Levurage (origine)	pied de cuve		Commande directe au château	possible
			Contrat monopole	non

■ Lieu de naissance

Calon-Ségur est le cru classé du Médoc le plus septentrional. C'est aussi celui dont l'altitude est la plus faible. S'il culmine à 12 mètres, il ne surplombe le niveau de la mer que de 2 mètres dans ses points bas, proches du chenal de Calon.

Si, partant de Saint-Estèphe, on regarde vers le nord et qu'on aperçoit un grand mur contigu au village, il faut savoir que derrière ce mur se dissimule le vignoble de Calon, vallonné, traversé de larges avenues ; des graves fortes à moyennes, de 0 à 5 mètres de profondeur, prennent assise sur le fameux « calcaire de Saint-Estèphe », calcaire marneux qui donne au vin sa vigueur.

■ Culture et vinification

Les vignes sont plantées en règes espacées, d'où une densité de pieds à l'hectare assez basse (5 600). L'encépagement comporte une notable proportion de Cabernet Franc. Les fumures organiques compensent la pauvreté des graves. La vinification suit la méthode en usage dans la plupart des vignobles. Le vin de presse est ajouté à l'occasion des ouillages.

■ Le vin

Les rendements à l'hectare sont moyens, voire faibles, comparés aux vignobles de la commune. Néanmoins, compte tenu de l'âge respectable du vignoble (facteur de qualité) et de la faible proportion de Merlot (un quart), plant généreux, le rendement par pied est assez élevé.

PLAT IDÉAL :
Filet de bœuf

AGE IDÉAL : 5 ans
Années exceptionnelles : 10 à 15 ans

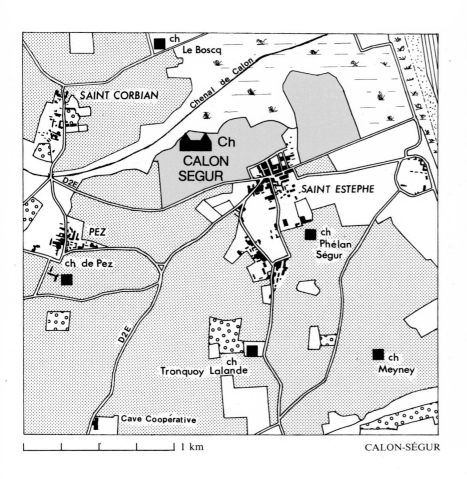

1 km — CALON-SÉGUR

COTATIONS COMMENTÉES

Année	Note	Commentaire
1961	10	puissance avec nervosité • à boire
1962	8	arômes délicats • à boire
1964	4	la pluie a tué un beau millésime • devrait être bu
1966	9	bouquet et puissance • à boire
1967	8	bien avec mollesse • à boire
1970	9	vin complet • à boire
1971	7	léger, bouqueté, très évolué • à boire sans délai
1972	5	pas de maturité • à boire
1973	7	élégant mais très évolué • à boire sans délai
1974	8	spécialement réussi ; petite récolte ; un 1967 plus tannique • s'ouvre
1975	10	beau vin concentré et tannique • à boire en 1985
1976	9,5	un 1975 souple • à boire
1977	5	léger • à boire
1978	9,5	fort caractère, spécial, charpenté • à boire en 1986
1979	8,5	tannins plus évolués ; souple • à boire en 1984
1980	7	vin de charme • à boire dès 1985
1981	8	fin, bouqueté, fruité • à boire dès 1986

121

CHATEAU LAFON-ROCHET
4e CRU CLASSÉ

S i l'on veut voir un château neuf, il faut aller à Lafon-Rochet. L'apparence peut surprendre car le ciment ou le crépi de ciment manque de patine, ainsi que les encadrements de pierre taillée des fenêtres.

L'aménagement intérieur accentue cette impression de modernité. Les murs blancs, de style monacal, se marient très bien avec les portes en bois massif et le mobilier souvent ancien, parfois moderne. Le principe du château-galerie a été retenu, avec des pièces pourvues de grandes fenêtres ouvrant côté cours et jardin.

A dire vrai, ces pièces donnent doublement sur le vignoble car le château est enchâssé dans les ceps.

Je n'aurai garde d'oublier la cave — neuve elle aussi — aménagée sous le château. La voûte du couloir donne sur des alvéoles destinés à accueillir la mémoire vineuse de Lafon-Rochet. Cette mémoire pourrait être vaste car, dès avant la Révolution, les vins de Rochet se vendaient à un prix honorable. En 1855, la propriété de Rochet appartenait à Mme veuve Lafon de Camarsac. Feu son mari en était propriétaire depuis plusieurs lustres.

En 1961, Guy Tesseron, qui par sa femme, née Cruse, était déjà implanté à Pontet-Canet, a fait l'acquisition de Lafon-Rochet. A la

---

FICHE TECHNIQUE

AOC	Saint-Estèphe	Temps de cuvaison	20 à 35 jours
Production	8 000 - 15 000 caisses	Chaptalisation	obtenir 11°8 en moyenne
Date de création du vignoble	fin du XVIIIe siècle	Température des fermentations	30°-31° maximum
Surface	45 ha dont 42 en production	Mode de régulation	serpentin refroidi - Alfa Laval
Répartition du sol	vignoble d'un seul tenant	Type des cuves	chêne
Géologie	graves profondes	Vin de presse	0 à 10 %
CULTURE		Age des barriques	renouvellement annuel par tiers
Engrais	organique (nouvelles plantations)-chimique	Temps de séjour	18 à 25 mois
		Collage	blancs d'œufs
Taille	Guyot double médocaine	Filtration	non (sauf USA)
Cépages	C.S. 70 % - C.F. 8 % - M. 20 % - Malbec 2 %	Propriétaire	Société civile du Château Lafon-Rochet
		Administrateur	Guy Tesseron
Age moyen	15-18 ans	Maître de chai	Paul Bussier
Porte-greffe	Riparia Gloire - SO4	Régisseur	Paul Bussier
		Œnologue-conseil	Alfred Tesseron
Densité de plantation	8 000 pieds/ha	Type de bouteille	Tradiver
Rendement à l'ha	30 hl	Vente directe au château	oui
Replantation	pas pour l'instant		
VINIFICATION		Commande directe au château	oui
Levurage (origine)	pied de cuvé	Contrat monopole	non (sauf aux USA)

suite de cet achat le château fut élevé, le chai reconstruit et l'encépagement des vignes reconsidéré.

■ Lieu de naissance

Lorsqu'on emprunte la route départementale 2 E qui joint Pauillac à Lesparre, proche de la bifurcation conduisant à Saint-Estèphe, au bout d'un chemin tracé entre les vignes apparaissent le château Lafon-Rochet et le chai.

Formant une éminence d'une vingtaine de mètres d'altitude, les graves profondes de Lafon jouxtent les vignes de Cos d'Estournel au nord-est et celles de Rothschild (Duhart-Milon, Lafite) au sud-sud-est. Lafon-Rochet est le cru classé de Saint-Estèphe le plus éloigné de la Gironde.

■ Culture et vinification

La surface du vignoble a augmenté ces dernières années ; de nouvelles vignes ont été plantées, la proportion de Cabernet Sauvignon s'est accrue au détriment de celle des Merlot (la plus forte des Saint-Estèphe crus classés).

La vinification s'adapte aux conditions imposées par chaque millésime. Guy Tesseron, sans doute marqué par ses origines cognacaises, préfère les cuves de bois à toute autre.

■ Le vin

Lafon-Rochet, bien que n'étant qu'un 4e cru, est traité ambitieusement. La forte proportion de Cabernet, le long séjour en fûts neufs tendent à en faire un vin de garde dont les premières années n'évitent pas la dureté. L'âge moyen du vignoble va s'accroître ces prochaines années, les vins vont donc gagner en concentration.

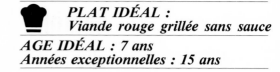

PLAT IDÉAL :
Viande rouge grillée sans sauce

AGE IDÉAL : 7 ans
Années exceptionnelles : 15 ans

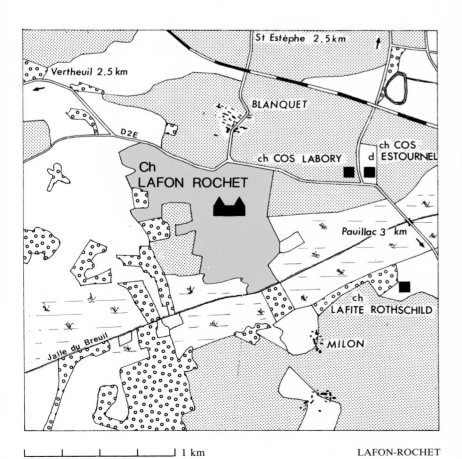

LAFON-ROCHET

COTATIONS COMMENTÉES

Année	Note	Commentaire
1961	10	au-delà de son apogée • **à boire**
1962	7	a atteint son apogée • **à boire sans attendre**
1964	7	maturation lente, belle robe • **à boire**
1966	7	lent à s'ouvrir, tannique • **le goûter**
1967	7	bon nez, vin facile ; déclinant ? • **à boire sans attendre**
1970	9,5	bien charpenté • **commencer à le boire**
1971	7	bonne moyenne, ne peut que décliner • **à boire rapidement**
1972	4	sans chair • **devrait être bu**
1973	5	petit mais agréable • **à boire rapidement**
1974	5	petit et harmonieux • **à boire**
1975	10	vin complet • **à boire après 1985**
1976	7	s'ouvre, assez souple • **commencer à le boire**
1977	5	pas de gras • **à boire**
1978	8	bonne rondeur • **à boire en 1984**
1979	8,5	plus complet que les 1978 • **à boire en 1984-1985**
1980	7	type léger • **à boire dès 1985**
1981	8	style 1979, bien constitué • **à boire dès 1987**

CHATEAU COS LABORY

5ᵉ CRU CLASSÉ

Au cours des siècles Cos d'Estournel a été une plaque tournante. Ses propriétaires ont étendu leur empire tantôt au nord-est, en annexant Montrose (1889), tantôt au sud-ouest, en ajoutant Cos Labory. Ainsi les investisseurs anglais Martyn, spéculant sur les plus-values que connurent les vignobles médocains au XIXᵉ siècle, se trouvèrent à la tête des deux « Cos ». C'est sous leur règne que, en 1855, Cos Labory — Labory étant le nom d'un propriétaire précédent — fut classé 5ᵉ cru.

Après divers changements de main, il échut en 1958 à M. François Audoy, son propriétaire actuel, qui habite le sympathique petit château de Cos Labory, parfaitement restauré.

■ Lieu de naissance

Le vignoble est divisé en 3 lots assez différents ; le meilleur sans aucun doute couvre 3 hectares à l'ouest du château et devrait produire un vin très proche de celui de Cos d'Estournel. Le 2ᵉ lot, de 6 hectares, est situé du côté de Lafont-Rochet, classé 4ᵉ cru. Les vignobles orientés au sud font face à ceux de Duhart-Milon et de Lafite-Rothschild sur l'autre versant. Le 3ᵉ lot, de 6 hectares également, s'étend derrière la gare. Il est orienté à l'ouest et n'est pas assimilable aux deux premiers.

FICHE TECHNIQUE

AOC	Saint-Estèphe		Temps de cuvaison	21-25 jours
Production	6 000 caisses		Chaptalisation	0,5 à 1º (pas en 1975, 1976, 1978)
Date de création du vignoble	existait en 1789		Température des fermentations	28º plutôt que 30º
Surface	15 ha		Mode de régulation	serpentins et ruissellement
Répartition du sol	3 lots		Type des cuves	inox et ciment
Géologie	graves günziennes sur socle marno-calcaire		Vin de presse	15 à 20 %
			Age des barriques	5 à 6 ans
CULTURE			Temps de séjour	15 mois
Engrais	chimique et organique		Collage	blancs d'œufs frais
Taille	Guyot double médocaine		Filtrations	depuis 3 ans : — sur terre avant la mise en barriques ; — de propreté à la mise en bouteilles
Cépages	C.S. 35 % - C.F. 25 % M. 35 % - Petit Verdot 5 %			
Age moyen	22 ans			
Porte-greffe	autrefois 420 A ; aujourd'hui 44-53 et Riparia		Maître de chai	François Audoy
Densité de plantation	9 600 pieds/ha		Régisseur	François Audoy
Rendement à l'ha	1970 : 52 hl - 1978 : 48 hl 1971 : 24 hl - 1977 : 20 hl (donc 40-45 hl/ha)		Œnologue conseil	Bernard Audoy son fils laboratoire de Pauillac épisodiquement Pr. E. Peynaud
Replantation	par tranche de 0,75 ha		Type de bouteille	Tradiver
Traitement antibotrytis	oui		Vente directe au château	oui
VINIFICATION			Commande directe au château	oui
Levurage (origine)	par pied de cuve naturel		Contrat monopole	non

Le sol de ces 3 parcelles n'est pas identique. Les graves günziennes toujours présentes sont plus ou moins profondes. La nature du socle marno-calcaire intervient. Calcaire dans les bons cas, il tend vers l'argile en d'autres. D'où des rendements plus élevés et des vins moins fins.

■ Culture et vinification

L'encépagement est riche en Merlot, ce qui justifie amplement le traitement antibotrytis car les Merlot habillés d'une peau plus mince que celle des Cabernet sont plus vulnérables. La proportion du Cabernet Franc est assez forte également. Cela contribue à la souplesse du vin et au rendement confortable des vignes. François Audoy préfère les fermentations à faible température pour favoriser le bouquet et le fruité, même si la robe du vin doit en pâtir. Le temps de séjour en fût (relativement limité) dans des barriques âgées de quelques années contribue à accentuer le type « Cos Labory », de même que la double filtration !

■ Le vin

François Audoy ne cherche pas à faire prendre Cos Labory pour un 1er ou un 2e cru et a sagement adapté son encépagement et sa vinification en fonction de l'élaboration d'un vin qui atteint assez rapidement son optimum. Pour cela, le fruité passe avant la charpente et la souplesse avant les tannins.

C'est à l'étranger que Cos Labory connaît le plus grand succès puisque 80 % de la production sont exportés surtout aux USA et en Hollande ainsi qu'en Belgique, en Angleterre, en Allemagne, en Suisse et au Danemark. En France, les particuliers et les restaurateurs s'adressent directement au château pour acheter un vin dont François Audoy souhaite, idéalement, qu'il ait le corps des Saint-Estèphe, la rondeur et le bouquet des Saint-Julien.

PLAT IDÉAL :
Entrecôte aux cèpes

AGE IDÉAL : 4 à 5 ans
Années exceptionnelles : 8 à 10 ans

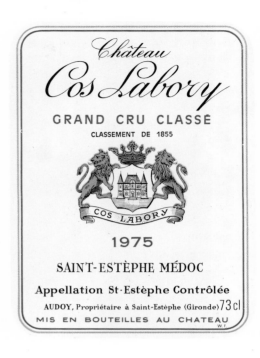

COTATIONS COMMENTÉES

Année	Note	Commentaire
1961	10	grand vin enfin ouvert • **à boire**
1962	6	réussite moyenne • **devrait être bu**
1964	7	vendange terminée 1er jour de pluie ; gras, manque de corps • **à terminer rapidement**
1966	7	qualités et défauts des 1964 • **à terminer rapidement**
1967	4	dur et sec à l'origine • **à boire**
1970	8	très bien, complet, durable • **ouvert**
1971	7	proche des 1966-1976 ; souple • **à boire**
1972	3	pâle, maigre ; pas de tannin • **devrait être bu**
1973	6	petit mais plaisant • **à boire rapidement**
1974	5	un petit 1973 • **devrait être bu**
1975	9	le plus complet depuis 1961 • **le goûter**
1976	7	gras, rondeur, bouquet • **à boire**
1977	7	esprit des 1947/1957/1967 ; pas de gras, pas d'ampleur • **se goûte mal ; attendre**
1978	8	1976, avec corps et charpente • **à boire en 1984-1985**
1979	7,5	rendement important (51 hl/ha) ; proche des 1978 • **à boire en 1985**
1980	7	proche des 1976 ; manque d'ampleur • **à boire dès 1984**
1981	8- 8,5	tannique, charnu ; 1/3 barriques neuves • **à boire dès 1987**

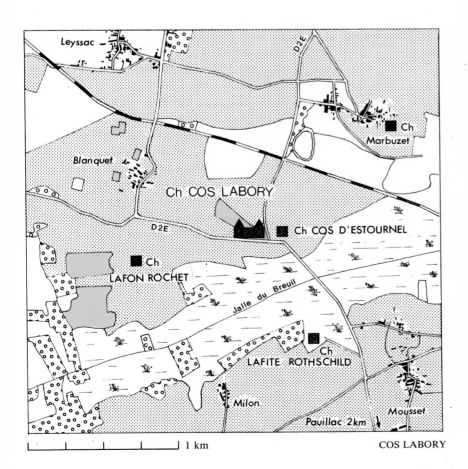

COS LABORY

1 km

CHATEAU LA LAGUNE

3e CRU CLASSÉ

Les particularités abondent au Château La Lagune. Il est le premier cru classé en venant de Bordeaux. Il honore la commune de Ludon, dont il ne porte pas le nom puisque La Lagune est étiqueté Haut-Médoc. Le château a été bâti dans la première moitié du XVIIIe siècle. Quand a-t-on planté les premiers ceps à La Lagune ? Nul ne le sait. Ce lieu porta dans le courant du XVIIIe siècle les noms de Seguineau, de Dumas-Laroque et fut le bien de la famille de Sèze. En 1855, lorsqu'il est classé 3e cru, Mme veuve Jouffrey-Piston en est propriétaire. Au XXe siècle, le domaine connaît un net déclin. Des 40 hectares de vignes de 1923, il ne reste pas 10 hectares après la guerre et 4 hectares seulement quand M. Brunet l'achète en 1958. Il parvient à reconstituer la propriété, à replanter le vignoble et à restaurer le château. Il conçoit également un cuvier ultra-moderne. En 1961, il vend La Lagune à la maison de Champagne Ayala.

FICHE TECHNIQUE

AOC	Haut-Médoc	Temps de cuvaison	12-15 jours
Production	25 000 caisses	Chaptalisation	si nécessaire (pas en 1970, 1975, 1976)
Date de création du vignoble	1730	Température des fermentations	28 o
Surface	57 ha	Mode de régulation	ruissellement sur serpentin
Répartition du sol	un seul tenant	Type des cuves	métallique revêtu
Géologie	sable grossier, graves légères	Vin de presse	10 %
		Age des barriques	neuves tous les ans

CULTURE

Engrais	organique	Temps de séjour	2 ans environ
Taille	Guyot simple	Collage	blancs d'œufs frais
Cépages	C.S. 55 % - C.F. 20 % - Merlot 20 % - Petit Verdot 5 %	Filtration	aucune
Age moyen	22 ans		
Porte-greffe	Riparia - SO4 - 420 A	Maître de Chai	Jeanne Boyrie
Densité de plantation	6 600 pieds/ha	Régisseur	Jeanne Boyrie
Rendement à l'ha	35-40 hl	Œnologue conseil	Prof. Peynaud
Replantation	par tranches ultérieurement	Type de bouteille	Tradiver
		Vente directe au château	non

VINIFICATION

Levurage (origine)	naturel	Commande directe au château	non
		Contrat monopole	non

■ Lieu de naissance

Autre particularité de La Lagune : son sol. C'est le seul cru classé tributaire des graves mindéliennes, fines et presque sableuses. Cette belle propriété d'un seul tenant culmine à 16 mètres alors que cette croupe comporte une dénivellation d'une dizaine de mètres.

■ Culture et vinification

Encore une particularité : le vignoble a été reconstitué en une seule fois en règes espacées (160 cm), et l'on y pratique la taille Guyot *simple*. La vinification suit les techniques contemporaines ; à noter que le vin est en *totalité* logé, chaque année, en barriques neuves.

■ Le vin

Dernière particularité : La Lagune, depuis plusieurs années, est dirigé par une femme. Mme Boyrie a succédé à feu son mari dans le rôle de régisseur, cette fonction englobant celle de maître de chai.

Généralement, l'âge du vignoble s'établit en calculant une moyenne entre les vignes les plus âgées et les vignes les plus jeunes en production. Château La Lagune ayant été replanté en une fois, l'âge moyen correspond à l'âge de l'ensemble des ceps. Dès 1985, une politique de replantation sera engagée afin d'éviter un renouvellement global du vignoble qui entraînerait une interruption de production et une baisse de qualité. Le pari engagé par M. Brunet, créateur du vignoble actuel, a été gagné : Château La Lagune a retrouvé la solidité qui fit sa réputation il y a un siècle en dépit d'un vignoble ne comportant pas de vieilles vignes dont le rendement par pied (mais non à l'hectare) n'est pas négligeable.

PLAT IDÉAL :
Entrecôte grillée

AGE IDÉAL : *6 à 7 ans*
Années exceptionnelles : *12 à 15 ans*

GRAND CRU CLASSÉ

CHATEAU LA LAGUNE
HAUT·MÉDOC
APPELLATION HAUT·MÉDOC CONTROLÉE
1978
SOCIÉTÉ CIVILE AGRICOLE DU CHATEAU LA LAGUNE
PROPRIÉTAIRE A LUDON (GIRONDE) FRANCE

MIS EN BOUTEILLE AU CHATEAU
PRODUCE OF FRANCE   75cl

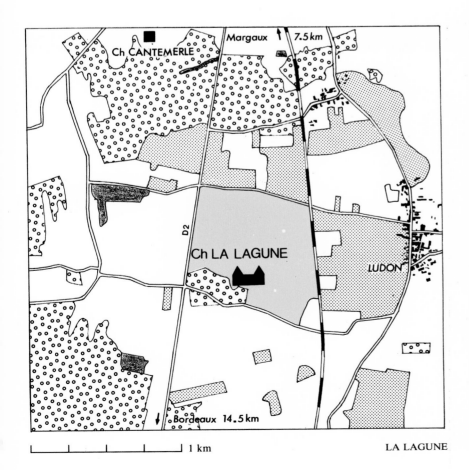

LA LAGUNE

COTATIONS COMMENTÉES

1961	10	parfait ; ouvert depuis 1978 • **à boire**
1962	8	gouleyant • **à boire**
1964	9	généreux ; vendangé avant la pluie • **à boire**
1966	9	souple, élégant, plein • **à boire**
1967	8	moins fin que le 1966 • **à boire**
1970	10	complet, fermé, très tannique • **à boire**
1971	8	souple ; ne peut que décliner • **à boire**
1972	5	petit millésime • **à boire**
1974	6	petit millésime • **à boire**
1975	10	dur, fermé, tannique, riche • **à boire en 1988**
1976	9	goût de rôti évoquant les 1961 ; acidité trop faible • **à boire**
1977	6	léger • **à boire**
1978	10	proche des 1966 ; élégant ; plus souple que les 1975 • **à boire en 1990**
1979	9	traces de lourdeur • **à boire en 1986**
1980	6,5	mieux que 1973, 1974, 1977 • **le goûter**
1981	8-8,5	style 1971, corpulent • **à boire dès 1988**

CHATEAU LA TOUR CARNET

4ᵉ CRU CLASSÉ

On peut admettre que du côté de Blanquefort, la vigne était cultivée il y a quelque 1 000 ans. On est certain qu'en 1400 la butte de La Tour Carnet en était couverte. Le vin qui en était issu valait 12 écus la barrique. A dire vrai, le château portait alors le nom de Saint-Laurent et appartenait à la puissante famille Foix de Candale, dont la forteresse occupait l'emplacement actuel du vignoble de Latour. En 1427, le sire de Carnet en prend possession et guerroie aux côtés des Anglais. La tour d'entrée du château, le pont-levis et les douves emplies d'eau vive sont les témoins de cette époque. Plus tard, Montaigne et son ami La Boétie y vinrent. L'auteur des *Essais* rendait visite à sa sœur Madeleine, épouse de Thibaut de Camin, dont le nom est perpétué par le second vin de La Tour Carnet étiqueté « sire de Camin ». En 1774, M. de Luetkens, négociant bordelais d'origine suédoise, en prend possession. Il profitera de la vente des biens nationaux pour mettre la main sur ce qui devint le Château Meyney (cru bourgeois). Ses descendants furent très attentifs à l'élaboration du vin. Ce sont eux qui obtinrent le 4ᵉ rang au classement de 1855.

Par la suite, le domaine ne fut pas toujours entretenu avec une égale attention par ses propriétaires successifs. Lorsqu'en 1962 un armateur bordelais, M. Lipschitz, s'en rendit acquéreur, le château, les chais et le vignoble portaient la marque d'un certain état d'abandon. Le nouveau propriétaire entreprit aussitôt de replanter 31 hec-

FICHE TECHNIQUE

AOC	*Haut-Médoc*
Production	*16 000 caisses*
Date de création du vignoble	*existait en 1400*
Surface	*32 ha, extension possible : 13 ha*
Répartition du sol	*pratiquement un seul tenant*
Géologie	*graves, argile, sable*

CULTURE

Engrais	*fumier tous les 3 ans, complément chimique*
Taille	*Guyot double médocaine*
Cépages	*C.S. 53 % - C.F. 10 % - M. 33 % - Petit Verdot 4 %*
Age moyen	*20 ans*
Porte-greffe	*Riparia Gloire - 101-14 - 4243 P - quelques SO4*
Densité de plantation	*8 000 pieds/ha*
Rendement à l'ha	*40 hl*
Replantation	*complantation*

VINIFICATION

Levurage (origine)	*naturel*
Temps de cuvaison	*15 jours*
Chaptalisation	*si nécessaire pour atteindre 12°*
Température des fermentations	*inférieur à 30°*
Mode de régulation	*serpentin refroidi*
Type des cuves	*bois, ciment, acier*
Vin de presse	*1/3 à 1/4 du vin de presse*
Age des barriques	*renouvelées tous les 3 ans*
Temps de séjour	*22 mois*
Collage	*blancs d'œufs*
Filtration	*légère, sur plaques, avant la mise en bouteille*
Procédés spéciaux	*chauffage des chais pour les fermentations*
Propriétaire	*S.C.I. La Tour Carnet*
Administrateur	*Mlle Marie-Claire Lipschitz*
Maître de chai	*André Femenia (œnologue) Mlle Lipschitz*
Œnologue conseil	*André Femenia - Station de Pauillac (Couasnon)*
Type de bouteille	*bordelaise (en 1977 Tradiver)*
Vente directe au château	*oui*
Commande directe au château	*oui*
Contrat monopole	*non (exportation oui)*

tares (sur 32), soit 200 000 pieds sur les 208 000, de refaire les chais et de restaurer le château. Actuellement, la direction de l'exploitation est assurée avec dynamisme et efficacité par la jeune Marie-Claire Lipschitz. Il faut saluer cette performance.

■ Lieu de naissance

Lorsque, partant de Beychevelle, on se dirige vers Saint-Laurent et Benon, on reconnaît sur la gauche, après Camensac, la longue allée rectiligne qui conduit au château La Tour Carnet bâti au pied de la « butte de La Tour Carnet », dont la géologie typique intéresse les spécialistes. Sur un socle de marne et d'argile fortement calcaire s'étend une couche irrégulière de graves garonnaises et de graves pyrénéennes plutôt sableuses, culminant à près de 20 mètres d'altitude. La qualité du sol compense ce que l'on considère souvent comme un défaut : l'éloignement de la Gironde et la proximité des forêts, qui favorisent les gelées (en 1977, par exemple).

■ Culture et vinification

L'encépagement est peu commun. La forte proportion de Merlot se justifie puisque les argiles assurent corpulence et robustesse. Les cuvaisons sont plutôt courtes et l'on tend nécessairement à 12 degrés d'alcool pour l'exportation. Pour réguler les températures de fermentation, on arrose tout simplement le serpentin avec l'eau fraîche puisée dans les douves.

■ Le vin

La production de La Tour Carnet ne peut que gagner en concentration et en corpulence car l'âge de tout le vignoble s'accroît, puisqu'il a été planté d'une seule traite. La faculté de lui ajouter 13 hectares permettra d'envisager un roulement de replantation. D'exigentes sélections ont conduit à la création du deuxième vin, baptisé « le sire de Camin ».

PLAT IDÉAL :
Entrecôte grillée

AGE IDÉAL : pas avant 5 ans
Années exceptionnelles : 10 ans

COTATIONS COMMENTÉES

Année	Note	Commentaire
1962		replantation de presque tout le vignoble
1964		très peu de vin
1966	4	trop léger, trop souple, aujourd'hui trop vieux
1967	4	léger et souple, trop évolué
1969	3	extrême minceur
1970	9	à point, ouvert, complet • à boire
1971	7	souple, a dépassé son apogée • à boire sans délai
1972	4	décevant, très petite année • à boire rapidement
1973	5,5	charme, bouquet souple • à boire
1974	5	assez bon pour un petit millésime • à boire
1975	9,5	beau vin complet, bien construit, belle robe • à boire
1976	7	facile, souple • à boire
1977	6	un 1973 gras • peut se boire
1978	7,5	charpenté et équilibré ; se fera assez vite • le goûter
1979	8	petite récolte (!) ; bien construit • à boire dès 1984
1980	6,5	un petit 1978, moins corpulent, moins tannique

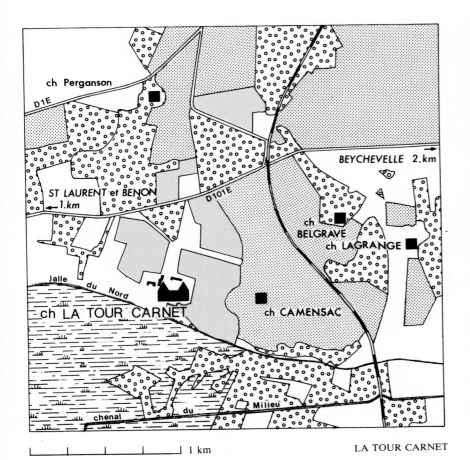

LA TOUR CARNET

└─────────── 1 km

CHATEAU CANTEMERLE

5e CRU CLASSÉ

En venant de Bordeaux, Cantemerle est le deuxième cru classé que l'on rencontre. Le château actuel, composite sur le plan architectural, n'est guère ancien, en dépit de l'antiquité du fief de Cantemerle et des vignes dont on sait qu'elles existent depuis 1570 au moins, grâce aux archives conservées au château. Avant 1579, Cantemerle appartenait à François de Geoffre. Jean de Villeneuve l'acheta et le transmit à ses héritiers. En 1852, le comte de la Vergne expérimenta à Cantemerle les traitements à base de soufre pour combattre l'oïdium. En 1855, Cantemerle est classé 5e cru. La propriété appartient alors à Mme de Villeneuve-Durfort. A la fin du XIXe siècle, Théophile Dubos, négociant et vice-président du Syndicat des grands crus classés du Médoc, l'acquiert. Pierre Dubos, puis Bertrand Clauzel (petit-fils de Théophile Dubos), propriétaire de La Tour de Mons, à Soussans, assurèrent le rayonnement de Cantemerle. Des problèmes d'indivision ont conduit cette famille à vendre cette vaste propriété, fin 1980-début 1981.

FICHE TECHNIQUE

AOC	Haut-Médoc		Temps de cuvaison	15 à 21 jours
Production	6 000-8 000 caisses		Chaptalisation	0,5o à 1o pour aller à 11o5 - 12o
Date de création du vignoble	avant le XVIe siècle		Température des fermentations	33o à 34o maximum sous le chapeau
Surface	25 ha		Mode de régulation	serpentin
Répartition du sol	parcelles groupées		Type des cuves	bois
Géologie	graves très fines sauf une pièce de grosses graves		Vin de presse	10 à 15 %
			Age des barriques	entre 0 et 10 ans

CULTURE

			Temps de séjour	24 mois minimum ; plutôt 30
Engrais	compost organique			
Taille	Guyot double médocaine		Collage	blancs d'œufs frais, en février
Cépages	C.S. 45 % - C.F. 10 % - M. 40 % - Petit Verdot 5 %		Filtration	aucune
Age moyen	20-25 ans		Maître de chai	M. Fraysse
Porte-greffe	Riparia Gloire		Régisseur	M. Bertrand Clauzel ; dès 1981 M. Constantin
Densité de plantation	10 000 pieds/ha		Œnologue-conseil	laboratoire syndical de Pauillac ; dès 1981 M.G. Pauli
Rendement à l'ha	32 à 35 hl			
Replantation	0,7 ha annuel			
Traitement antibotrytis	oui		Type de bouteille	bordelaise ; depuis 1977 Tradiver ; dès 1981 bordelaise
			Vente directe au château	oui ; dès 1981 non

VINIFICATION

			Commande directe au château	oui
Levurage (origine)	naturel		Contrat monopole	oui (Ets. Cordier)

C'est la Maison Cordier qui l'acquit, l'ajoutant à ses deux crus classés du Médoc : Gruaud-Larose et Talbot, sans citer leurs autres vignobles, dont le vaste cru bourgeois de Saint-Estèphe : le Château Meyney.

■ Lieu de naissance

Une vingtaine d'hectares de vignes, dont une proportion non négligeable plantée de Merlot, occupent une faible surface de la propriété, en divers plantiers.

Un kilomètre seulement sépare Cantemerle de La Lagune, et pourtant l'origine des graves de ces deux propriétés diffère. Les terres de Cantemerle se composent de très fines graves günziennes garonnaises, encore qu'une parcelle (au nord-est, voir sur le plan ci-dessous) se compose de grosses graves garonnaises quaternaires du riss. C'est le seul cru classé exploitant des graves de cette époque.

La vinification se distingue par des fermentations à température plutôt élevée (bonne extraction), par l'usage de barriques d'un certain âge dans lesquelles le vin fait un long passage. Les assemblages étaient choisis par les propriétaires assistés du maître de chai, pour stimuler la subtilité du bouquet et la finesse en bouche.

■ L'avenir

La Maison Cordier veut doubler la surface du vignoble (retour au vignoble du XIXᵉ siècle) et conduire l'exploitation selon les méthodes qu'elle applique dans ses autres propriétés — voir Gruaud-Larose et Talbot. Le vin de Cantemerle en sera-t-il modifié ?

PLAT IDÉAL :
Rôti de veau

AGE IDÉAL : 10 ans
Années exceptionnelles : 15 ans

PRODUCE OF FRANCE
APPELLATION HAUT-MÉDOC CONTROLÉE

1970
CHÂTEAU CANTEMERLE
GRAND CRU CLASSÉ DE MÉDOC
Héritiers Pierre J. DUBOS, Propriétaires   Macau-en-Médoc
73 cl.

COTATIONS COMMENTÉES

Année	Note	Commentaire
1961	10	complet, puissant, vendange proche de la surmaturation • **à boire**
1962	9	bouqueté, charnu • **à boire**
1964	8,5	nez musqué, tannins fondus • **devrait être bu**
1966	8	nèz puissant, un peu court en bouche • **devrait être bu**
1967	7,5	nez évolué, équilibré • **à boire sans attendre**
1969	7	délicat avec une pointe d'acidité • **à boire**
1970	9,5	belle robe, nez encore fermé, tannique • **à boire en 1984**
1971	9	proche du 1970 • **à boire**
1972	6	très évolué, manque d'étoffe • **à boire sans délai**
1973	7	fin au nez et en bouche • **à boire**
1974	6,5	année moyenne • **à boire**
1975	9,5	éclatant, équilibré, belle évolution à suivre • **à boire en 1986-1988**
1976	9	souple, facile, agréable • **à boire**
1977	8	bouquet délicat • **commencer à le boire**
1978	9,5	belle robe, beau nez, généreux, équilibré • **à boire en 1988**
1979	9	dans l'esprit des 1978 mais un ton au-dessous • **à boire en 1988**
1980	8,5	belle robe, nez fruité • **à boire en 1985**
1981	9	boisé, fin • **à boire dès 1988**
1982	9,5	souplesse et équilibre

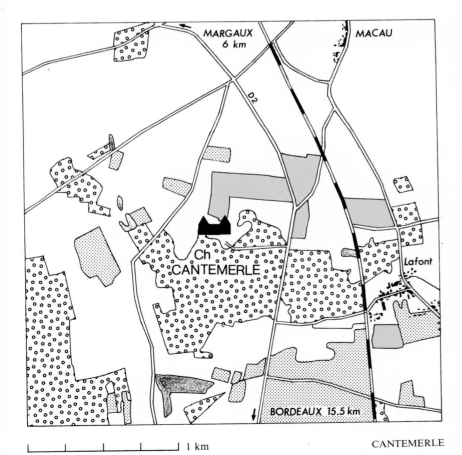

MARGAUX 6 km   MACAU

D 2

Ch CANTEMERLE

Lafont

BORDEAUX 15.5 km

├──────┤ 1 km

CANTEMERLE

131

CHATEAU BELGRAVE

5e CRU CLASSÉ

Il est peut-être prématuré d'examiner la situation actuelle du Château Belgrave qui a connu au cours de la période récente plusieurs changements de main peu propices au maintien de sa qualité. Ni les chais, ni le château, ni la propriété n'ont reçu, il faut bien le dire, au cours de la précédente décennie, l'entretien nécessaire.

■ **Culture et vinification**

Les nouveaux propriétaires, qui ont assuré la vinification du 1979, ne se sentent réellement responsables du vin que depuis le millésime 80. Ils ont des projets ambitieux dont le premier est évidemment la restauration de l'image de marque du Château Belgrave. Pour cela, ils ont entrepris de vastes travaux dans le vignoble : les fossés ont été curés, les drains refaits, ce qui est essentiel (il n'y a pas de vins valables sans bon drainage). 120 000 piquets ont été enfoncés,

FICHE TECHNIQUE

AOC	Haut-Médoc		Temps de cuvaison	15 jours (1980 : 18 jours)
Production	25 000 caisses		Chaptalisation	environ 1o
Date de création du vignoble	XVIIIe siècle		Température des fermentations	26o
Surface	44 ha (extension prévue : 11 ha)		Mode de régulation	par groupe réfrigérant
Répartition du sol	vignoble d'un seul tenant		Type des cuves	actuellement ciment
Géologie	graves profondes sur sol calcaire		Vin de presse	8-10 %
			Age des barriques	1979 : 80 % neuves 1980 : 100 % neuves

CULTURE

Engrais	chimique et organique		Temps de séjour	18 mois
Taille	Guyot double médocaine		Collage	gélatine
Cépages	C.S. 40 % - C.F. 20 % - Merlot 35 % - Petit Verdot 5 %		Filtration	sur terre après les fermentations malolactiques ; sur plaques à la mise en bouteilles
Age moyen	20 ans			
Porte-greffe	101-14			
Densité de plantation	10 000 pieds/ha, 8 500 pieds/ha (nouvelles plantations)		Chef de culture	Pierre Desmarets
			Œnologue conseil	Prof. Peynaud
Rendement à l'ha	1970 : 35 hl ; 1978 : 39 hl		Type de bouteille	Tradiver
Replantation	par tranches de 1 ha - 1,5 ha		Vente directe au château	oui
Traitement antibotrytis	sur Merlot exclusivement			
			Commande directe au château	oui

VINIFICATION

Levurage (origine)	pied de cuve		Contrat monopole	oui - C.V.B.G.

7 000 kilogrammes de fil de fer déroulés. Des projets d'extension du vignoble, planté de telle façon que la machine à vendanger puisse opérer, sont en cours d'exécution. Belgrave pourrait être ainsi le premier cru classé vendangé mécaniquement. Les travaux ne s'arrêtent pas au vignoble, le château est restauré, les chais sont réaménagés ou reconstruits, un équipement moderne de vinification est déjà en place. A l'achèvement de ces travaux, Château Belgrave détiendra les moyens matériels dont disposent ses proches voisins Château de Camensac et Château La Tour Carnet. Rien ne s'opposera alors à ce que le vin produit au Château Belgrave retrouve sa place au niveau de Château de Camensac (5e cru classé), dont la majorité du vignoble est tributaire d'un sol et d'un climat identiques (mais avec moins de Merlot), alors que La Tour Carnet (4e cru classé) bénéficie d'une « croupe » légèrement différente.

■ Le vin

Faire du Château Belgrave un véritable 5e cru classé, orienté plutôt du côté de la souplesse, afin de permettre une évolution assez rapide du vin, tel est l'objectif des nouveaux propriétaires. On remarquera dans cet esprit la bonne proportion de Merlot et les cuvaisons plutôt brèves. Il faut souhaiter que la chair du vin n'en pâtisse pas. Château Belgrave n'aura pas de « 2e marque » car les vins non retenus lors de l'assemblage seront vendus en vrac au bénéfice de l'appellation Médoc.

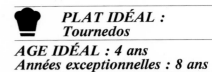

PLAT IDÉAL :
Tournedos

AGE IDÉAL : 4 ans
Années exceptionnelles : 8 ans

GRAND CRU CLASSÉ

Château Belgrave

HAUT-MÉDOC
APPELLATION HAUT-MÉDOC CONTRÔLÉE

SOCIÉTÉ D'EXPLOITATION DU CHATEAU BELGRAVE
A SAINT-LAURENT-DU-MÉDOC (GIRONDE)

PRODUCE OF FRANCE

MIS EN BOUTEILLE AU CHATEAU

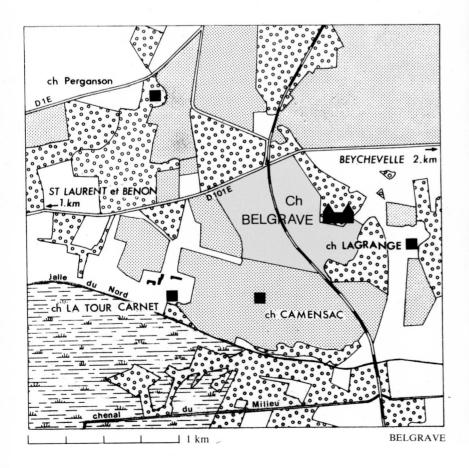

BELGRAVE

CHATEAU DE CAMENSAC

5ᵉ CRU CLASSÉ

On sait peu de chose sur l'apparition de la vigne à Camensac. Il est clair qu'à La Tour Carnet, contiguë de Camensac, la vigne était travaillée dès le XVᵉ siècle. A Camensac, il est difficile de soutenir qu'on ait récolté du raisin avant la fin du XVIIIᵉ siècle, dans le meilleur des cas. Néanmoins, en 1855, M. Popp, propriétaire d'alors, voit son vin gratifié du rang de 5ᵉ cru. La « marque » — ou le cru en tant que tel — devait sans doute exister dès 1830.

■ Lieu de naissance

L'essentiel du vignoble entoure le château de Camensac, enserré au nord par Belgrave et au sud-ouest par La Tour Carnet. Tous ces vignobles sont contigus et se trouvent au sud de la route joignant Beychevelle à Saint-Laurent et Benon, à mi-distance de ces deux villages. Le deuxième lot de 15 hectares fait face aux vignes de Branaire-Ducru, sur une croupe sensiblement plus argileuse que le vignoble principal.

■ Culture et vinification

L'encépagement conseillé par le professeur Peynaud semble parti-

---

FICHE TECHNIQUE

AOC	Haut-Médoc	Chaptalisation	insensible en 75 et 76 le vin idéal : 12º à 12º6
Production	20 000 caisses		
Date de création du vignoble	fin XVIIIᵉ siècle	Température des fermentations	28º
Surface	60 ha dont 58 en production	Mode de régulation	par serpentin refroidi
Répartition du sol	2 lots : 45 ha + 15 ha (Le Bouscat Nord)	Type des cuves	ciment
		Vin de presse	6 à 10 %
Géologie	graves sur alios	Age des barriques	renouvellement annuel par 1/3
		Temps de séjour	16 mois

CULTURE

Engrais	fumier	Collage	blancs d'œufs
Taille	Guyot double médocaine	Filtration	sur plaques avant la mise
Cépages	C.S. 60 % - C.F. 20 % - M. 20 %	Procédés spéciaux	léger chauffage pour amorcer la fermentation
Age moyen	20 ans	Propriétaire	Société fermière du Château de Camensac
Porte-greffe	Riparia - 101-14 SO4 - 68-69, 420 A	Administrateur	M. Forner
Densité de plantation	près de 10 000 pieds/ha	Maître de Chai	Pierre Lalaune
Rendement à l'ha	30 à 35 hl ; 29 hl en 1980	Régisseur	M. Fescaux
Replantation	par tranchées	Œnologue conseil	laboratoire de Pauillac et Prof. Peynaud
Traitement antibotrytis	oui	Type de bouteille	bordelaise
		Vente directe au château	oui

VINIFICATION

Levurage (origine)	naturel	Commande directe au château	oui
Temps de cuvaison	14 à 21 jours	Contrat monopole	non

culièrement adapté à un 5e cru dont la longévité est fatalement limitée. L'éloignement des rangs, distants de 145 centimètres, pourrait indiquer que l'emploi ultérieur de la machine à vendanger n'est pas exclu. Signalons que M. Forner, également propriétaire du vignoble géant de Larose-Trintaudon (160 ha), vendange ce cru bourgeois à l'aide de deux machines dont il est entièrement satisfait. Néanmoins, il ne veut pas vendanger Camensac mécaniquement. L'âge moyen du vignoble n'est peut-être pas assez élevé car on procéda à de fortes plantations dans les années 1965 et 1966, et les très vieux ceps ne produisent presque plus rien. La proportion de vin de vieille vigne est donc très faible.

La vinification est sagement orientée vers la production d'un cinquième cru : cuvaison assez courte et passage en barriques peu prolongé. Dans le même esprit, M. Forner préfère les fermentations à température basse. Tout concourt à doter ce vin de fraîcheur et de bouquet plutôt que d'une forte charpente.

■ Le vin

Les améliorations apportées au vignoble et à la vinification ont eu des résultats encourageants. M. Forner, se trouvant à la tête d'un cru bourgeois (Larose-Trintaudon) et d'un cru classé, peut donner l'exemple de conduites différenciées adaptées aux résultats recherchés et à la hiérarchie des terroirs. Le passage dans des barriques fréquemment renouvelées indique un soin particulier. Les sélections n'ont pas eu pour conséquence la création d'une deuxième marque puisque les vins non retenus pour Camensac sont cédés en vrac sous l'appellation Haut-Médoc. Château de Camensac est vendu pour deux tiers à l'étranger et pour un tiers en France.

PLAT IDÉAL :
Rôti de veau

AGE IDÉAL : 7 ans
Années exceptionnelles : 10 ans

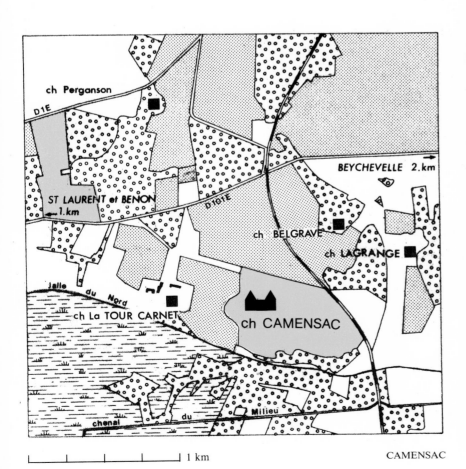

CAMENSAC

COTATIONS COMMENTÉES		
1961		vins élaborés avec négligence par l'ancien propriétaire
1962		vins élaborés avec négligence par l'ancien propriétaire
1964		vin mal fait, n'a pas été vendu ; propriété achetée en 1965
1966	7	vin fin et assez complet • **devrait être bu**
1967	7	les tannins furent longs à se fondre • **il faut le boire**
1969	5	année maigre • **devrait être bu**
1970	8,5	commence à s'ouvrir • **à boire**
1971	7,5	fin et léger, manque de robe • **à boire**
1972	4	petite année • **devrait être bu**
1973	6,5	vin de charme • **à boire d'urgence**
1974	7	les tannins ont péniblement évolué • **à boire**
1975	9,5	fermé, concentré, tannique, charpenté, corpulent, long • **le goûter en 1984-1985**
1976	7,5	agréable, facile, gras, rond ; excès de souplesse • **à boire**
1977	6	entre 1969 et 1977 • **à boire**
1978	8	rondeur, tannins fondus • **à boire en 1984**
1979	8	supérieur à 1976 ; gras • **à boire en 1985**
1980	6,5	genre 1973, fruité, gouleyant • **à boire dès 1988**
1981	8	équilibré • **à boire dès 1990**

CHATEAU HAUT-BRION
1ᵉʳ CRU CLASSÉ (1855)

Haut-Brion est un domaine exemplaire. C'est sans conteste le doyen des crus bordelais. Jean de Pontac épouse en 1525 Jeanne de Bellon qui lui apporte la terre de Haut-Brion. En 1553, il achète à Jean Duhalde, un Basque, le fief de Haut-Brion. Le vignoble est désormais créé, sa succession assurée : Jean de Pontac est le père de quinze enfants. Il mourra serein et plus que centenaire, en 1589. La riche famille occupera les plus hautes fonctions dans le Bordelais tout en créant, dès 1650, la notion de cru, développée parallèlement (ou grâce) à la science de la vinification (vieillissement en barriques, ouillage, soutirage). Un siècle avant la Révolution, Haut-Brion échoit par alliance aux Fumel. Le comte (Joseph) de Fumel (voir également Margaux), bien que bienfaiteur de Bordeaux, de Pessac et de Fumel, n'échappe pas à la guillotine en 1794. Ses neveux vendent Haut-Brion en 1801 à Talleyrand, qui élève la gastronomie, grâce à Carême (et à Haut-Brion), au rang d'arme diplomatique.

Après avoir appartenu à Comynes et Beyermann, Haut-Brion, dès 1836, devient la propriété des Larrieu. En 1855, il est fort justement classé 1ᵉʳ grand cru. Des problèmes d'indivision contraignent les neveux Larrieu, créateurs de l'étiquette toujours en usage, à vendre Haut-Brion en 1922 à M. André Gibert qui, dès 1923, décide de ne vendre son vin qu'en bouteilles. Il est acquis en 1935 par Clarence Dillon. Sa petite-fille, la duchesse de Mouchy, est actuellement P.-D.G. de la S.A. « Domaine Clarence Dillon ».

FICHE TECHNIQUE

AOC	Graves
Production	12 000 caisses
Date de création du vignoble	1550
Surface	44 ha (dont 3 ha vignes blanches)
Répartition du sol	divisé en deux parcelles
Géologie	graves garonnaises

CULTURE

Engrais	fumier tous les cinq ans
Taille	Guyot double
Cépages	G.S. 55 % - C.F. 20 % - M. 25 %
Age moyen	27 ans
Porte-greffe	Riparia Gloire 420 A/3 3309
Densité de plantation	8 000 pieds/ha
Rendement à l'ha	36 hl
Replantation	1 ha annuel
Traitement antibotrytis	non - voir texte

VINIFICATION

Levurage (origine)	naturel
Temps de cuvaison	15 jours
Chaptalisation	0,8° (12° en bouteille)
Température des fermentations	30° à 33°
Mode de régulation	ruissellement sur cuves
Type des cuves	inox
Vin de presse	en fonction du millésime
Age des barriques	neuves
Temps de séjour	27 mois
Collage	6 blancs d'œufs par barrique
Filtration	sur plaques à la mise

Maître de chai	M. Jean Portal
Directeur d'exploitation	M. Jean Delmas
Œnologue conseil	M. Jean Delmas
Type de bouteille	type Haut-Brion spéciale depuis 1958
Vente directe au château	non
Commande directe au château	non
Contrat monopole	non

■ Lieu de naissance

La voie de chemin de fer et la route nationale 650 Bordeaux-Arcachon bordent les deux parcelles de Haut-Brion. Deux croupes sises entre 20 et 30 mètres d'altitude, composées d'un socle de gravier pyrénéen, recouvert par près de 10 mètres de grosses graves garonnaises quartziques et siliceuses du günz, bénéficient d'un climat, voire d'un microclimat, propice à l'élaboration d'un grand vin : pas de brouillard et peu de pluie.

■ Culture et vinification

Dans une même variété, les cépages présentent de notables différences. Il importe donc de procéder à des sélections rigoureuses. A Haut-Brion, 370 clones ont été retenus et font l'objet d'études, car il est prouvé que la multiplication d'un seul clone, fût-il le meilleur, ne produirait pas le meilleur vin. M. Delmas, chef d'exploitation, ne tient pas au traitement antibotrytis. Il lui préfère la vieille « bouillie bordelaise ». Il ne croit pas systématiquement aux cuvaisons longues et donne pour exemple le Haut-Brion 1926, vin très typé d'une très bonne année, encore excellent de nos jours quoique cuvé six jours seulement ! La durée des cuvaisons dépend de la maturité du raisin, et l'on recherchera presque toujours des températures de macération plutôt élevées pour obtenir une bonne extraction (jusqu'à 33°).

■ Le vin

L'équilibre des vins s'est modifié au cours du temps. Autrefois, une acidité de 5 à 6 grammes (par litre) et un degré alcoolique de 9° à 11° satisfaisaient. De nos jours, l'acidité a diminué de 30 % alors que le degré alcoolique a augmenté de 20 % environ. Dans le même esprit, on recherche aujourd'hui des tannins qui se « fondent » agréablement et rapidement. A signaler un vin riche et rare : le Haut-Brion blanc — cru non classé (!) — issu de 50 % de Sémillon et de 50 % de Sauvignon, vinifié et élevé en barriques neuves.

PLAT IDÉAL :
Selle de veau Orloff

AGE IDÉAL : 6 à 10 ans
Années exceptionnelles : 15 à 20 ans

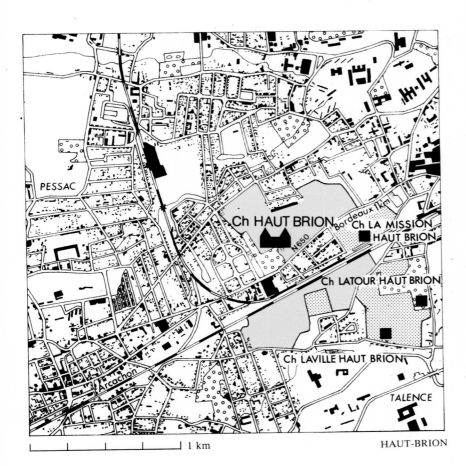

HAUT-BRION

COTATIONS COMMENTÉES

Année	Note	Commentaire
1961	10	riche, complexe, harmonieux, fruité, floral • **à boire**
1962	9	ample, ferme, complexe, long • **commencer à le boire**
1964	8,5	vendangé avant la pluie, fin et long • **à boire sans trop attendre**
1966	8,5	corpulent et tannique • **à boire en 1983-1985**
1967	7	harmonieux et gras • **à boire**
1970	9	rond, charnu, complexe, tannique • **à boire en 1985**
1971	8	harmonieux et boisé • **à boire**
1972	5	étroitesse et minceur • **à boire**
1973	7	légèreté, finesse, élégance • **à boire**
1974	7	supérieur à la réputation du millésime, riche et long • **à boire en 1985**
1975	10	puissant, complexe, fruité, tannins fondus • **à boire en 1990-2000**
1976	8	souplesse et suavité • **commencer à le goûter**
1977	6	manque d'ampleur ; ferme • **à boire**
1978	9	richesse et rondeur ; fruit mûr • **à boire en 1988-1990**
1979	9,5	puissant et racé, tannins équilibrés • **à boire en 1991-1995**
1980	6,5	souplesse, simplicité, harmonie • **à boire dès 1985**
1981	9	charme et complexité • **à boire vers 1990-2000**

CHATEAU PAPE CLÉMENT

CRU CLASSÉ

Château Haut-Brion peut légitimement prétendre à la doyenneté des crus bordelais. C'est en effet à Haut-Brion que le perfectionnement des techniques de vinification, au XVIIᵉ siècle, permit le développement de spécificités tenant aussi bien du terroir que de la facture : Samuel Pepys raconte que, le 10 avril 1663, il but à Londres un « Ho-Bryan », vin qui ne ressemblait à nul autre. Néanmoins le Château Pape Clément peut se prévaloir d'une antériorité indiscutable puisqu'il fut créé en 1300 par Bertrand de Goth, archevêque de Bordeaux. Six ans plus tard, cet ecclésiastique fut élu pape et se donna le nom de Clément V. Il poursuivit sa croisade en faveur du vin lors de son installation en Avignon. La vigne se répandit dans le Comtat venaissin. C'est également à lui que nous devons le Châteauneuf du Pape. Son domaine bordelais revint à son successeur, le cardinal Arnaud de Canteloup, et le vin prit le nom de « Pape Clément ». Alors que Château Haut-Brion n'est pas encore né, la réputation du Château Pape Clément est établie : Rabelais n'évoque-t-il pas, dans la première moitié du XVIᵉ siècle le « vin clémentin » ?

Il s'en est fallu de peu que Château Pape Clément ne disparût. La famille Cinto connut de telles difficultés que la banque Gomes-Weiss s'en empara alors que la grêle du 8 juin 1937 avait saccagé

FICHE TECHNIQUE

AOC	Graves		Temps de cuvaison	3 à 4 semaines
Production	10 000 caisses		Chaptalisation	si nécessaire
Date de création du vignoble	1300		Température des fermentations	25º-28º
Surface	27 ha		Mode de régulation	par serpentin
Répartition du sol	en trois parcelles groupées		Type des cuves	ciment
Géologie	graves moyennes		Vin de presse	0 à 50 %
			Age des barriques	neuves
			Temps de séjour	2 ans
			Collage	6 blancs d'œufs
			Filtration	aucune

CULTURE

Engrais	organique et chimique
Taille	Guyot double
Cépages	C.S. 66,5 % - M. 33,5 %
Age moyen	30 ans
Densité de replantation	7 000 pieds/ha
Rendement à l'ha	27 hl
Replantation	par tranches
Traitement antibotrytis	oui

Maître de chai	M. René Raymond
Régisseur	M. Musyt
Œnologue-conseil	Prof. Peynaud
Type de bouteille	bordelaise spéciale à monogramme
Vente directe au château	oui
Commande directe au château	oui
Contrat monopole	non

VINIFICATION

Levurage (origine)	pied de cuve

toutes les vignes. Un homme, Paul Montagne, pour éviter le lotissement des terrains, acheta la propriété en 1939 et replanta le vignoble. De nos jours, sa fille et son fils, Léo Montagne, animent la S.A.R.L. qui perpétue l'œuvre de leur père.

■ Lieu de naissance

Deux kilomètres après Château Haut-Brion, sur la route nationale 650 en direction d'Arcachon, une pancarte annonce le Château Pape Clément. Entre 35 et 45 mètres d'altitude, une croupe de graves un peu plus fines que celles de son illustre voisin accueille les cépages traditionnels bordelais.

■ Culture et vinification

L'encépagement n'est pas tout à fait classique puisque le Cabernet Franc en est absent. La taille pratiquée est celle en usage dans le Médoc, la Guyot double. L'exploitation d'une technique de vinification classique et éprouvée, associée à un élevage en barriques renouvelées tous les ans, s'accorde parfaitement aux vins recherchés et obtenus.

■ Le vin

M. Clavé, directeur aux établissements Montagne, remarque que le Château Pape Clément est un vin que l'on peut boire assez rapidement, que le millésime soit prestigieux ou quelconque. Par contre, la longévité du vin est évidemment fonction de la qualité du millésime. C'est un vin paradoxal puisqu'il est viril, robuste, de forte couleur tout en n'exigeant pas une longue attente avant de pouvoir être consommé.

A signaler un Pape Clément blanc (non classé), de haute qualité (vinifié en barriques, 1 500 caisses), malheureusement si rare qu'il n'est pas commercialisé.

PLAT IDÉAL :
Onglet à l'échalote

AGE IDÉAL : 5 à 6 ans
Années exceptionnelles : 6 à 7 ans et au-delà

GRAND VIN DE BORDEAUX

GRAND CRU CLASSÉ
CHATEAU PAPE CLÉMENT
GRAVES
APPELLATION GRAVES CONTROLÉE
1976
Ste MONTAGNE & Cie PROPRIÉTAIRE A PESSAC-GIRONDE
MIS EN BOUTEILLE AU CHATEAU
73 cl
PRODUCT OF FRANCE

COTATIONS COMMENTÉES

Année	Note	Commentaire
1961	10	parfaitement typé Graves, concentré • **à boire**
1962	10	l'un des Graves les plus réussis de ce millésime • **à boire**
1964	7	plus léger, quoique vendangé avant les pluies • **à boire**
1966	8	souple et fruité • **à boire sans délai**
1967	7	a dépassé son apogée • **à boire sans délai**
1970	9,5	solide et musclé, raisins très mûrs • **à boire**
1971	8,5	très proche des 1970, élégant • **à boire**
1972	5	qualité moyenne • **devrait être bu**
1973	6	très harmonieux, belle évolution en bouteilles • **commencer à le boire sans se presser**
1974	5	petit millésime • **à boire**
1975	9	dans l'esprit des 1970, ferme et profond • **à boire**
1976	8	complet mais très souple • **à boire**
1977	6	petite année qui s'est améliorée en bouteilles • **à boire rapidement**
1978	9,5	un grand millésime • **à boire en 1985-1986**
1979	9	proche de l'année précédente • **à boire en 1985**
1980		attendre qu'il se « fasse » pour se prononcer

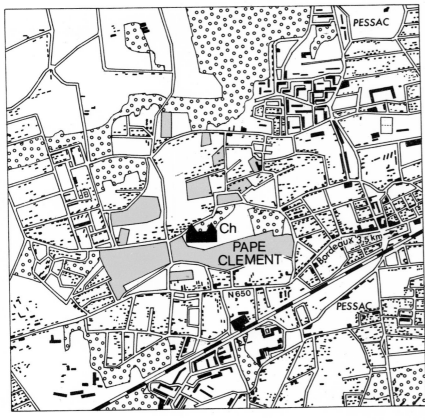

├─────┼─────┼─────┤ 1 km

PAPE CLÉMENT

CHATEAU LA MISSION HAUT-BRION

CRU CLASSÉ

S on nom n'est pas usurpé. Il le tient d'un ordre religieux, la congrégation de la mission des lazaristes. Olive de Lestonnac, veuve d'Antoine de Gourgue, premier président du parlement de Guyenne, fit don, en 1630, de son domaine viti-vinicole à Jean de Fonteneil, directeur de la communauté des prêtres du clergé de Bordeaux. En 1682, l'ordre de la mission prend possession des biens de la communauté du clergé, agrandit le vignoble et élève, en 1698, une petite chapelle qui existe toujours. A la Révolution, la propriété est déclarée bien national et, comme telle, mise en vente. Elle est acquise par Martial Victor Vaillant. Dès 1821, Célestin Chiapella en prend possession suivi par Jérôme puis par Victor Coustau. Enfin, dans l'année 1920, Frédéric Woltner se porte acquéreur du Château La Mission Haut-Brion. Quelques années plus tard, en 1924, Mme Coustau remet aux Woltner le vignoble voisin : La Tour Haut-Brion. Ainsi s'est constituée la Société civile des Domaines Woltner à laquelle Françoise et Francis Dewavrin-Woltner vouent tous leurs soins.

■ **Lieu de naissance**

A cheval sur les communes de Bordeaux, de Talence et de Pessac, La Mission Haut-Brion est entourée d'immeubles d'habitation. Sa surface, fixée il y a plus d'un siècle, ne saurait être augmentée. Le vignoble principal jouxte le château au nord de la voie de chemin de fer, il n'est séparé de la grande parcelle de Château Haut-Brion que

---

FICHE TECHNIQUE

AOC	Graves		Temps de cuvaison	14 à 15 jours
Production	4 800 caisses		Chaptalisation	si nécessaire - rare
Date de création du vignoble	XVIIe siècle		Température des fermentations	30°
Surface	12 ha		Type des cuves	acier vitrifié
Répartition du sol	en trois parcelles		Vin de presse	première presse
Géologie	graves très profondes		Age des barriques	renouvellement par tiers annuel
			Temps de séjour	20 à 24 mois

CULTURE

Engrais	organique et chimique		Collage	blancs d'œufs
Taille	Guyot simple		Filtration	aucune
Cépages	C.S. 60 % - C.F. 5 % - M. 35 %			
Age moyen	25 ans		Maître de chai	Michel Lagardère
Porte-greffe	SO4		Régisseur	Henri Lagardère
Densité de plantation	10 000 pieds/ha		Œnologue conseil	Michel Lagardère et Prof. Peynaud
Rendement à l'ha	30 hl		Type de bouteille	Tradiver
Replantation	2 % par an		Vente directe au château	non
Traitement antibotrytis	oui		Commande directe au château	non

VINIFICATION

Levurage (origine)	naturelle		Contrat monopole	non

par la route nationale 650, de Bordeaux à Arcachon. De l'autre côté de la voie de chemin de fer, deux parcelles longent le deuxième vignoble de Haut-Brion, dont celle baptisée « le Résidu », non seulement point culminant de la région à l'altitude de 31 mètres mais terroir au sommet de la qualité. La couche de grosses graves günziennes est très épaisse, entre 10 et 15 mètres. Elle repose sur quelques mètres de gravier argilo-sableux d'origine pyrénéenne du pontien et du pliocène. Ce type de sol assure un drainage efficace parfaitement adapté à la culture de la vigne de qualité.

■ Culture et vinification

Une généreuse fumure amende le sol lors des plantations. Le plan de renouvellement s'étale sur 50 ans. Actuellement, les plus vieilles vignes atteignent l'âge de 60 ans. Traitement antibotrytis et bouillie bordelaise sont appliqués. Lors des mauvaises années, il arrive que l'on traite jusqu'à quatorze fois. Pour d'autres détails, dont les vendanges, se rapporter au chapitre consacré à La Tour Haut-Brion.

Sous l'impulsion d'Henri Woltner, les procédés de vinification les plus modernes furent essayés à La Mission. C'est ainsi que les deux premières cuves en acier vitrifié furent installées en 1926, probablement les premières en usage pour l'élaboration d'un grand vin. Les cuvaisons s'étalent sur une quinzaine de jours, les fermentations malolactiques se font en cuves et les assemblages sont réalisés au mois de janvier.

■ Le vin

Sa robe est très soutenue, son harmonie délibérément recherchée lors de la vinification, particulièrement pour la teneur tannique du vin, par l'usage modulé des barriques d'élevage (âge et temps de séjour). Des comparaisons entre Château Haut-Brion et Château La Mission Haut-Brion s'imposent. Selon l'évolution et l'âge des vins, selon les millésimes, les verdicts sont partagés. Belle référence !

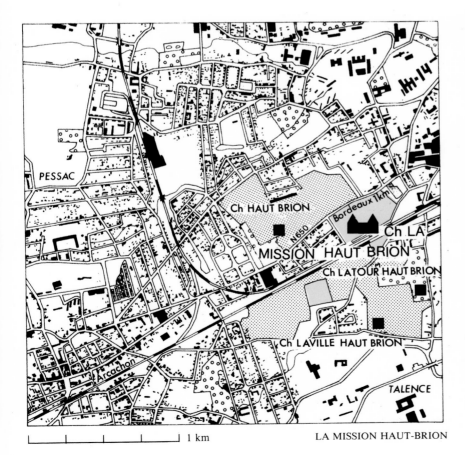

LA MISSION HAUT-BRION

PLAT IDÉAL :
Lièvre à la royale

AGE IDÉAL : 6 à 7 ans
Années exceptionnelles :
20 ans minimum

✝
CHÂTEAU
LA MISSION HAUT BRION
GRAVES
APPELLATION GRAVES CONTRÔLÉE
Cru classé

1978

SOCIÉTÉ CIVILE DES DOMAINES WOLTNER
PROPRIÉTAIRE A TALENCE (GIRONDE) FRANCE
PRODUCE OF FRANCE
MIS EN BOUTEILLES AU CHATEAU 750 ML

COTATIONS COMMENTÉES

Année	Note	Commentaire
1961	10	riche et complexe ; peut-être supérieur au 1929 • à boire
1962	8	facile, épanoui • à boire
1964	9,5	été chaud + pluie ; sélections, vinifications réussies • à boire
1966	8	quantité et facilité • à boire
1967	7	dans la moyenne • à boire
1969	6	vin dur, bien évolué • à boire maintenant
1970	9	puissant et coloré ; s'ouvrira-t-il ? • à surveiller
1971	9	finesse et équilibre • à boire
1972	5	petite année • à boire
1973	5	Henri Woltner malade • à boire
1974	6,5	pluie froide, raisins sains • à boire
1975	10	comparables au 1929 et au 1961 ; peut-être supérieurs • dépasseront l'an 2000
1976	8	manque de densité • à boire
1977	7	gel, vin déséquilibré • à boire en 1987
1978	9	généreux, rond, plein • à boire en 1988
1979	8	dans l'esprit du 1978 • à boire en 1989
1980	6,5	épicé, persistant • à boire dès 1986
1981	8	riche, aromatique, tannique • à boire dès 1991
1982		riche, tannins mûrs • longue garde

CHATEAU LA TOUR HAUT-BRION

Cette propriété, dont il est fait mention avant la Révolution, a connu une vie parallèle à celle du Château La Mission Haut-Brion, acquise par Frédéric Woltner en 1920. Lors de cette vente par M. Coustau, il fut prévu que le vin de La Tour Haut-Brion serait vinifié dans les chais de La Mission Haut-Brion, ceux du Château La Tour Haut-Brion n'étant pas opérationnels. C'est ainsi que Frédéric Woltner devint fermier de Château La Tour Haut-Brion. Cette alliance des deux vins n'est pas nouvelle puisque, dès 1830, ils ont été vinifiés dans le même chai. A la mort de Mme veuve Coustau, en 1924, le domaine revint à la famille Woltner qui le possède toujours.

■ **Lieu de naissance**

La propriété Château La Tour Haut-Brion est sise au sud de la voie de chemin de fer. Elle jouxte les vignobles du Château La Mission Haut-Brion et du Château Haut-Brion dont elle n'est séparée que par une petite route. Comme ses grands voisins, elle est entourée d'immeubles d'habitation, c'est un vignoble « citadin ». Il est limité au sud par les vignes blanches de Château Laville Haut-Brion (voir ce chapitre), vignoble créé à ses dépens. L'important parc de la Maison maternelle de Cholet diminue sa surface. Dans l'ensemble, le vignoble est incliné en direction du sud - sud-ouest, entre 25 et 19 mètres d'altitude. Le sol est composé de graves günziennes quelque peu argileuses sur apport sablo-graveleux pyré-

FICHE TECHNIQUE

AOC	*Graves*		Temps de cuvaison	*14 à 15 jours*
Production	*3 200 caisses*		Chaptalisation	*si nécessaire ; absente des grands millésimes*
Date de création du vignoble	*XVIIe siècle*		Température des fermentations	*30°*
Surface	*8 ha*			
Répartition du sol	*un seul tenant*		Type des cuves	*acier vitrifié*
Géologie	*graves*		Vin de presse	*oui (voir texte)*
			Age des barriques	*renouvellement par tiers annuel*

CULTURE

			Temps de séjour	*20 à 24 mois*
Engrais	*organique et chimique*		Collage	*blancs d'œufs*
Taille	*Guyot simple*		Filtration	*aucune*
Cépages	*C.S. 60 % - C.F. 5 % - M. 35 %*			
Age moyen	*25 ans*		Maître de chai	*Michel Lagardère*
Porte-greffe	*SO4*		Régisseur	*Henri Lagardère*
Densité de plantation	*10 000 pieds/ha*		Œnologue conseil	*Michel Lagardère et Prof. Peynaud*
Rendement à l'ha	*30 hl*		Type de bouteille	*Tradiver*
Replantation	*2 % par an*			
Traitement antibotrytis	*oui*		Vente directe au château	*non*
			Commande directe au château	*non*

VINIFICATION

Levurage (origine)	*naturel*		Contrat monopole	*non*

néen. La différence d'altitude traduit une diminution de l'épaisseur des terrains de graves.

■ Culture et vinification

Les vignes sont cultivées et les moûts vinifiés selon les principes décrits dans le chapitre consacré au Château La Mission Haut-Brion. Il y a lieu de remarquer que les trois vignobles Woltner bénéficient d'un climat dû à l'agglomération bordelaise. La concentration urbaine provoque un réchauffement sensible et mesurable de l'atmosphère d'un degré sur la moyenne annuelle ! La proximité du campus de l'université de Bordeaux accueillant 45 000 étudiants a pour conséquence d'offrir un vaste réservoir de main-d'œuvre à l'époque des vendanges. Les vendanges ont lieu au jour et à l'heure les plus favorables puisque de gros bataillons de vendangeurs sont disponibles à la demande.

Les vins de La Mission Haut-Brion et de La Tour Haut-Brion sont très proches car ils sont vinifiés ensemble dans le même chai. Ils ne s'individualisent qu'ultérieurement. A l'heure des sélections, les cuvées les plus riches prendront l'identité du Château La Mission Haut-Brion alors que les autres auront l'étiquette du Château La Tour Haut-Brion. Dès lors les deux vins seront traités différemment. Par exemple, « l'assaisonnement » au vin de presse, lequel est filtré, complétera l'assemblage de La Tour Haut-Brion qui s'affirmera avant sa mise en bouteilles par un élevage de près de deux années en barrique.

■ Le vin

Il se différencie de celui de La Mission Haut-Brion par son prix, qui est plus faible, et par son élaboration. Ces deux vins du même terroir permettent de mesurer le pouvoir des sélections associées à l'exploitation des ressources de la technique œnologique. On peut mesurer en particulier l'apport des vins de presse dont la couleur et la robustesse contribuent à la fermeté du Château La Tour Haut-Brion.

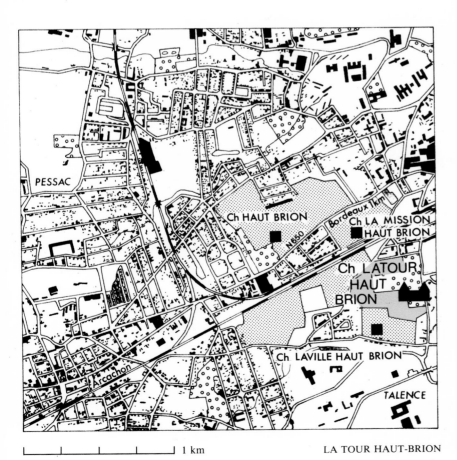

LA TOUR HAUT-BRION

PLAT IDÉAL :
Soufflé au fromage

AGE IDÉAL : 4 ans
Années exceptionnelles : 20 ans

CHÂTEAU
LA TOUR HAUT BRION
GRAVES
APPELLATION GRAVES CONTRÔLÉE
Cru classé
1978
SOCIÉTÉ CIVILE DES DOMAINES WOLTNER
PROPRIÉTAIRE A TALENCE (GIRONDE) FRANCE
PRODUCE OF FRANCE
MIS EN BOUTEILLES AU CHÂTEAU 750 ML

COTATIONS COMMENTÉES

Année	Note	Commentaire
1961	10	vins de presse parfaitement incorporés, idéal • **à boire**
1962	8,5	belle évolution • **à boire**
1963	4	réussite d'Henri Woltner • **à boire**
1964	9	vinification réussie • **à boire**
1966	8	agréable, bien fait • **à boire**
1967	8	adjonction d'excellents vins de presse • **à boire**
1968	5	issu de sélections • **à boire**
1969	6	très lente évolution • **à boire**
1970	8,5	toujours pas ouvert • **à goûter, à surveiller**
1971	9	très fin • **à boire**
1972	5	petit millésime • **à boire**
1973	5	Henri Woltner malade • **à boire**
1974	7	peu de soleil • **à boire**
1975	10	puissance, richesse • **dépassera l'an 2000**
1976	8	dilution due aux pluies • **à boire**
1977	7	séveux, un peu bâtard, souple • **à boire**
1978	9	rond et équilibré • **le goûter**
1979	8	vendanges tardives comme en 1978 : légèrement inférieur • **à boire en 1984**
1980	5,5	fin et aromatique • **à boire**
1981	8	construit, épicé, complexe • **à boire dès 1986**
1982		vineux, capiteux, fondu

CHATEAU MALARTIC-LAGRAVIÈRE
CRU CLASSÉ

Le domaine de Lagravière est fort ancien, et l'origine de son nom définit bien son sol. En 1803, Pierre Malartic s'en porte acquéreur et lui lègue son patronyme. En 1844, Jean-Ernest Malartic lui succède. Deux ans plus tard, Auguste Thibaudeau conduit le domaine.

Dès 1850, la famille Ricard en prend possession. Mme Arnaud Ricard, puis Jean Ricard (1865), Lucien Ridoret-Ricard (1908) se succèdent. En 1929, André Ridoret dirige Malartic-Lagravière, suivi en 1947 de M. et Mme Jacques Marly-Ridoret. Jacques Marly, grand défenseur des Graves, est fondateur du syndicat des crus classés de Graves. La continuité familiale est assurée puisque Bruno Marly s'initie à la conduite de la propriété sous la houlette de son père.

■ Lieu de naissance

Quelques centaines de mètres séparent Léognan du vignoble de Malartic-Lagravière. On le découvre sur la gauche en quittant Léognan par la départementale 651 en direction de Saucats. La propriété a la forme d'un vaste triangle en dôme, culminant à 48 mètres d'altitude. Le sol est tout à la fois graveleux, calcaire et argileux, ce qui explique les importants rendements à l'hectare dont bénéficie le Château Malartic-Lagravière.

FICHE TECHNIQUE

AOC	Graves		Temps de cuvaison	15-20 jours
Production	6 000 caisses		Chaptalisation	si nécessaire
Date de création du vignoble	fin XVIIIe siècle		Température des fermentations	25o-30o
Surface	14 ha (rouge et blanc)		Mode de régulation	ruissellement
Répartition du sol	un seul tenant		Type des cuves	inox
Géologie	graves, calcaire, argile		Vin de presse	8 %
			Age des barriques	renouvellement par tiers annuel

CULTURE

Engrais	chimique et organique		Temps de séjour	22 mois
Taille	Guyot simple		Collage	blancs d'œufs
Cépages	C.S. 50 % - C.F. 25 % - M. 25 %		Filtration	sur plaques à la mise
Age moyen	15 ans			
Porte-greffe	420 A partout		Œnologue conseil	Prof. É. Peynaud
Densité de plantation	10 000 pieds/ha		Type de bouteille	bordelaise
Rendement à l'ha	50-60 hl			
Replantation	roulement sur 30 ans		Vente directe au château	non
Traitement antibotrytis	oui		Commande directe au château	non

VINIFICATION

Levurage (origine)	naturel		Contrat monopole	oui

■ Culture et vinification

Jacques Marly est homme de caractère et ne s'embarrasse pas d'idées reçues. Il s'oppose à deux antiennes : les vieilles vignes font le bon vin et la quantité est l'ennemie de la qualité. En fonction de cela, M. Marly renouvelle son vignoble par roulement sur 30 ans, d'où un âge moyen de 15 ans. Or chacun sait que les vignes jeunes portent beaucoup de raisins... D'autre part, sans vouloir généraliser, il constate qu'à Malartic-Lagravière, conduisant ses vignes de la même façon chaque année, la nature lui donne tantôt 40 hl/ha, tantôt 90. Il faudrait donc pénaliser la nature puisque les conditions culturales sont les mêmes. Il s'étonne qu'en 1962, où la récolte fut énorme, on ait délivré deux certificats d'agréage, le premier débloqué tout de suite et le second débloqué en 1963, année où l'on fut bien aise de pouvoir user de l'excédent de 1962, alors qu'en 1973, après l'agrément de la totalité de la récolte (90 hl/ha), on l'obligea à en céder 40 % en vin de consommation courante ! Pire, en 1979, 165 hl de Malartic-Lagravière prirent le chemin de la distillerie ! « C'est raisonner comme en 1937, dit M. Marly ; depuis un demi-siècle ou presque, on a fait des progrès dans les engrais et dans les pesticides (nourriture et protection de la vigne), il est absurde de l'ignorer. » Néanmoins, reconnaissons que le quantum admis a augmenté puisque, il y a un siècle, un siècle et demi, les rendements à l'hectare avoisinaient 20 hl !

■ Le vin

En dépit de la jeunesse des vignes et des rendements importants, le Malartic-Lagravière est fortement coloré, parfois dur et de longue garde, alors qu'à l'énoncé de ses conditions de production il devrait être très clair, « gouleyant » et à consommer rapidement. C'est le mystère de Malartic-Lagravière... Ou de Jacques Marly... Ou des deux.

PLAT IDÉAL :
Civet de lièvre

AGE IDÉAL : 4 à 8 ans
Années exceptionnelles : 15 ans

CHATEAU
MALARTIC-LAGRAVIÈRE
GRAND CRU CLASSÉ
1978
GRAVES
APPELLATION GRAVES CONTRÔLÉE

PRODUCE   OF FRANCE   75 cl

JACQUES MARLY-RIDORET PROPRIÉTAIRE A LÉOGNAN (GIRONDE)

MISE EN BOUTEILLE AU CHATEAU

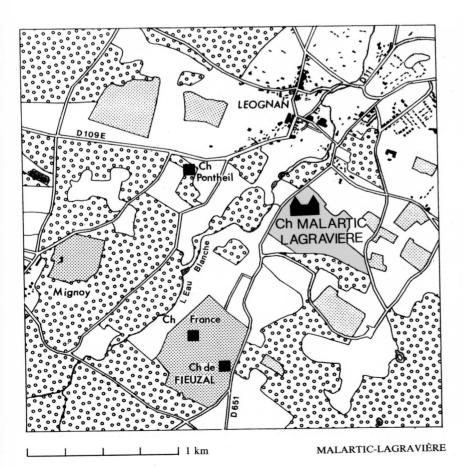

1 km   MALARTIC-LAGRAVIÈRE

COTATIONS COMMENTÉES

Année	Note	Commentaire
1961	10	complet, riche, exemplaire • **ouvert ; à boire**
1962	7,5	agréable, sans défaut • **à boire**
1964	9,5	récolte achevée la veille de la pluie ; grand vin • **à boire**
1966	10	un des meilleurs Malartic-Lagravière • **à boire**
1967	7	s'est fait tranquillement • **à boire sans délai**
1969	6	petit millésime, attendre
1970	9	ferme et fermé • **à boire en 1985-1990**
1971	8	féminin, léger sans faiblesse, élégant • **à boire**
1972		réussi vu les conditions, s'améliore encore • **à boire**
1973	7	équilibré mais peu ample • **à boire**
1974	7,5	un 1973 plus corsé, coloré • **peut être bu**
1975	10	le plus complet depuis 1961 • **à boire en 1988-1990**
1976	9	souple • **à boire**
1977	6	évolue lentement • **à boire**
1978	9	charpenté, sans défaut, fermé • **à boire en 1993**
1979	9,5	vin de charme, belle robe, style des 1966 • **à boire**
1980	7	fin, gouleyant • **à boire dès 1985**
1981	10	mieux que 1970-1975 ; souple, parfait • **à boire dès 1992**

CHATEAU OLIVIER

CRU CLASSÉ

Trop souvent, les vins portent le nom de châteaux imaginaires. Ce n'est pas le cas du château Olivier qui bénéficie fort justement du classement au titre de monument historique. Ce bâtiment, propriété privée qui ne se visite pas, mérite pourtant, comme le conseillerait le célèbre guide Michelin, un détour. Quelques murs datent-ils du XIᵉ ou du XIIᵉ siècle ? Qu'importe puisque l'ensemble, remanié à diverses reprises, fortement au XVᵉ et au XVIᵉ siècle, est parfaitement réussi. Entouré de douves d'eau courante, il appartint, dit-on, à l'inévitable Prince Noir. C'était une véritable place forte avant que ses murs ne soient percés de fenêtres ornées. En face du château, les chais. Dans le prolongement des chais, une pente occupée par le vignoble depuis deux siècles environ. M. de Bethmann en est propriétaire et l'a confié en fermage à la Société Louis Eschenauer.

■ Lieu de naissance

Sur la route départementale nº 65, qui va de Bordeaux à Léognan,

---

FICHE TECHNIQUE

AOC	*Graves*	Temps de cuvaison	*15 à 21 jours*
Production	*9 000 caisses*	Chaptalisation	*si nécessaire*
Date de création du vignoble	*XVIIIᵉ siècle*	Température des fermentations	*25º à 28º*
Surface	*15 ha*	Mode de régulation	*ruissellement sur cuves et serpentin*
Répartition du sol	*un seul tenant*		
Géologie	*graves garonnaises fines et profondes*	Type des cuves	*acier revêtu*
		Vin de presse	*8 %*
		Age des barriques	*renouvellement par moitié annuellement*

CULTURE

Engrais	*organique (végétal et animal)*	Temps de séjour	*18 mois*
Taille	*Guyot double médocaine*	Collage	*blancs d'œufs frais*
Cépages	*C.S. 65 % - C.F. 15 % - M. 20 %*	Filtration	*sur terre et sur plaques à la mise*
Age moyen	*12 ans*		
Porte-greffe	*S04 - 101-14 - 420A*	Maître de chai	*Christian Dubile*
		Œnologue conseil	*Michel Castaing*
Rendement à l'ha	*40-45 hl*	Type de bouteille	*bouteilles spéciales Eschenauer*
Replantation	*par tranches*	Vente directe au château	*oui*

VINIFICATION

Levurage (origine)	*naturel*	Commande directe au château	*non*
		Contrat monopole	*oui - Eschenauer*

peu avant Léognan, sur la droite, une importante forêt dissimule le vignoble d'Olivier. Entre 30 et 40 mètres d'altitude, les sols les plus élevés sont composés de graves günziennes garonnaises semblables à celles de la péninsule médocaine mais plus fines. Ces terrains sont propices aux vignes rouges, alors que les parties basses, plus argileuses, accueillent les vignes blanches.

■ Culture et vinification

De récentes plantations expliquent la jeunesse du vignoble. Les Cabernet, comme il se doit, sont fortement représentés, y compris le Cabernet Franc.

Le directeur technique René Baffert et l'œnologue Michel Castaing dirigent les vignobles d'Olivier et de Smith Haut Lafitte. On ne saurait donc s'étonner de la similitude des vinifications de ces deux propriétés. Des températures de fermentation basses s'y retrouvent ainsi que la double filtration. Les encépagements étant presque identiques et leur âge respectif proche, on peut se livrer à une comparaison objective des terroirs.

■ Le vin

Le vin rouge du Château Olivier est en mutation car les travaux de replantation commencent à porter leurs fruits. L'extension importante du vignoble, telle qu'elle est prévue, peut prolonger son caractère juvénile.

PLAT IDÉAL :
Travers de porc

AGE IDÉAL : 4 à 5 ans
Années exceptionnelles : 10 ans

MIS EN BOUTEILLE AU CHATEAU

1978

75 cl

Château Olivier

GRAVES · GRAND CRU CLASSÉ

Appellation Graves Contrôlée

P. DE BETHMANN PROPRIÉTAIRE A LÉOGNAN (GIRONDE)
PRODUCE OF FRANCE

SEVE. - SOCIÉTÉ FERMIÈRE A LÉOGNAN

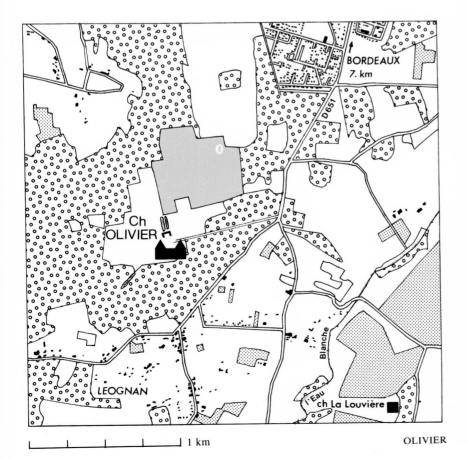

1 km

OLIVIER

COTATIONS COMMENTÉES

Année	Note	Commentaire
1961	9	complet et plein • **à boire**
1962	8	harmonieux, a dépassé son apogée • **à boire sans délai**
1964	8,5	bien construit • **à boire**
1966	8	élégant, souple • **à boire sans attendre**
1967	7	moins réussi que les 1966 • **à boire sans délai**
1970	9,5	beau vin • **à boire**
1971	7,5	bien construit • **à boire**
1972	6	trop mince • **devrait être bu**
1973	7	très souple • **devrait être bu**
1974	7	moins de charme que les 1973 • **à boire sans délai**
1975	10	complet • **à boire en 1984**
1976	8	souple, évolué • **à boire**
1977	7	millésime moyen • **à boire**
1978	9,5	complet, rond • **à boire en 1985**
1979	9	vineux, plein, aromatique • **à boire en 1985**
1980		pronostic réservé

CHATEAU SMITH HAUT LAFITTE

Les vignobles de la « prévôté bordelaise » sont presque tous très anciens. Smith Haut Lafitte ne fait pas exception puisque en 1549 la famille Verrier détenait une vigne dans la paroisse de Martillac. Ce vignoble, sis sur un plateau de graves, était déjà connu sous le nom de Lafitte. En 1720, le nouvel acquéreur de cette terre, Georges Smith, lui donne son nom. Il semble qu'à cette époque, le lieu-dit ait été baptisé « Haut Lafitte », ce qui peut paraître pléonastique si l'on retient pour étymologie de Lafitte, la hite : hauteur. En 1856, Smith Haut Lafitte devient la propriété de Sadi Duffour-Dubergier qui, en tant que président de la Chambre de commerce de Bordeaux, fut l'un des artisans du classement de 1855, classement qui paradoxalement « oublia » les Graves (à l'exception du vignoble doyen de Château Haut-Brion). A la fin du XIXᵉ siècle, Smith Haut Lafitte comprend 68 hectares de vignes rouges et 5 hectares de vignes blanches. Dès 1902, un contrat lie cette propriété à Frédéric Eschenauer. En 1958, la Société Louis Eschenauer acquiert le vignoble réduit à sa portion congrue. De nouvelles plantations tendent à lui restituer

FICHE TECHNIQUE

AOC	Graves		Temps de cuvaison	15-21 jours
Production	20 000 caisses		Chaptalisation	si nécessaire
Date de création du vignoble	1550/1850		Température des fermentations	25⁰-28⁰
Surface	45 ha		Mode de régulation	ruissellement sur cuves et serpentin
Répartition du sol	un seul tenant		Type des cuves	acier revêtu
Géologie	graves garonnaises fines et profondes		Vin de presse	8 %
			Age des barriques	renouvellement annuel par moitié

CULTURE

Engrais	organiques végétal et animal		Temps de séjour	18 mois
Taille	Guyot double médocaine		Collage	blancs d'œufs frais
Cépages	C.S. 73 % - C.F. 11 % - M. 16 %		Filtration	1) sur terre 2) sur plaques à la mise
Age moyen	16 ans		Maître de chai	M. Michel Dupin M. Michel Castaing
Porte-greffe	SO 4 - 101-14 - 420 A		Régisseur	MM. Dupin-Castaing
			Œnologue conseil	M. Claude Guérin
Rendement à l'ha	40-45 hl		Type de bouteille	bouteilles spéciales Eschenauer
Replantation	voir texte		Vente directe au château	oui
			Commande directe au château	non

VINIFICATION

Levurage (origine)	naturel		Contrat monopole	oui (Eschenauer)

sa plus grande dimension alors qu'un chai souterrain d'une capacité de 2 000 barriques est construit.

■ Lieu de naissance

Sis au sud de Bordeaux, à l'ouest de la route nationale 113 Bordeaux-Toulouse, le vignoble de Smith Haut Lafitte culmine à 42 mètres. Il a la forme d'un dôme rectangulaire de plus d'un kilomètre de côté et 15 mètres de dénivellation. Son sol rappelle partiellement celui du Médoc puisqu'il se compose de graves garonnaises günziennes (quoique plus fines) ainsi que de terrains argilo-sableux plus anciens.

■ Culture et vinification

L'encépagement est jeune car la propriété a été en grande partie replantée. Le choix des cépages suit la mode et les Cabernet se taillent la part du lion. Le porte-greffe SO4 souvent critiqué est exploité dans les parties basses du vignoble car il résiste bien à l'humidité. La vinification suit également les nouvelles habitudes, et les fermentations se font à des températures très modérées. A remarquer également la double filtration.

■ Le vin

La jeunesse des vignes associée au dynamisme de la gestion conduit à des rendements respectables. 80 % de la production prennent le chemin de l'exportation. Smith Haut Lafitte produit également 2 500 caisses de vin blanc sec Graves non classé en 1953-1959, sur 6 hectares complantés de Sauvignon exclusivement.

PLAT IDÉAL :
Rôti de veau

AGE IDÉAL : 5 ans
Années exceptionnelles : 12 ans

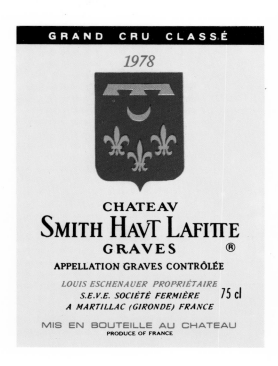

COTATIONS COMMENTÉES

1961	9	générosité et bouquet • à boire
1962	8	harmonie et équilibre • à boire
1964	8,5	belle robe, bien structuré ; typé Graves • à boire
1966	8	élégant, souple, puissant • à boire
1967	7	moins fin et moins élégant • à boire
1970	9,5	réussi, couleur et nez • peut être bu
1971	7,5	délicat, élégant, bien structuré • peut être bu
1972	6	mince mais de l'arôme • devrait déjà être bu
1973	7	équilibré mais souple • doit être bu
1974	7	assez proche du précédent • doit être bu
1975	10	remarquable constitution riche • à boire en 1985
1976	8	déjà évolué, élégant • peut se boire dès maintenant
1977	7	gouleyant • peut être bu
1978	9,5	complet ; beaucoup de promesses • à boire en 1986
1979	9	belle robe ; arôme et vinosité • à boire en 1985
1980		trop tôt pour se prononcer

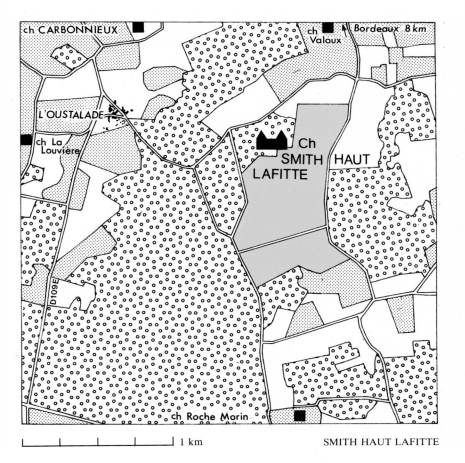

SMITH HAUT LAFITTE

CHATEAU LA TOUR MARTILLAC

CRU CLASSÉ

Quatre kilomètres séparent Martillac de La Brède. Montesquieu, qui gérait lui-même ses vignobles et vendait son vin, acquit par son mariage avec Jeanne de Martigue le domaine de Martillac. Au XVIIᵉ siècle, et antérieurement, les pampres ornaient les coteaux de Martillac. La tour qui a donné son nom à la propriété date, dit-on, du XIIᵉ siècle. Elle trône toujours à l'entrée. Jusqu'à ce qu'Alfred Kressmann achetât, en 1930, le domaine à Pierre Langlois, le vin de cette terre était connu sous le nom de Château Latour. Afin d'éviter des confusions toujours possibles, le nouveau propriétaire décida de le baptiser Château La Tour Martillac. En 1953, les vins blancs et les vins rouges de ce domaine firent partie des crus classés de Graves. Jean Kressmann a succédé à son père et la continuité familiale est assurée puisque Loïc Kressmann et ses frères s'initient à la conduite du vignoble.

■ Lieu de naissance

Tous les crus classés de Graves sont situés à l'ouest de la route nationale 113 Bordeaux-Langon et de l'autoroute A 61. Après Château Couhins, après Château Bouscaut, le domaine de La Tour Martillac occupe des terrains très vallonnés culminant à 46 mètres alors que le bas des pentes est à 20 mètres d'altitude environ. Jean

FICHE TECHNIQUE

AOC	Graves	Temps de cuvaison	6 à 15 jours
Production	7 500 caisses	Chaptalisation	si nécessaire (idéal 12°)
Date de création du vignoble	antérieure à 1816	Température des fermentations	32° à 33°
Surface	19 ha (vignes rouges) + 4 ha (vignes blanches)	Mode de régulation	serpentin
Répartition du sol	3 parcelles groupées	Type des cuves	bois
Géologie	graves tertiaires pyrénéennes	Vin de presse	première presse, parfois deuxième

CULTURE

Engrais	fumier de vache - chimique, le moins possible	Age des barriques	renouvellement par tiers annuel
Taille	Guyot simple ou double	Temps de séjour	18 à 30 mois
Cépages	C.S. 65 % - C.F. 6 % M. 25 % - Malbec et Petit Verdot 4 %	Collage	blancs d'œufs séchés
		Filtration	sur plaques à la mise
Age moyen	30 ans		
Porte-greffe	420 A-3 309	Maître de chai	Jean Kressmann
Densité de plantation	7 200 pieds/ha	Régisseur	Loïc Kressmann
Rendement à l'ha	40 hl	Œnologue-conseil	M. Castaing
Replantation	par tranches	Type de bouteille	Tradiver
Traitement antibotrytis	oui (Merlot et Malbec)	Vente directe au château	exceptionnellement

VINIFICATION

Levurage (origine)	naturel	Commande directe au château	non
		Contrat monopole	oui (Kressmann)

Kressmann a eu la chance de pouvoir compléter sa propriété en achetant une très belle parcelle sise entre La Tour et le village de Martillac, au point le plus élevé du vignoble : une terre mêlée de sable, d'argile et de gravier quartzique tertiaire d'origine pyrénéenne, convenant remarquablement aux vignes.

■ Culture et vinification

Les vaches procurent à la propriété le fumier nécessaire, et Jean Kressmann ne se résout à recourir aux amendements chimiques que lorsqu'ils sont inévitables. Ce n'est que depuis 1968 que le cheval ne participe plus aux travaux culturaux. La taille Guyot simple ou double est appliquée en fonction de la vigueur du cep. De même qu'à Haut-Brion, les cuvaisons sont plutôt courtes, Jean Kressmann soutenant que les fermentations les plus rapides sont les meilleures. Toujours comme à Haut-Brion, des températures supérieures à la moyenne (32°-33°) contribuent à une bonne extraction. La durée de l'élevage en barriques est très variable selon le millésime. Le 1975 attendit 30 mois avant d'être mis en bouteilles alors que 18 mois suffirent au 1976 !

■ Le vin

Il est nécessaire d'arracher les vieilles vignes pour assurer le renouvellement. Jean Kressmann se résout avec peine à arracher les très vieilles vignes, telles que ses Petit-Verdot plantés en 1925 ou ses Malbec (et Cabernet) greffés en 1928 ! C'est sans doute à ses vieilles vignes que Jean Kressmann doit de réussir exceptionnellement les petits millésimes, alors qu'il semble réussir normalement les grandes années. Ce serait le cas également, aux dires de certains, de l'autre Latour, celui du Médoc !

Pour La Tour Martillac blanc — cru classé — voir plus loin (p. 166).

PLAT IDÉAL :
Perdreaux truffés

AGE IDÉAL : 4 ans
Années exceptionnelles : 10 ans

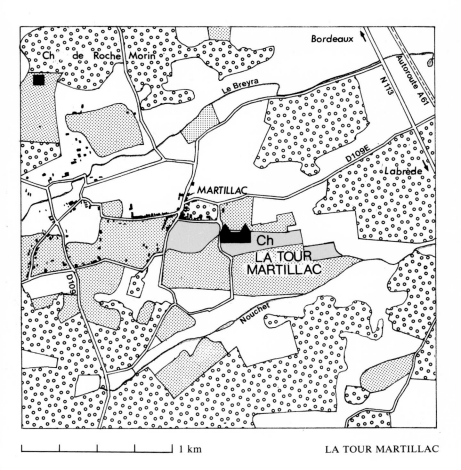

LA TOUR MARTILLAC

COTATIONS COMMENTÉES

Année	Note	Commentaire
1961	10	concentré, vin noir • à boire
1962	8,5	sain, franc, rustique • à boire
1964	8	bien • à boire
1966	9,5	puissant, presque violent, plein, rond, à son apogée • à boire
1967	7,5	commence à décliner • devrait être bu
1970	8	rond et souple ; pas assez racé • à boire
1971	9	supérieur au 1970, racé • à boire
1972	5,5	mieux que la réputation du millésime • à boire
1973	6	léger, peu de couleur, manque de fond • à boire d'urgence
1974	6,5	proche des 1973 avec plus de corps • à boire
1975	10	le meilleur vin depuis 1929 • à boire en 1985
1976	7	léger, peu de couleur (pluie sur raisins surmûris) • à boire
1977	7	petit millésime, mais l'un des plus réussis du Bordelais • à boire en 1984
1978	8	rond, aromatique, facile • à boire en 1986
1979	9	un 1978 plus charpenté • à boire en 1989
1980	7	proche des 1977 mais plus fin • à boire dès 1986
1981	8	bon équilibre acide-tannin-alcool • à boire dès 1988

CHATEAU BOUSCAUT

CRU CLASSÉ

Ce château appartient à la « banlieue prévôtale » bordelaise. C'est un fort beau bâtiment élevé dans les premières années du XVIIIe siècle. A la fin du XIXe siècle, la famille Charboneau restaure de fond en comble la propriété : réfection et pose de drains, restructuration du vignoble, élévation d'un cuvier rationnel. Elle fait de Bouscaut une propriété modèle. Après la guerre, une nouvelle restauration du domaine s'avère nécessaire. Elle est entreprise dès 1969, lorsque Charles Wohlstetter, citoyen américain, acquiert la propriété et injecte les fonds nécessaires.

C'est Jean-Bernard Delmas, directeur-œnologue à Haut-Brion, qui supervise l'ensemble de cette opération, exploitant la science qu'il a mise — et met toujours — au service du premier vignoble (et vin) de Graves, le seul classé en 1855 : Haut-Brion. Une nouvelle mutation permet à Lucien Lurton, l'heureux propriétaire du Château Brane-Cantenac et du Château Climens (entre autres), de gouverner cette belle propriété.

FICHE TECHNIQUE

AOC	Graves		Temps de cuvaison	entre 20 et 25 jours
Production	10 000 caisses		Chaptalisation	si nécessaire (rare)
Date de création du vignoble	XVIIe siècle et transformation profonde en 1870		Température des fermentations	28º à 30º
Surface	32 ha		Mode de régulation	par serpentin et ruissellement
Répartition du sol	groupé			
Géologie	graviers de la masse pyrénéenne		Type des cuves	bois et inox
			Vin de presse	7 %

CULTURE

			Age des barriques	entre 1 et 6 ans
Engrais	fumure organique équilibrée			
Taille	Guyot simple et double		Temps de séjour	2 ans
			Collage	blancs d'œufs
Cépages	M. 60 % - C.F. 5 % - C.S. 35 %		Filtration	sur plaques cellulosiques (si nécessaire)
Age moyen	30 ans			
Porte-greffe	Riparia Gloire-420 A		Maître de chai	M. Boulineau
Densité de plantation	7 000 pieds/ha		Œnologue-conseil	Prof. Peynaud
Rendement à l'ha	30 hl		Type de bouteille	bordelaise
Replantation	5 % par an		Vente directe au château	non
Traitement antibotrytis	non			

VINIFICATION

			Commande directe au château	oui
Levurage (origine)	naturel		Contrat monopole	non

■ Lieu de naissance

Bordant la route nationale n° 113 Bordeaux-Toulouse, à l'ouest, peu après le village du Bouscaut et jusqu'à la légère dépression creusée par le Bourran, les vignes, le parc et, dans une position centrale, le Château Bouscaut ont investi une croupe de faible altitude. Culminant à 24 mètres et accusant une dénivellation d'une dizaine de mètres, des graves pyrénéennes du mindel et du riss sur socle d'alios accueillent les vignes rouges et blanches.

■ Culture et vinification

Au Château Bouscaut, culture et vinification sont conduites selon les principes les plus employés de nos jours. A noter cependant que dans le Médoc, M. Lucien Lurton se fait le champion du Cabernet alors qu'à Bouscaut, tout au contraire, le Merlot a ses faveurs. On comparera utilement l'encépagement de Bouscaut à celui de ses voisins tout en notant également les différences des sols (particulièrement l'alios).

■ Le vin

Le vin de Bouscaut contribue à démentir la légende tenace du Merlot exclusivement souple, créateur de vin à boire rapidement (et Pétrus ?). Fort heureusement, terrains et vinification jouent un rôle capital. Tous les paramètres sont à prendre en compte.

La deuxième marque de Bouscaut porte le nom de Château Valoux, lequel est situé à 400 mètres de son frère aîné, de l'autre côté de la route, à l'ouest.

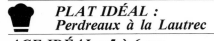

PLAT IDÉAL :
Perdreaux à la Lautrec

AGE IDÉAL : *5 à 6 ans*
Années exceptionnelles : *15 à 20 ans*

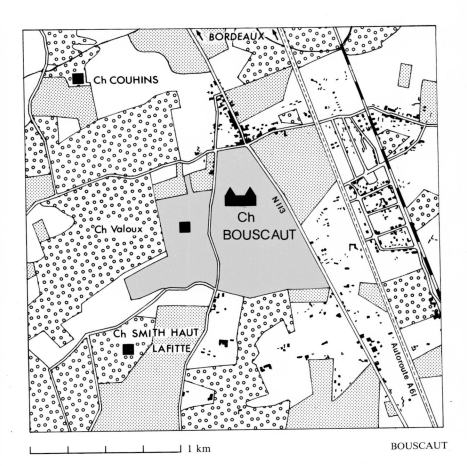

1 km

BOUSCAUT

COTATIONS COMMENTÉES

1961	9	charpenté et plein • **commencer à le goûter**
1962	6	léger, bonne évolution • **à boire sans délai**
1964	10	riche, tannique, harmonieux • **s'ouvre**
1966	9	dense et tannique • **le goûter**
1967	7	aromatique, évolué • **à boire sans délai**
1969	8	pas grand mais équilibré • **à boire**
1970	10	puissant, riche, charpenté • **à boire**
1971	7	aromatique et fin • **à boire**
1972	6	souple et fruité • **à boire**
1973	8	aromatique, charnu • **à boire sans attendre**
1974	9	grande réussite en dépit du millésime ; presque ample • **à boire**
1975	10	petite récolte (grêle d'août), dense, fermé • **à boire en 1988**
1976	9	fruit mûr, finesse, charnu • **à boire en 1984**
1977	7	petite récolte (gelée), construit
1978	9	riche, complexe (fruit mûr), équilibré • **à boire en 1988**
1979	9	riche, tannins fondus • **à boire en 1988**
1980	7	léger, typé • **à boire dès 1985**
1981	8,5	tramé, velouté, racé • **à boire dès 1987**

153

CHATEAU HAUT-BAILLY

CRU CLASSÉ

Diverses familles ont eu le privilège de gouverner le Château Haut-Bailly. Nous retrouvons certaines d'entre elles à Malartic-Lagravière ou au Domaine de Chevalier. Ce sont les Ricard et les Beaumartin. Le domaine appartint également au comte Lahens, aux Miroir, ainsi qu'à des « nordistes », les Boutemy, les Tybergheim. En 1872, Bellot des Minières, ingénieur et économiste, acquiert Haut-Bailly. Sous son impulsion, le vin du Château Haut-Bailly connaît une grande réputation. C'etait un homme de caractère, avec les bons et les mauvais côtés que cela comporte. Il ne croyait ni aux vignes greffées ni à la bouillie bordelaise, ce qui, à l'époque du phylloxera et des ravages causés par l'oïdium, ne fut pas sans lui poser des problèmes… On lira ci-dessous l'encépagement de Haut-Bailly tel que Bellot des Minières le concevait. En un siècle (ou presque), que de changements ! Bellot des Minières meurt en 1906. En 1918, ses héritiers vendent le domaine à M. Malvezin. Le dynamisme n'y est plus et lorsque, en 1955, Daniel Sanders se porte acquéreur de la propriété, il a fort à faire. Peut-être est-ce à cette demi-somnolence que Haut-Bailly doit le grand âge de son vignoble ?

■ Lieu de naissance

Les vins étiquetés « Graves » proviennent évidemment de terrains fortement graveleux. Au sud de Bordeaux, les origines de ces graves sont variées. Haut-Bailly est le seul cru classé (de Graves) à bénéficier d'une croupe de graves günziennes d'origine pyrénéenne mêlées de sable et d'argile. Le drainage de ces graviers très cailouteux est

FICHE TECHNIQUE

AOC	Graves		Temps de cuvaison	20 à 22 jours
Production	8 500 caisses		Chaptalisation	quand nécessaire pour tendre à 12°5
Date de création du vignoble	XVIIe siècle (?) et 1872 (voir texte)		Température des fermentations	32°-33°
Surface	23 ha		Mode de régulation	refroidisseur immergé
Répartition du sol	un seul tenant		Type des cuves	ciment et acier revêtu
Géologie	graves pyrénéennes, sol acide		Vin de presse	40 % dès 1979, antérieurement : tout

CULTURE

Engrais	fumier, chaux magnésienne et chimique		Age des barriques	renouvellement annuel de 40 %
Taille	Guyot simple (3 boutons ; 32 000 à l'ha)		Temps de séjour	18 mois
			Collage	poudre d'albumine d'œufs
Cépages	C.S. 34 % - C.F. 16 % - M. 26 % - Vieilles vignes 24 % (voir texte)		Filtration	sur plaques avant la mise
Age moyen	35 ans		Maître de chai	Serge Charritte
Porte-greffe	420 A		Régisseur	Serge Charritte
Densité de plantation	10 000 pieds/ha		Œnologue-conseil	Prof. Peynaud
Rendement à l'ha	40 hl		Type de bouteille	Tradiver en 1977
Replantation	complantation		Vente directe au château	oui
Traitement antibotrytis	oui		Commande directe au château	oui

VINIFICATION

Levurage (origine)	de la première cuve		Contrat monopole	non

évidemment bon. Néanmoins, ces graves n'ont qu'une épaisseur de 240 centimètres en moyenne. A cette profondeur, un socle compact et étanche interdit l'écoulement des eaux ainsi qu'un enracinement à grande profondeur. Les années excessivement pluvieuses ou excessivement sèches rendent parfois problématique l'alimentation des vignes.

■ Culture et vinification

Voici l'encépagement conçu par Bellot des Minières :

Cabernet Franc	8,3 %
Carmenère	8,3 %
Merlot	8,3 %
Malbec	8,3 %
Petit Verdot	8,3 %
Cabernet Sauvignon	58,5 %

Voici l'encépagement de 1979 :

Vieilles vignes	26,50 %
(reliquat de l'encépagement décrit ci-dessus)	
Cabernet Sauvignon	30,50 %
Cabernet Franc	17,50 %
Merlot	25,50 %

L'encépagement de 1980 figure dans la fiche technique.

L'âge des vignes est remarquable :

26 % des vignes ont plus de 40 ans.

44 % des vignes ont 20 ans.

30 % des vignes ont 15 ans.

A noter malgré cela un rendement confortable.

■ Le vin

Temps de cuvaison appréciable et température de fermentation élevée — d'où bonne extraction —, maintien d'un vignoble âgé de forte densité à l'hectare et bien composé, terroir de qualité ; cela semble garantir une recette infaillible. Le deuxième vin de Haut-Bailly est étiqueté Domaine de la Parde.

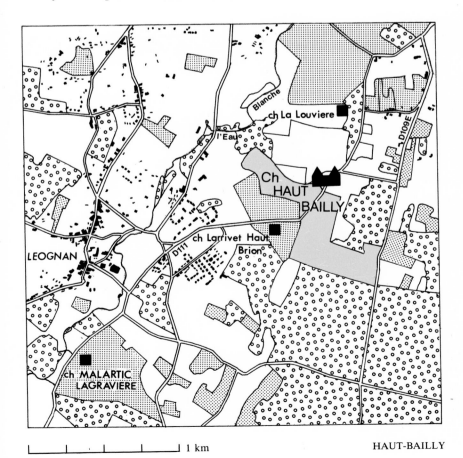

HAUT-BAILLY

PLAT IDÉAL :
Gigot d'agneau

AGE IDÉAL : 7 ans
Années exceptionnelles : 15 à 20 ans

CRU EXCEPTIONNEL

CHÂTEAU HAUT·BAILLY
GRAND CRU CLASSÉ
APPELLATION GRAVES CONTRÔLÉE
Société Civile A l. D. SANDERS Ch. HAUT-BAILLY - 33850 Léognan
1977
75cl MIS EN BOUTEILLES AU CHATEAU
DÉPOSÉ   MADE IN FRANCE

COTATIONS COMMENTÉES

Année	Note	Commentaire
1961	10	impression de grains rôtis • à boire
1962	7,5	bouquet léger, évolution avancée • à boire sans délai
1964	9	tendre et puissant • à boire
1966	9	équilibré, très réussi à Haut-Bailly • à boire
1967	8	fin et puissant • à boire
1970	9	très riche • à boire
1971	8,5	rond et corsé • à boire
1972	6	mince et peu coloré • à boire
1973	6	frais, fruité, léger • à boire
1974	6,5	manque de chair • devrait être bu
1975	7,5	manque de complexité (grêle) • à boire en 1985
1976	7,5	souple, fort en alcool, de raisins surmûris • à boire
1977	8,5	réussi à Haut-Bailly ; vin de Cabernet, tannique • à boire
1978	9	très tannique, manque de fruité • à boire en 1992
1979	9,5	sélection sévère (44 % barriques neuves, 60 % de la récolte) ; très fruité • à boire en 1988
1980	6,5	vin trop simple malgré sélection (40 % éliminés)
1981	6,5	raisins usés par les orages • à boire dès 1984

CHATEAU CARBONNIEUX

CRU CLASSÉ

L'histoire de Carbonnieux nous plonge dans la nuit des temps. Cette propriété est probablement l'une des plus anciennes des Graves. Elle doit son nom à un personnage dont on trouve la trace en 1234 : Ramon Carbonnieux. De 1519 à 1740, une famille de conseillers au parlement, les Ferron, en est propriétaire. Château et vignoble sont ensuite achetés par l'abbaye des bénédictins de Sainte-Croix, qui agrandit et restaure le vignoble. Avant que la Révolution ne les chassât, les bénédictins commencèrent les mises en bouteilles au château.

Carbonnieux fut vendu comme bien national. En 1790, Élie Bouchereau en est propriétaire ; il est l'un des premiers à s'intéresser à l'ampélographie. Puis M. Allendy l'acquiert. A sa mort, en 1885, le domaine échoit à sa fille qui le vend en 1894 au docteur Martin et à MM. Ballet et Mure. En 1920, les établissements Doutreloux s'en portent acquéreurs, la crise des années 30 suscite un nouveau changement de mains. Les Chabrat n'abandonneront Château Carbonnieux qu'en 1956 au profit de Marc Perrin, d'une vieille famille vigneronne d'origine bourguignonne qui exerçait alors ses talents en Algérie depuis quatre générations. Cette acquisition a pour consé-

FICHE TECHNIQUE

AOC	Graves		Temps de cuvaison	21 à 28 jours
Production	15 000 caisses		Chaptalisation	si nécessaire (pas en 1976, pas en 1978)
Date de création du vignoble	1 234 ou avant		Température des fermentations	25° à 30°
Surface	35 ha (rouge) 35 ha (blanc)		Mode de régulation	immersion et serpentin
Répartition du sol	un seul tenant		Type des cuves	inox et béton
Géologie	graves profondes sur argile		Vin de presse	en fonction des besoins
			Age des barriques	renouvellement par cinquième annuel

CULTURE

Engrais	organique (végétal et animal)		Temps de séjour	22 mois
Taille	Guyot simple		Collage	blancs d'œufs frais
Cépages	C.S. 50 % - C.F. 10 % - M. 30 % - Malbec et Petit Verdot 10 %		Filtration	sur terre et sur plaques à la mise
Age moyen	25 ans			
Porte-greffe	101-14 - 3 309 Riparia Gloire		Maître de chai	Jean Henquinet
Densité de plantation	7 000 pieds/ha		Chef de culture	René Besse
Rendement à l'ha	40 hl		Œnologue conseil	Vaset et Prof. Peynaud
Replantation	par tranches de 2 ha annuels		Type de bouteille	bordelaise Tradiver
			Vente directe au château	oui
			Commande directe au château	oui

VINIFICATION

Levurage (origine)	levures sélectionnées		Contrat monopole	non

quence la remise en état du vignoble, la restauration du château et la modernisation des chais.

■ Lieu de naissance

Les terres de Carbonnieux sont situées entre Léognan et la nationale 113 Bordeaux-Toulouse, à une douzaine de kilomètres de la capitale de la Guyenne. Le vignoble jouxte la forêt de Carbonnieux à l'est et les vignes du Château La Louvière à l'ouest. Il occupe un plan incliné vers le nord-est de 43 à 25 mètres d'altitude. Les vignes rouges bénéficient des sols les plus graveleux. Ces graves garonnaises profondes ont recouvert un socle argileux.

■ Culture et vinification

Les terres sont amendées par des déchets organiques d'origine végétale et animale (laine, poisson, etc.). La vinification suit les méthodes considérées comme classiques aujourd'hui. Elle est conduite dans des cuviers et des chais modernes et bien organisés. Marc et Anthony Perrin, assistés d'œnologues, prennent la responsabilité des sélections.

■ Le vin

A noter que la densité moyenne de pieds à l'hectare et la taille Guyot simple ne contrarient pas le généreux rendement des vignes de Carbonnieux. La quantité de vin produite est d'autant plus grande que le vignoble de Carbonnieux est le plus vaste de tous les crus classés Graves rouges et blancs. Cette importante production de vins droits, fermes et directs est vendue en France et à l'étranger particulièrement dans les pays anglo-saxons.

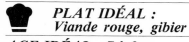

PLAT IDÉAL :
Viande rouge, gibier

AGE IDÉAL : 7 à 8 ans
Années exceptionnelles : 10 à 15 ans

COTATIONS COMMENTÉES

1961	10	petite récolte, vin concentré • **à boire**
1962	8	bonne évolution, a dépassé son apogée • **à boire sans délai**
1964	8	a mis 12 ans pour évoluer • **à boire**
1966	8,5	pas typé Carbonnieux ; trop souple • **devrait être bu**
1967	7	tannique avec élégance • **à boire**
1970	8	fermé ; s'ouvrira-t-il ? • **l'attendre**
1971	8,5	évolué, souple et fin • **à boire**
1972	6	court • **à boire**
1973	5,5	un peu maigre • **à boire sans délai**
1974	6	légèrement plus rond que le 1973 • **à boire**
1975	9	ample et plein • **à boire en 1985**
1976	8,5	proche des 1971 • **à boire**
1977	6	belle robe, mais court • **à boire en 1985-1987**
1978	9	équilibre et finesse • **à boire en 1988**
1979	9	proche des 1971 et 1976, belle robe, évolution rapide • **à boire en 1987**
1980	6,5	fruité, souple • **à boire**
1981	9	corps et élégance • **à boire dès 1987**
1982	8	ample, tannique, fruité • **à boire dès 1989**

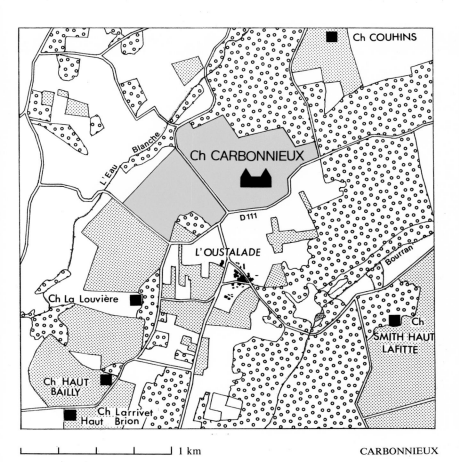

CARBONNIEUX

157

DOMAINE DE CHEVALIER

CRU CLASSÉ

C'est l'un des rares vins à ne pas se parer du vocable « Château ». Il n'y en a d'ailleurs pas, ce qui ne saurait être une raison suffisante. Il doit son patronyme à la francisation de « Chibaley ». M. Chibaley, créateur du domaine, apparaît vers 1770 (carte de Belleyme) et se transforme en « Chevalier » au début du XIXᵉ siècle. Dès 1856, Jean Ricard gouverne le Domaine de Chevalier. Les Ricard sont très présents dans les Graves : à Haut-Bailly, à Malartic-Lagravière (Mme A. Ricard, 1850, Jean Ricard, 1865). A travers les Beaumartin, le domaine de Chevalier revient aux Ricard. C'est actuellement Claude Ricard qui voue tous ses soins à ce joyau.

■ Lieu de naissance

Ce vignoble est unique. Il ressemble à une vaste clairière, sensiblement rectangulaire, en pleine forêt. Au milieu du côté de ce rectangle, quelques bâtiments d'exploitation et une maison d'où l'on embrasse la totalité du vignoble, enserré dans son écrin de grands arbres. Un sol presque plat, de graves fines à moyennes, peu profondes (30 à 60 cm), sur socle d'alios argileux, accueille les rangs serrés des vignes.

FICHE TECHNIQUE

AOC	Graves		Temps de cuvaison	21 jours au minimum
Production	5 000 caisses		Chaptalisation	si nécessaire
Date de création du vignoble	fin XVIIIᵉ siècle		Température des fermentations	32°
Surface	15 ha (+ 2 ha vignes blanches)		Mode de régulation	ruissellement sur cuves chauffage des cuves
Répartition du sol	un seul tenant		Type des cuves	acier revêtu 104 hl (voir texte)
Géologie	graves peu profondes sur alios et argile		Vin de presse	1ʳᵉ presse, parfois la seconde

CULTURE

Engrais	compost, pas d'engrais chimique		Age des barriques	moitié neuves, moitié 2 ans
Taille	Guyot double médocaine		Temps de séjour	presque 2 ans
Cépages	C.S. 65 % - C.F. 5 % - M. 30 %		Collage	5-6 blancs d'œufs frais par barrique
Age moyen	15-18 ans		Filtration	légère, sur plaques à la mise
Porte-greffe	3 309			
Densité de plantation	10 000 pieds/ha		Maître de chai	Loïs Grassin
Rendement à l'ha	30 hl		Régisseur	Loïs Grassin
Replantation	prévue par tranches		Œnologue conseil	Prof. Peynaud
Traitement antibotrytis	oui		Type de bouteille	Tradiver depuis 1977
			Vente directe au château	non

VINIFICATION

Levurage (origine)	chai ensemencé par les vins blancs		Commande directe au château	non
			Contrat monopole	non

■ Vinification

Quelques particularités méritent d'être relevées : les cuvaisons, assez longues, s'opèrent dans des cuves en forme de parallélépipèdes en acier de 104 hectolitres. Ces cuves, spécialement construites, comportent une vaste trappe découpée dans leur plan supérieur afin de pratiquer le « bombage », vieille technique d'enfoncement fréquent du chapeau (La Tour-Figeac, à Saint-Émilion, pratique de même). Le chai est chauffé au besoin pour que les fermentations atteignent 32o. Sous le chapeau, 34o à 36o ne sont pas rares.

La première presse est incorporée, parfois la seconde, les autres sont éliminées. Le vin séjourne deux ans en fût puis est mis en bouteilles après une légère filtration sur plaques.

■ Le vin

Le vin est étonnant si l'on considère la jeunesse du vignoble. Ces résultats s'expliquent par une recherche constante de la qualité : très petit rendement, parmi les plus faibles de la Gironde, extraction maximum des tannins par des cuvaisons longues à température élevée, fût-ce au prix de la dureté des vins jeunes. C'est pour cela que le domaine de Chevalier s'équipe d'un nouveau local permettant de stocker le plus longtemps possible les bouteilles afin de contrecarrer l'impatience des consommateurs. Deux millésimes généralement décriés sont à signaler : 1963 et 1965, issus de tris sévères, ils méritent 7 sur 10. Ils ont atteint leur apogée.

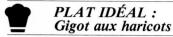

PLAT IDÉAL :
Gigot aux haricots

AGE IDÉAL : 8 à 10 ans
Années exceptionnelles : 15 ans minimum

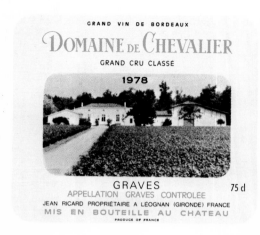

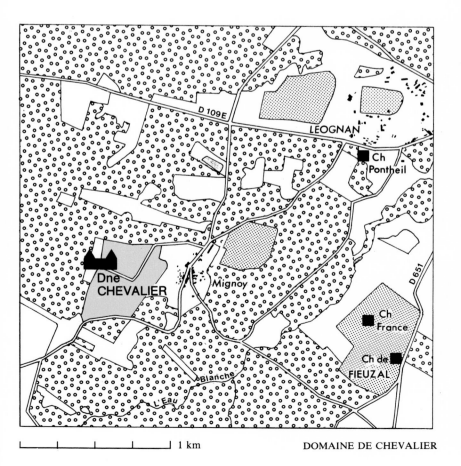

DOMAINE DE CHEVALIER

COTATIONS COMMENTÉES

Année	Note	Commentaire
1961	10	complet, évolution lente • **s'ouvre**
1964	10	très réussi ; à son apogée • **à boire**
1966	9,5	fin, équilibré • **à boire**
1967	9	complexité et ampleur aromatique • **à boire**
1969	8	léger, équilibré • **à boire sans attendre**
1970	10	puissant, gras, aromatique (truffe), tannique, harmonieux • **s'ouvre**
1971	8,5	peu corpulent, finesse, distingué • **à boire**
1972	7	fin, incisif • **à boire**
1973	8,5	fin, souple et fruité • **à boire**
1974	8	bouquet faible, souple en bouche (1/2 récolte) • **à boire en 1984**
1975	9,5	très vineux, encore fermé • **à boire en 1990**
1976	9	moelleux (fruit mûr), riche • **à boire en 1985**
1977	8	balsamique, épicé et viril • **à boire en 1985**
1978	10	rond, riche, généreux • **à boire en 1992**
1979	9,5	complet, équilibré • **à boire en 1989**
1980	8	fruité et harmonieux • **à boire dès 1988**
1981	9,5	construit, riche, long • **à boire dès 1991**

CHATEAU DE FIEUZAL

CRU CLASSÉ

Fieuzal appartenait autrefois aux La Rochefoucauld. Ce titre de gloire figure toujours sur l'étiquette. Cela paraît d'autant plus légitime que l'immortel auteur des *Maximes* écrivit : « Je tiens, quant à moi, la sobriété pour une sorte d'impuissance. »

Sans remonter jusqu'au duc, Fieuzal connut une éclipse. Signalons néanmoins que le pape Léon XIII, à une époque où la charité bien ordonnée commençait par soi, se fournit à Fieuzal. C'était en 1893. Sautons les étapes. Avant la dernière guerre, Abel Ricard régnait sur Fieuzal. Son décès pendant la guerre eut pour conséquence l'abandon du domaine. En 1945, sa fille, de retour du Maroc, et son mari, Erik Brocké, s'attelèrent à la tâche et transformèrent Fieuzal en propriété modèle. A la mort de sa femme, Erik Brocké vendit le domaine à Georges Nègrevergne qui, depuis 1974, poursuit l'effort entrepris. Les chais ont été modernisés et, récemment, une deuxième parcelle de 5 hectares a complété le vignoble jusqu'alors d'un seul tenant.

■ Lieu de naissance

Le vignoble de Fieuzal borde à l'ouest la route départementale nº 651 reliant Léognan à Saucats. Partant de Léognan, on laisse sur sa gauche Malartic-Lagravière, on parcourt alors un kilomètre, et

FICHE TECHNIQUE

AOC	Graves	Temps de cuvaison	21 jours
Production	7 000 caisses	Chaptalisation	si nécessaire (pas en 1975)
Date de création du vignoble	1870	Température des fermentations	30º-33º (voir texte)
Surface	17 ha + 5 ha de plantations nouvelles	Mode de régulation	réfrigérant
Répartition du sol	en 2 parcelles	Type des cuves	acier revêtu
Géologie	graves blanches, maigres et profondes	Vin de presse	tout ou partie de la première presse

CULTURE

Engrais	selon analyse (magnésie, azote, etc.)	Age des barriques	2 ans
		Temps de séjour	18/24 mois
Taille	Guyot double	Collage	blancs d'œufs
Cépages	C.S. 75 % - M. 20 % - Petit Verdot, Malbec 5 %	Filtration	sur terre et sur plaques avant la mise
Age moyen	30 ans		
Porte-greffe	Riparia Gloire et 101-14	Maître de chai	Guy Chaussat
Densité de plantation	9 000 pieds/ha (110 x 110) nouv. plantations : 110 x 120	Régisseur	Guy Chaussat
		Œnologue conseil	Laboratoire œnotechnique de Portets Prof. Peynaud
Rendement à l'ha	35 hl		
Replantation	voir texte	Type de bouteille	bordelaise
Traitement antibotrytis	oui	Vente directe au château	oui
		Commande directe au château	oui

VINIFICATION

Levurage (origine)	pied de cuve	Contrat monopole	non

160

Fieuzal apparaît sur la droite. Il faut un œil exercé pour déceler les fameuses croupes bordelaises. En l'occurrence, elles existent même si le vignoble paraît peu vallonné. Il culmine à 53 mètres et se compose de graves fines, sableuses et blanches, profondes et maigres. La deuxième parcelle, presque carrée, est légèrement inclinée vers l'ouest.

■ Culture et vinification

On comparera utilement le rapport Cabernet Sauvignon/Merlot de Fieuzal et d'autres Graves. De même que dans le Médoc, ce rapport est infiniment variable (Bouscaut, par exemple). Culture et vinification sont classiques. On remarquera néanmoins que la température des fermentations est élevée et que, selon une technique parfaitement rationnelle, elle atteint 33º en fin de fermentation — comme à Cos d'Estournel — afin d'obtenir une bonne extraction sans encourir le risque que la fermentation cesse prématurément.

Voici à titre d'exemple l'analyse d'un très bon Fieuzal (1971) :
— degré alcoolique 12,1
— acidité totale 3,4
— acidité volatile 0,30
— indice de permanganate (tannins) 56

A noter deux chiffres remarquables : la faible acidité volatile et le fort indice de permanganate.

■ Le vin

Fieuzal contribue par les investissements consentis et par l'alliance des progrès et de la tradition au renouveau des Graves, berceau des vins de Bordeaux. Il produit également 900 caisses de vin blanc sec, Graves non classé en 1953-1959, issu de 60 % de Sauvignon et 40 % de Sémillon.

PLAT IDÉAL :
Magrets de canard

AGE IDÉAL: 8 à 10 ans
Années exceptionnelles : 20 ans

GRAND CRU CLASSÉ

TRADE MARK

1978

CHATEAU DE FIEUZAL

GRAVES

APPELLATION GRAVES CONTRÔLÉE

75 cl

S.A. CHATEAU DE FIEUZAL PROPRIÉTAIRE . LÉOGNAN . GIRONDE

MIS EN BOUTEILLES AU CHATEAU

COTATIONS COMMENTÉES

1961	10	vin complet **• à boire**
1962	8	moins structuré **• à boire**
1964	8	encore un peu dur, vendangé avant la pluie **• à boire en 1983-1984**
1966	8	a bien évolué, rond **• à boire**
1967	7,5	millésime très réussi, style féminin **• à boire sans délai**
1969	7	vaut mieux que sa réputation **• à boire sans délai**
1970	9	dense et ferme **• s'ouvre mais attendre**
1971	9	le même mais plus évolué que le 1970 **• s'ouvre**
1972	5	maigre **• à boire tout de suite**
1973	7	proche des 1967, caractère féminin **• à boire tout de suite**
1974	7,5	plus construit que 1973, gagne à être attendu
1975	9	ingrat et fermé **• à boire en 1985**
1976	6,5	un peu léger (pluie) **• à boire tout de suite**
1977	6,5	coloré et court, peu d'ampleur, peu de gras **• à boire**
1978	9	charpenté, riche, grande garde **• à boire en 1988**
1979	9	belle robe, riche et complet **• à boire en 1989**
1980	8	couleur, tannin ; bien parti

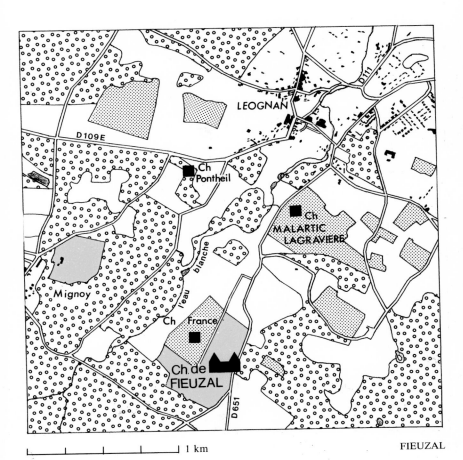

LEOGNAN

D 109 E

Ch Pontheil

Ch MALARTIC LAGRAVIERE

Mignoy

l'eau blanche

Ch France

Ch. de FIEUZAL

1 km

FIEUZAL

CHATEAU LAVILLE HAUT-BRION

Cette « marque » est la plus récente des crus classés, toutes régions confondues. C'est à Henri Woltner que l'on doit sa création. Lorsqu'il reprit le vignoble de La Tour Haut-Brion à la suite de la famille Coustau (voir le chapitre consacré au Château La Tour Haut-Brion) la terre de la partie sud de la propriété ne lui parut pas présenter toutes les qualités nécessaires à la vigne rouge. La couche de graves, moins épaisse et sensiblement plus argileuse, lui sembla convenir aux vignes blanches. Il arracha les ceps rouges pour planter du Sémillon et du Sauvignon. Ce fut une réussite puisque dans le classement des Graves en 1953 figure le nom Château Laville Haut-Brion.

■ Lieu de naissance

Ce vignoble jouxte naturellement Château La Tour Haut-Brion puisqu'il en fit partie jusqu'en 1924. Il s'agit de la portion sud de La Tour Haut-Brion, la moins élevée, dont l'altitude passe de 25 à 19 mètres, et orientée au sud. La couche de graves est beaucoup plus mince que dans les vignobles voisins. Elle atteint 2 mètres environ.

FICHE TECHNIQUE

AOC	Graves		Temps de cuvaison	15 jours
Production	1 200 caisses		Chaptalisation	exceptionnelle ; 12,5 à 13,5 naturel
Date de création du vignoble de vin blanc	1928		Température des fermentations	inférieure à 20° (climatisation du chai)
Surface	5 ha		Type des cuves	fermentation en barriques
Répartition du sol	un seul tenant		Age des barriques	élevé
Géologie	graves argileuses		Temps de séjour	mise en bouteilles en avril-mai
			Collage	gélatine de poisson
			Filtration	aucune

CULTURE

Engrais	organique et chimique
Taille	
Cépages	Sé 60 % - Sau 40 %
Age moyen	25 ans
Porte-greffe	SO4
Densité de plantation	10 000 pieds/ha
Rendement à l'ha	40 hl
Replantation	2 % pan an (moyenne)
Traitement antibotrytis	oui

Maître de chai	Michel Lagardère
Régisseur	Henri Lagardère
Œnologue conseil	Michel Lagardère - Prof. Peynaud
Type de bouteille	bordelaise blanche
Vente directe au château	non
Commande directe au château	non
Contrat monopole	non

VINIFICATION

Levurage (origine)	naturel

Ce sont des graves plus fines, plus riches, très sensiblement argileuses.

■ Culture et vinification

On ne s'étonnera pas que les procédés qui ont fait leurs preuves à La Mission Haut-Brion soient appliqués au Château Laville Haut-Brion. Les mêmes hommes dans les mêmes locaux s'attachent à la réussite de ce Graves blanc. Les moûts fermentent non en cuves mais en barriques, puis sont élevés brièvement, toujours en barriques. Cette futaille n'est jamais neutre, car on craint, à Laville Haut-Brion, les goûts boisés dont la présence nuit à l'harmonie des vins si ceux-ci sont consommés rapidement. Ils sont collés à la gélatine de poisson et mis en bouteilles au printemps suivant les vendanges.

■ Le vin

On comparera utilement les divers encépagements et les diverses techniques de vinification des Graves blancs. La forte proportion de Sémillon — qu'on ne retrouve guère qu'au Château Bouscaut — donne au vin de Laville Haut-Brion un caractère spécifique sans doute appuyé par son terroir. Le Sauvignon autorise une consommation rapide, alors que l'évolution lente des Sémillon permet aux vins de Laville Haut-Brion une maturation qui se révèle au-delà de cinq ou dix ans. Ce phénomène se retrouve dans les Sauternes. Ce rapprochement n'est pas fortuit étant donné la similitude des encépagements. Lorsque le millésime est très riche, en 1976 par exemple, Château Laville Haut-Brion peut vraiment être qualifié de « Sauternes sec ».

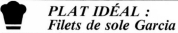

PLAT IDÉAL :
Filets de sole Garcia

AGE IDÉAL : dans les 24 mois, l'abandonner et le reprendre entre 10-20 ans (bonnes années, voir texte)

✛ ✖

CHÂTEAU
LAVILLE HAUT BRION
GRAVES
APPELLATION GRAVES CONTRÔLÉE
Cru classé
1978
SOCIÉTÉ CIVILE DES DOMAINES WOLTNER
PROPRIETAIRE A TALENCE (GIRONDE) FRANCE
PRODUCE OF FRANCE
MIS EN BOUTEILLES AU CHATEAU   75 cl

COTATIONS COMMENTÉES

Année	Note	Commentaire
1961	10	très grand, toujours parfait • **à boire**
1962	9	bien, facile • **à boire**
1963	6	issu de fortes sélections • **à boire**
1964	9	vin puissant • **à boire**
1965	5	léger • **à boire**
1966	9	équilibré, pas très puissant • **à boire**
1967	8	intéressant, bonne évolution • **à boire**
1968	6	bien pour le millésime • **à boire**
1969	7	léger • **à boire**
1970	10	complet • **à boire**
1971	10	complet, encore plus riche, raisins surmaturés • **à boire**
1972	7	bouqueté et élégant • **à boire**
1973	6	maladie d'Henri Woltner • **à boire**
1974	7	raisins sains, temps froid • **à boire**
1975	9,5	près de 14° d'alcool naturel • **encore meilleur vers 1985**
1976	10	surmûri, récolté avant la pluie ; « Sauternes » sec • **peut être bu, peut être attendu**
1977	7	robe claire, typé Sauvignon, fin • **voir ci-dessus : âge idéal**
1978	10	grand vin, complexe • **voir ci-dessus : âge idéal**
1979	7	manque de gras, assez simple • **voir ci-dessus : âge idéal**
1980	6	structures légères • **voir ci-dessus : âge idéal**
1981	8	boisé, solide • **à boire de 1985 à 2000**
1982	10	séveux, aromatique, charnu • **voir ci-dessus : âge idéal**

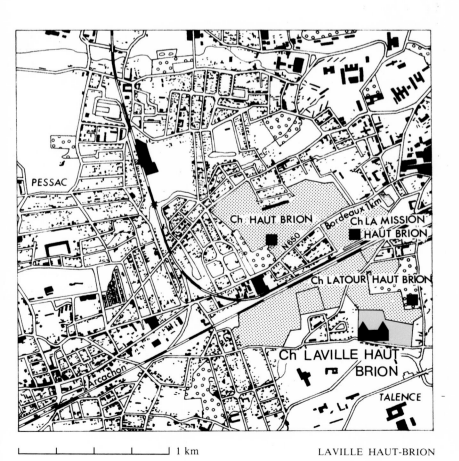

PESSAC

Ch. HAUT BRION   Ch. LA MISSION HAUT-BRION

Ch. LATOUR HAUT BRION

Ch. LAVILLE HAUT BRION

TALENCE

Arcachon   Bordeaux 1 km   N 650

⊢—⊢—⊢—⊢—⊢—⊣ 1 km   LAVILLE HAUT-BRION

CHATEAU MALARTIC-LAGRAVIÈRE

CRU CLASSÉ

PLAT IDÉAL :
Poisson à chair grasse

AGE IDÉAL : 5 ans
Années exceptionnelles : 8 à 10 ans

COTATIONS COMMENTÉES

Année	Note	Commentaire
1970	9	sec et sérieux, riche ; vieillit bien • à boire
1971	10	équilibre, élégance et bouquet • à boire
1972	6	bien réussi pour ce millésime • à boire
1973	6	léger et clair • à boire sans délai
1974	7	moins sec, plein, sérieux, souple • à boire
1975	9	beau nez, belle robe, sérieux • à boire en 1983-1984
1976	8	équilibre et charme • prêt à être bu
1977	5	net et sec ; peu complexe • à boire
1978	9	plein et sérieux • à boire en 1983-1984
1979	9	très aromatique, vin de charme • prêt à être bu
1980	9	aromatique ; sérieux, corsé • à boire en 1986-1988
1981	10	encore supérieur au 1971 • à boire dès 1990

On ne peut s'empêcher d'établir des rapports entre certaines propriétés. On ne saurait s'en étonner lorsqu'elles sont proches et appartiennent à la même appellation. C'est le cas de Malartic-Lagravière et du Domaine de Chevalier. Toutes deux sont d'un seul tenant, des deux châteaux, on contemple le vignoble, toutes deux bénéficient du classement pour le vin rouge et le vin blanc, enfin la famille Ricard les posséda toutes deux. Les similitudes cessent si l'on considère l'encépagement puisque, à Malartic-Lagravière, on ne cultive que, le Sauvignon. Jacques Marly soutient que, dans son terrain, ce cépage perd ses caractères excessifs et envahissants et que le Sémillon n'apporterait rien, au contraire. Les rendements à l'hectare sont importants, ce qui est moins étonnant pour des vignes blanches que pour des vignes rouges. (Alsace et vins blancs allemands : plus de 100 hl/ha !)

Se reporter aux propos de Jacques Marly concernant ce sujet, au chapitre consacré au Malartic-Lagravière rouge (p. 144). Comme il est d'usage, les fermentations se font à basse température et les bouquets sont conservés par une mise en bouteilles précoce, quelques mois après les fermentations alcooliques (pas de fermentations malolactiques), c'est-à-dire en mars-avril.

FICHE TECHNIQUE

AOC	Graves		Chaptalisation	degré idéal 13º
Production	600 caisses		Température des fermentations	18º à 20º
Date de création du vignoble	fin XVIIIe siècle		Mode de régulation	ruissellement
Surface	14 ha (rouge et blanc)		Type des cuves	inox
Répartition du sol	un seul tenant		Age des barriques	neuves
Géologie	graves, calcaire, argile		Temps de séjour	3 mois

CULTURE

Engrais	chimique et organique
Taille	Guyot simple
Cépages	Sauvignon 100 %
Porte-greffe	420 A partout
Rendement à l'ha	60 hl

Œnologue conseil	Prof. E. Peynaud
Type de bouteille	bordelaise blanche
Vente directe au château	non
Commande directe au château	non
Contrat monopole	oui

VINIFICATION

Levurage (origine)	naturel

CHATEAU OLIVIER

Cette superbe propriété bénéficie du classement en grand cru pour les rouges (voir p. 146) et pour les blancs.

Sa situation presque enclavée dans les forêts n'est pas sans rappeler le Domaine de Chevalier, mais en beaucoup plus grand. L'encépagement, plutôt complexe, pourrait presque être celui d'une propriété sauternaise. La plus grande partie du vignoble s'étend sur un plan légèrement incliné dont le bas est réservé aux vignes blanches, plus à l'aise que les vignes rouges dans l'argile sableuse.

Le porte-greffe SO4 s'impose dans les bas de pente puisqu'il résiste bien à l'humidité. Les renseignements fournis par la fiche technique ci-dessous laissent deviner le but poursuivi : privilégier avant tout bouquet et fraîcheur. Dans cette optique, le passage en barrique serait dommageable. Le vin est filtré après trois ou quatre mois. La mise en bouteilles est précoce (6 mois), après un passage au froid pour précipiter les bitartrates de potassium (cristaux blancs, gravelle).

Ce type de vin n'est pas conçu pour affronter de longs vieillissements. Cette vinification se situe aux antipodes de celle pratiquée au Domaine de Chevalier, par exemple.

MILLÉSIMES RECOMMANDÉS

1967 - 1970 - 1971 - 1975 - 1976 - 1978 - 1979 - 1980.

FICHE TECHNIQUE

AOC	*Graves*		Levurage (origine)	*naturel*
Production	*9 000 caisses*		Durée des fermentations	*4 à 5 jours*
Date de création du vignoble	*XVIIIe siècle*		Chaptalisation	*si nécessaire*
Surface	*14 ha (+ 6 potentiels)*		Température des fermentations	*18° à 20°*
Répartition du sol	*un seul tenant*		Mode de régulation	*réfrigérant*
Géologie	*argilo-sableux*		Type des cuves	*acier revêtu*
			Temps de séjour	*6 mois en grand volume*
			Filtration	*oui*
			Procédés spéciaux	*passage au froid*

CULTURE

Engrais	*organique*
Taille	*diverses*
Cépages	*Sé 65 % - Sau 33 % - Mu 2 %*
Age moyen	*30 ans*
Porte-greffe	*SO4*
Rendement à l'ha	*48 hl*

Régisseur	*MM. Dupin-Castaing*
Œnologue conseil	*M. Claude Guérin*
Type de bouteille	*spéciales Eschenauer*
Vente directe au château	*non*
Commande directe au château	*non*
Contrat monopole	*oui (Eschenauer)*

VINIFICATION

Type de pressoir	*horizontal à vis*

CHÂTEAU LA TOUR MARTILLAC

CRU CLASSÉ

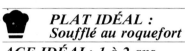

PLAT IDÉAL :
Soufflé au roquefort

AGE IDÉAL: 1 à 2 ans
et 6 à 8 ans

MILLÉSIMES RECOMMANDÉS

1970 - 1971 - 1975 - 1976 - 1978 - 1979		
1980	8,5	léger, sauvignonné • **à boire**
1981	9,5	plein, alcoolisé, robuste • **à boire**

Lorsque Alfred Kressmann acheta la propriété de La Tour en 1930, on y faisait deux fois plus de vin blanc que de vin rouge sur les 12 hectares plantés dont 8 en vignes blanches. Édouard Kressmann, fondateur en 1871 de la maison qui porte son nom, avait conseillé au propriétaire de l'époque un encépagement destiné à élaborer un vin qu'il vendit dès 1892 sous l'étiquette « Graves Monopole Dry ». Ces cépages greffés en 1884 n'ont pas été arrachés et sont les doyens de la propriété. Jean Kressmann en est très fier. Certains n'appartiennent pas à l'encépagement traditionnel bordelais, quelques-uns ne sont sans doute pas admis ; mais sanctifiés par leur grand âge, ils sont source d'un vin irremplaçable. Le débit de cette source est limité, de même que le rendement de la parcelle plantée en 1928. Des vignes beaucoup plus jeunes donnent quinze tonneaux annuels.

■ Vinification

Jean Kressmann a beaucoup modernisé son chai. Le vin blanc est vinifié dans de petites cuves en acier inoxydable de 25 et 48 hectolitres. La température des fermentations est contrôlée par ruissellement sur cuves. Le vin est mis en bouteilles au mois de juin après un bref élevage en cuves sans avoir connu la barrique. Si les bitartrates de potassium n'ont pas précipité naturellement, le vin est refroidi avant d'être embouteillé.

■ Le vin

La technique employée favorise l'exaltation des bouquets primaires. Jean Kressmann pense que le maintien de ces vieilles vignes donne à son vin blanc de bonnes capacités de vieillissement.

FICHE TECHNIQUE

AOC	Graves
Production	1 500 caisses
Date de création du vignoble	antérieur à 1816
Surface	4 ha (vignes blanches) + 19 ha (vignes rouges)
Répartition du sol	vignoble composé de 3 parcelles groupées
Géologie	graves tertiaires pyrénéennes

CULTURE

Engrais	fumier de vache - chimique, le moins possible
Taille	Guyot simple et double
Cépages	Sé 50 % - Sau 45 % - Mu et vieille vigne 5 %
Age moyen	15 ans (voir texte)
Porte-greffe	420 A - 3 309
Densité de plantation	7 200 pieds/ha
Rendement à l'ha	30 hl
Replantation	par tranches

VINIFICATION

Levurage (origine)	naturel
Temps de fermentation	6 semaines
Chaptalisation	si nécessaire (idéal 12°5-12°8)
Température des fermentations	moins de 20°
Mode de régulation	arrosage des cuves
Type des cuves	inox (25 hl et 48 hl)
Age des barriques	pas de barriques, élevage en cuves
Temps de séjour	8 mois
Maître de chai	Jean Kressmann
Régisseur	Loïc Kressmann
Œnologue conseil	M. Castaing
Type de bouteille	bordelaise blanche
Vente directe au château	oui
Commande directe au château	oui
Contrat monopole	oui (Kressmann)

CHATEAU BOUSCAUT

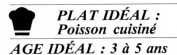

PLAT IDÉAL :
Poisson cuisiné

AGE IDÉAL : 3 à 5 ans

COTATIONS COMMENTÉES

1977	7	savoureux et fruité • **à boire**
1978	10	beau millésime, complet • **à boire**
1979	8	fin, élégant, parfumé • **à boire**
1980	8	fruité, équilibré • **à boire**
1981	9	complet, parfumé • **à boire dès 1984**

Alors que divers Graves blancs, classés ou non, exploitent le Sauvignon à 100 % ou en forte proportion, ce Sauvignon qui conquiert en divers points de France des centaines d'hectares, tant sa mode est grande, le vignoble de Château Bouscaut reste fidèle au Sémillon. Il y a lieu de signaler que sur le plan aromatique, le Sauvignon est dominant dans les vins jeunes. Il domine d'autant plus aisément que le Sémillon, dans les vins jeunes, ne propose que fort peu d'éléments aromatiques. Lorsque les vins prennent de l'âge, le Sauvignon perd sa puissance ; c'est alors au tour du Sémillon de prendre le relais et de révéler ses qualités aromatiques. Parfois ce relais tarde, c'est alors qu'il faut savoir attendre un an ou deux que le vin retrouve un nouvel éclat. Au Château Bouscaut, la vinification est traditionnelle, et les fermentations ont lieu en barriques, ainsi que l'élevage du vin (8 mois).

On peut se livrer à des comparaisons intéressantes entre divers Graves blancs : Chevalier, Bouscaut, Laville-Haut-Brion et Olivier bénéficient sensiblement du même encépagement ; les trois premiers sont vinifiés en barriques (18 mois, 8 mois et 6 mois), le quatrième en cuve métallique de grand volume. On peut également comparer ces vins aux Graves 100 % Sauvignon tels que Malartic-Lagravière et Smith Haut Lafitte, tributaires de deux types de vinification. On conviendra que les Graves blancs sont les champions de la diversité !

FICHE TECHNIQUE

AOC	*Graves*		Chaptalisation	*si nécessaire*
Production	*2 500 caisses*		Température des fermentations	*inférieur à 20°*
Date de création du vignoble	*XVIIe siècle et transformation profonde en 1870*		Mode de régulation	*chauffage et refroidissement de locaux*
Surface	*6 ha*		Type des cuves	*fermentation en barriques*
Répartition du sol	*divisé*		Age des barriques	*1 à 5 ans*
Géologie	*gravier de la nappe pyrénéenne*		Temps de séjour	*8 mois*
			Collage	*blancs d'œufs*
			Filtration	*plaques cellulosiques*

CULTURE

Engrais	*fumure organique équilibrée*		Procédés spéciaux	*fermentation et élevage en barriques*
Taille	*Guyot simple*			
Cépages	*Sau 30 % - Sé 70 %*			
Age moyen	*30 ans*			
Porte-greffe	*Riparia Gloire - 420 A*			
Densité de plantation	*7 000 pieds/ha*		Maître de chai	*M. Boulineau*
Rendement à l'ha	*40 hl*		Œnologue conseil	*Prof. Peynaud*
Replantation	*5 % par an*		Type de bouteille	*bordelaise blanche*
Traitement antibotrytis	*non*		Vente directe au château	*non*

VINIFICATION

Éraflage	*non, pressé en grains ronds*		Commande directe au château	*oui*
Levurage (origine)	*naturel*		Contrat monopole	*non*

CHATEAU COUHINS

Quelques vestiges d'architecture du XVIe et du XVIIe siècle donnent à penser que la propriété de Couhins est ancienne. Depuis le milieu du XIXe siècle, la famille Hanappier en est la propriétaire. Les Hanappier-Gasqueton conservèrent ce bien jusqu'au-delà de la dernière guerre. Aujourd'hui le ministère de l'Agriculture, Institut national de la recherche agronomique (INRA), en a la propriété. Le château, détaché de l'exploitation, est habité par des Bordelais étrangers au monde du vin.

Depuis 1967, André Lurton a exploité le vignoble. A la fin des années 70 l'INRA a décidé de reprendre pour son propre compte le vignoble de Couhins, à l'exception de 1,75 hectare qu'André Lurton vinifie au superbe château La Louvière dont il est propriétaire.

■ **Lieu de naissance**

Couhins est le premier cru classé de Graves que l'on rencontre en partant de Bordeaux en direction du sud. Il est le seul de la com-

FICHE TECHNIQUE

AOC	Graves		Fermentation	10 à 21 jours
Production	850 caisses (voir texte)		Chaptalisation	si nécessaire
Surface	7 + 1,75 ha (voir texte)		Température des fermentations	inférieure à 20°
Répartition du sol	un seul tenant		Mode de régulation	ruissellement sur cuves
Géologie	graves argileuses		Type des cuves	inox
			Age des barriques	élevage en cuves
			Temps de séjour	6 mois
			Filtrations	sur terre et sur plaques avant la mise
			Procédés spéciaux	passage au froid

CULTURE

Engrais	fumier, potasse, phosphore, azote
Taille	Guyot simple, parfois Guyot double, 60 000 bourgeons à l'ha
Cépages	Sau 100 %
Age moyen	10 ans
Porte-greffe	Riparia Gloire 101-14
Densité de plantation	6 300 - 6 500 pieds/ha
Rendement à l'ha	45 hl
Replantation	pas pour l'instant, complantation

Maître de chai	Joseph Pessotto
Régisseur	Jean-Yves Arnaud
Œnologue conseil	Prof. Peynaud
Type de bouteille	bordelaise verte
Vente directe au château	oui au château La Louvière, où se fait la vinification
Commande directe au château	oui
Contrat monopole	non

VINIFICATION

Levurage (origine)	naturel

mune peu viticole de Villenave-d'Ornon. Il occupe une croupe culminant à 30 mètres d'altitude et comportant des dénivellations de plus de 5 mètres au nord et au sud. Il est limité à l'ouest par la route qui relie Couhins à la route départementale 111 Carbonnieux-Bouscaut et domine le vallon de l'Eau-Blanche. Son sol se compose de graves profondes à dominante argileuse.

■ Culture et vinification

L'enrichissement des terres fait appel au fumier et aux engrais azotés, potassiques et phosphoriques. La taille, Guyot simple, parfois Guyot double, dépend de la vigueur du pied. La moyenne obtenue est de 60 000 boutons/hectare. André Lurton exploite pour Couhins les installations très modernes et très rationnelles qu'il a conçues au Château La Louvière. La technique est celle mise au point pour vinifier le vin blanc Château La Louvière. Les fermentations ont lieu en cuves d'acier inoxydable dont la température peut être abaissée par ruissellement. Le vin est éclairci par une filtration sur terre. La mise en bouteilles s'effectue au mois de mai suivant la récolte après filtration sur plaques.

■ Le vin

Cette vinification traduit la recherche de la fraîcheur, de la vivacité et le souci de la conservation des arômes primaires. André Lurton, assisté du professeur Peynaud, obtient tout cela. Château Couhins est un vin vif et fin, mais il est déconseillé de le faire vieillir plus de quelques années.

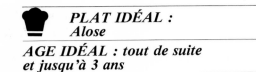

PLAT IDÉAL :
Alose

AGE IDÉAL : *tout de suite et jusqu'à 3 ans*

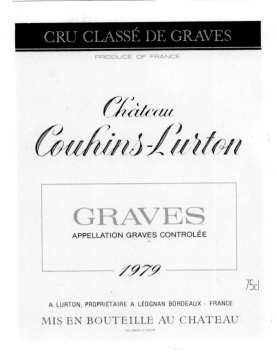

CRU CLASSÉ DE GRAVES

PRODUCE OF FRANCE

Château
Couhins-Lurton

GRAVES
APPELLATION GRAVES CONTROLÉE
— *1979* —

75cl

A. LURTON, PROPRIÉTAIRE A LÉOGNAN BORDEAUX · FRANCE

MIS EN BOUTEILLE AU CHATEAU

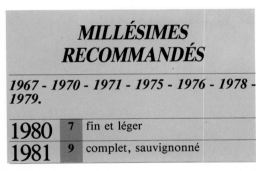

MILLÉSIMES RECOMMANDÉS		
1967 - 1970 - 1971 - 1975 - 1976 - 1978 - 1979.		
1980	7	fin et léger
1981	9	complet, sauvignonné

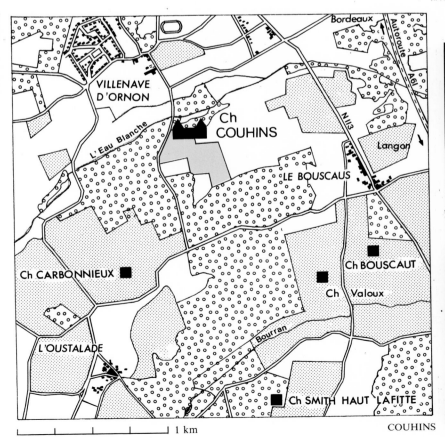

COUHINS

169

CHATEAU CARBONNIEUX

GRAND CRU CLASSÉ

1979

CHÂTEAU CARBONNIEUX

APPELLATION GRAVES CONTROLÉE

GRAVES

MIS EN BOUTEILLES ——— AU CHATEAU

PRODUCE OF FRANCE

Société des Grandes Graves
PROPRIÉTAIRE A LÉOGNAN (GIRONDE)   75 cl

G. MOOLENAAR - BORDEAUX

PLAT IDÉAL :
Bar et crustacés

AGE IDÉAL : 2 ou 5 ans
Années exceptionnelles : 10 ans

Contrairement à la plupart des crus classés de Graves producteurs de vins blancs et rouges, on produit autant de blanc que de rouge à Carbonnieux. Cette production de vin blanc n'est pas nouvelle si l'on songe à la fameuse « eau minérale de Carbonnieux » livrée par les moines exploitant le vignoble à la fin du XVIIIe siècle. Ainsi était baptisé le vin blanc destiné à quelque grand vizir musulman à qui l'alcool, donc le vin, était interdit. On ajoute, mais l'histoire est trop belle pour être vraie, que le vizir se demandait pourquoi les Français s'entêtaient à faire du vin alors qu'ils disposaient d'une eau aussi excellente !

Le vin blanc de Carbonnieux est vinifié de la façon la plus simple : le raisin est pressé dans des pressoirs horizontaux, les moûts débourbés par sédimentation et livrés à la fermentation en cuves inox. Les températures ne dépassent pas 18o. Le vin est alors élevé en cuves et en barriques neuves. Il passe par rotation trois mois dans le bois. Il est mis en bouteilles au mois de mai ou de juin suivant les vendanges. Cette méthode confère aux vins blancs de Carbonnieux tout à la fois leur fraîcheur et la possibilité d'évoluer en bouteilles, encore qu'une longue garde semble souvent inutile sinon nuisible.

COTATIONS COMMENTÉES

1971	10	fin et complet ; est à son apogée	**1975**	8,5	évolué, rond, équilibré	**1979**	8	un 1978 plus fruité
1972	7,5	goût végétal	**1976**	7	mollesse due à l'été trop chaud	**1980**	8	léger, fin, nerveux
1973	7	équilibré ; manque de longueur	**1977**	7	léger, goût végétal	**1981**	9,5	rond, équilibré, floral
1974	7,5	équilibré, plus long que le 1973	**1978**	8	finesse, charme, élégance	**1982**	8	équilibré, très fruité

FICHE TECHNIQUE

AOC	*Graves*
Production	*15 000 caisses*
Date de création du vignoble	*1234 ou avant*
Surface	*35 ha (rouge) + 35 ha (blanc)*
Répartition du sol	*un seul tenant*
Géologie	*argile légèrement graveleuse*

CULTURE

Engrais	*organique (déchets végétaux et animaux)*
Taille	*Guyot simple*
Cépages	*Sau 65 % - Sé 35 %*
Age moyen	*25 ans*
Porte-greffe	*101-14 - 3 309 - Riparia Gloire*
Densité de plantation	*7 000 pieds/ha*
Rendement à l'ha	*40 hl*
Replantation	*par tranches*

VINIFICATION

Éraflage - Foulage	*non - oui*

Levurage (origine)	*levures sélectionnées*
Durée des fermentations	*30 à 40 jours*
Chaptalisation	*si nécessaire*
Température des fermentations	*18o*
Mode de régulation	*immersion et serpentin*
Type des cuves	*majorité inox*
Age des barriques	*neuves*
Temps de séjour	*3 mois*
Filtration	*sur terre*

Propriétaire	*Société des grandes caves*
Administrateur	*Perrin*
Maître de chai	*Jean Henquinet*
Chef de culture	*René Besse*
Œnologue conseil	*Vasset et prof. Peynaud*
Type de bouteille	*bordelaise mi-blanche*
Vente directe au château	*oui*
Commande directe au château	*oui*
Contrat monopole	*non (oui USA)*

DOMAINE DE CHEVALIER

PLAT IDÉAL :
Turbot, coquillages

AGE IDÉAL : 6-8 ans
Années exceptionnelles : 12 ans et plus

Sur les 17 hectares de vignes du Domaine de Chevalier, deux seulement sont consacrés à la vigne blanche. La propriété, entourée de forêts, n'est pas susceptible d'agrandissement, les terrains boisés ne convenant pas à la culture de la vigne.

■ Les vendanges

Le soin porté à la vendange implique une recherche de haute qualité puisque les vendangeurs passent au moins trois fois auprès de chaque cep afin de ne récolter que des grappes à leur plein mûrissement, afin d'éliminer également au premier passage tout raisin pourri ou malade. La vendange exige parfois cinq tries. Il arrive qu'on cueille des demi-grappes ! La situation particulière du vignoble permet au propriétaire de compter, d'année en année, sur une dizaine de femmes du voisinage aptes à ce tri spécial. MM. Ricard et Grassin surveillent eux-mêmes l'arrivée du raisin.

■ La vinification

La vinification est traditionnelle. La première et la deuxième presse sont retenues, le reste est éliminé. Le moût est alors débourbé, collé à la bentonite et mis en fermentation en barriques. Les températures des fermentations restent basses (petit volume), elles ne sont même pas contrôlées.

Après quatre semaines, le vin est terminé. Il séjourne alors 18 mois en barriques. L'apport de bois neuf, contrairement au rouge, ne doit pas dépasser 25 %. Six sur vingt-deux en 1979, quatre sur seize en 1980 et en 1981. En hiver, le chai est ouvert, afin que le froid naturel précipite les bitartrates. Après la mise, les bouteilles sont stockées encore deux ans dans un local approprié afin d'éviter que le vin soit bu trop jeune. En effet, ce type de vinification confère au vin de grandes possibilités d'évolution bénéfique.

COTATIONS COMMENTÉES

Année	Note	Commentaire
1970	10	saveurs riches, ampleur • **à boire**
1971	9	ferme et nerveux • **à boire**
1972	7,5	vif • **à boire**
1973	8,5	encore frais, riche, puissant • **à boire**
1975	10	proche des 1970 • **à boire dès 1985**
1976	9,5	souple, nerveux et long • **commencer à le boire**
1977	8,5	vif • **à boire**
1978	9	complet, charnu, grand vin • **à boire en 1988**
1979	9,5	souple, aromatique • **à boire en 1986**
1980	9	équilibre, richesse • **à boire en 1988**
1981	9,5	fruité, nerveux, charnu • **à boire dès 1990**

FICHE TECHNIQUE

AOC	*Graves*
Production	*600 caisses*
Date de création du vignoble	*fin XVIIIe siècle*
Surface	*2 ha*
Répartition du sol	*un seul tenant*
Géologie	*graves peu profondes sur alios et argile*

CULTURE

Engrais	*compost, pas d'engrais chimique*
Taille	*Guyot double médocaine*
Cépages	*Sau 70 % - Sé 30 %*
Age moyen	*17 ans*
Porte-greffe	*3 309*
Densité de plantation	*10 000 pieds/ha*
Rendement à l'ha	*27 hl*
Replantation	*par tranches*

VINIFICATION

Levurage (origine)	*naturel*
Chaptalisation	*si nécessaire*
Durée des fermentations	*1 mois*
Température des fermentations	*basse*
Mode de régulation	*aucun*
Type des cuves	*barriques*
Age des barriques	*20 à 25 % neuves*
Temps de séjour	*18 mois*
Collage	*bentonite*
Filtration	*légère, sur plaques à la mise*
Maître de chai	*Loïs Grassin*
Régisseur	*Loïs Grassin*
Œnologue conseil	*Prof. E. Peynaud*
Type de bouteille	*bordelaise*
Vente directe au château	*non*
Commande directe au château	*non*
Contrat monopole	*non*

CHATEAU D'YQUEM

1er CRU CLASSÉ SUPÉRIEUR

La longue histoire du Château d'Yquem tient en peu de mots. Quelques murs d'enceinte du XIIe siècle attestent l'ancienneté de la forteresse, acquise en 1592 par la famille Sauvage. En 1785, le comte Louis-Amédée de Lur-Saluces épouse Joséphine Sauvage. Depuis trois siècles, château et domaine demeurent la propriété des Lur-Saluces. En 1787, déjà, Thomas Jefferson constate qu'Yquem est le seul cru de la région méritant d'être classé. A cette époque, les vins du Sauternais étaient tout au plus moelleux. Encore que Julien, vingt-neuf ans plus tard, dans son ouvrage fameux *Topographie de tous les vignobles connus* (1816), évoque l'usage des récoltes par tries. En tout cas, le millésime 1847 est connu pour ses vins liquoreux. Et encore, une légende indique que ce retard n'était que fortuit ! La recherche de la qualité a été une préoccupation constante à Yquem : n'est-ce pas l'arrière-grand-père du propriétaire actuel qui créa, sous Charles X, les 100 kilomètres de drains toujours en usage ?

■ Lieu de naissance

Le vignoble prolonge celui de Suduiraut. Il est traversé à l'est par la route départementale 8 E et à l'ouest par la route départementale 116 E. Le château et les chais occupent le point culminant à 75 mètres d'altitude et le vignoble s'abaisse au nord jusqu'à 40 mètres. Les sols sont maigres : argilo-graveleux sur un socle calcaire et gravelo-calcaire.

FICHE TECHNIQUE

AOC	Sauternes		Nombre de tries	4 à 11
Production	5 500 caisses		Type de pressoir	vertical
Date de création du vignoble	XVIIIe siècle		Nombre de presses	3 presses
Surface	102 ha		Chaptalisation	jamais de chaptalisation
Répartition du sol	un seul tenant		Équilibre	(14o + 5,8)
Géologie	graves et sables sur calcaire		Température des fermentations	20o (chauffage)
			Durée des fermentations	2 à 4 semaines
			Type des cuves	fermentation en barriques

CULTURE

Engrais	pas d'engrais minéraux - fumier		Age des barriques	neuves
Taille	Sémillon (à Cots) Sauvignon (Guyot simple)		Temps de séjour	trois ans et demi
			Collage	2 fois : albumine - bentonite
Cépages	Sé 80 % - Sau 20 %		Filtration	très légère, sur plaques à la mise
Age moyen	22 ans		Maître de chai	Guy Latrille
Porte-greffe	Riparia Gloire 3 309-420 A		Régisseur	Pierre Meslier
Densité de plantation	7 000 pieds/ha		Œnologue conseil	station œnologique de Bordeaux (recherche)
Rendement à l'ha	8 hl		Type de bouteille	bordelaise blanche
Replantation	2,5-3 ha chaque année		Vente directe au château	non
			Commande directe au château	non

VINIFICATION

Éraflage - Foulage	non - oui (voir texte)		Contrat monopole	non

■ Culture et vinification

Seul le fumier engraisse le sol, à l'exclusion de tout engrais minéral. La vigne est renouvelée lorsqu'elle atteint l'âge de 45 ans. Le sol est laissé en friche pendant deux ou trois ans. On ne vendange pas avant que le Sémillon ne « pèse » 21o et le Sauvignon, surmûri mais non botrytisé, 15o. A son arrivée au cuvier, le raisin passe dans un fouloir spécial qui ne fait que pincer la peau. Trois pressées sont données, la troisième est la plus liquoreuse (1re pressée : 80 % du volume, 19o, 2e pressée : 15 %, 21o, 3e pressée : 5 %, 24o). Entre chaque pressée, on procède à l'émiettage ; les rafles sont éliminées. La fermentation s'effectue en barriques, dans des locaux chauffés. L'arrêt des fermentations est spontané, la botryticine (et/ou l'alcool) tuant les levures. Pour que la botryticine joue son rôle, il faut que les grains soient pourris pleins, que le moût titre naturellement 19o à 21o d'alcool potentiel. Paradoxalement, plus un moût est sucré, moins il fermente (exemple : à 25o potentiels, arrêt des fermentations à 9o d'alcool, alors qu'à 17o, elles cessent à 15o). La sédimentation naturelle ne se réalise pas à la densité de 1045 (vin sec et rouge : densité 992-996) ; deux collages ont lieu (bentonite, albumine), et jamais au blanc d'œuf pour éviter l'accident que provoquerait un œuf insuffisamment frais.

Les vins assemblés et sélectionnés séjournent trois ans et demi en barriques. Ils sont ouillés deux fois par semaine et soutirés tous les trois mois. Ces manipulations entraînent une perte volumétrique de 22 % ! La mise en bouteilles est précédée d'une très légère filtration.

■ Le vin

Même la commercialisation est perfectionnée. Un stock tampon permet la vente, quelle que soit l'année (en 1964, 1972, 1974, il n'y eut pas de Château d'Yquem), de 66 000 bouteilles annuelles.

Tant de soins contribuent au vin parfait que l'on connaît. Tout autre commentaire paraît superflu.

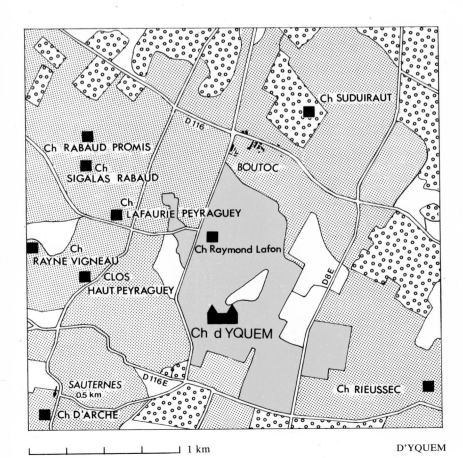

D'YQUEM

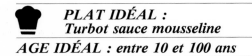

PLAT IDÉAL :
Turbot sauce mousseline

AGE IDÉAL : *entre 10 et 100 ans*

COTATIONS COMMENTÉES

1961	9,5	arôme de rôti, plein, concentré • à boire avant 2030-2050
1962	8	finesse et élégance • à boire avant 1990
1964		pas de château d'Yquem
1966	8	riche et fruité • à boire avant 1990
1967	10	une perfection qui fait songer aux 1929 • à boire avant 2067
1969	7	équilibre : 13,8 + 82 g de sucre ; vin plus léger • à boire avant 1989
1970	9	équilibre : 14,2 + 101 g de sucre ; richesse et générosité • à boire avant 2050
1971	8	équilibre : 13,7 + 110 g de sucre ; gras et botrytisé • à boire avant 2025
1972		pas de château d'Yquem
1973	7	équilibre : 13,2 + 83 g de sucre ; vin léger • à boire maintenant
1974		pas de château d'Yquem
1975	9,5	équilibre : 13,9 + 114 g de sucre ; retenu 80 % de la récolte ; grande année • à boire avant 2075
1976	9	équilibre : 13,6 + 111 g de sucre ; retenu 80 % de la récolte ; grande année à évolution rapide • à boire avant 2025
1977	7	équilibre : 14,5 + 80 g de sucre ; retenu 30 % de la récolte ; proche des 1969 et 1973 • à boire avant 2000
1978	8	retenu 15 % de la récolte (les raisins botrytisés) • à boire avant 2000
1979	8,5	retenu 40 % de la récolte • à boire avant 2030
1980	9	encore en barriques ; retenu 80 % de la récolte ; vers un grand millésime • à boire avant 2020
1981	9- 9,5	entre 1975 et 1976 ; 80 % de la récolte retenus • à boire avant 2050

CHATEAU LA TOUR BLANCHE

En 1855, M. Focke eut la satisfaction d'apprendre que l'on classait son Château La Tour Blanche en tête des 1ers crus, juste derrière le « cru supérieur » qu'est Yquem. Il mourut peu après et sa veuve vendit le domaine à M. Osiris, en 1860, lequel créa une fondation dont il fit don à l'État à la double condition que son nom soit maintenu sur l'étiquette de La Tour Blanche et que le domaine soit transformé en école de viti-viniculture populaire et pratique. Depuis 1907, le ministère de l'Agriculture dirige et gère la propriété. Théoriquement, il n'y a pas d'interférences entre la « marque » La Tour Blanche et l'école de La Tour Blanche. Les élèves ne font qu'assister aux travaux culturaux et aux opérations de vinification. Ils n'interviennent que dans la préparation des plants (pépinière) et effectuent la mise en bouteilles. La jonction entre l'exploitation et l'école se fait en la personne de M. Serra, directeur de l'une et de l'autre.

■ Lieu de naissance

Le vignoble, très proche du Haut-Bomme, culmine à 67 mètres et surplombe le Ciron qui coule 40 mètres au-dessous. Le haut de la colline se compose de graves sur argiles, alors que plus bas des

FICHE TECHNIQUE

AOC	*Sauternes*		Nombre de tries	*2 - 4*
Production	*6 000 caisses*		Temps de cuvaison	*6 jours*
Date de création du vignoble	*XVIIe siècle*		Chaptalisation - Équilibre	*si nécessaire 14o + 4o*
Surface	*27 ha*		Température des fermentations	*15o à 20o*
Répartition du sol	*un seul tenant*			
Géologie	*hétérogène, voir texte*		Type de pressoir, nombre de presses	*horizontal 3 presses*

CULTURE

			Type des cuves	*inox - 200 hl*
Engrais	*organique et minéral*		Age des barriques	*de 0 à 7 ans*
Taille	*Cot et Guyot simple (Sauvignon)*		Temps de séjour	*2 ans*
			Collage	*bentonite - colle de sang*
Cépages	*Sé 72 % - Sau 25 % - Mu 3 %*		Procédés spéciaux	*froid*
Age moyen	*22 ans*		Maître de chai	*Jean-Pierre Faure*
Porte-greffe	*420 A - 3 309 SO4*		Régisseur	*M. Serra*
Densité de plantation	*7 300 et 5 500 pieds/ha*		Œnologue conseil	*Laboratoire de Cadillac M. Simoneau*
Rendement à l'ha	*19,7 hl*		Type de bouteille	*bordelaise*
Replantation	*1 ha annuel*		Vente directe au château	*oui*

VINIFICATION

			Commande directe au château	*oui*
Eraflage, foulage	*non - non*		Contrat monopole	*non*

sables, des limons sur socle calcaire accueillent également les ceps.

■ Culture et vinification

Un peu de fumier, potasse et acide phosphorique entretiennent le sol. La proportion des Sauvignon est déjà respectable, néanmoins M. Serra souhaite l'augmenter. Une partie d'entre eux sont récoltés à leur mûrissement, les autres à l'état surmûri. L'âge du vignoble se répartit ainsi :

plus de 24 ans	12	ha
entre 12 et 24 ans	5,27	ha
moins de 12 ans	9,4	ha

En bonne année, les trois presses sont mélangées. Si le moût manque de richesse, seules les deux premières seront retenues. Les fermentations s'effectuent en cuve inox à température autorégulée. Pour muter le vin, on use de divers procédés : le froid à moins 7 degrés, le collage et l'anhydride sulfureux à raison de 15 grammes par hectolitre. Au printemps, le vin est logé en barriques dont l'âge dépend des ressources de l'exploitation.

A titre d'exemple, voici l'analyse d'un La Tour Blanche 1973 :

alcool	13°9	(1981 : 13°9)
sucre	88,5 g/l	(1981 : 100 g/l)
acidité volatile	0,47 g/l	(1981 : 0,51 g/l)
acidité totale	4,5 g/l	(1981 : 4 g/l)

■ Le vin

Le vin est vendu par la propriété en primeur et aux particuliers. Les négociants se chargent également de l'écoulement de La Tour Blanche, particulièrement à l'exportation. La deuxième marque de La Tour Blanche porte l'étiquette « Cru Saint-Marc ».

PLAT IDÉAL :
Particulièrement à l'apéritif avec des amandes salées

AGE IDÉAL : 5 ans
Années exceptionnelles : 20 ans
Température idéale : 10°

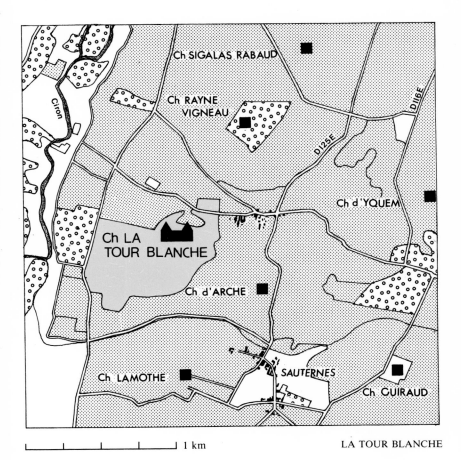

LA TOUR BLANCHE

COTATIONS COMMENTÉES

Année	Note	Commentaire
1961	9	très rond • **à boire**
1962	7	a dépassé son apogée • **devrait être bu**
1966	6	bon avec une pointe d'acidité • **à boire**
1967	9,5	rond et équilibré • **à boire**
1970	9	équilibré ; douceur modérée • **à boire**
1971	9	bonne année, bonne évolution • **à boire sans trop attendre**
1972	4	petit millésime • **à boire**
1973	5,5	petit mais harmonieux • **à boire**
1974	5	fruité et fin ; 1/7 de la production retenu • **à boire**
1975	10	bouquet riche, doit s'arrondir • **pas avant 1985**
1976	9	gras et plein • **commencer à le boire**
1977	5	manque de complexité • **à boire**
1978	7,5	rond sans type • **peut être bu**
1979	7-8	bien botrytisé ; 96,5 g/l de sucre • **peut être bu**
1980	6	léger, trop léger • **à boire**
1981	9,5	riche, aromatique, sucré • **à boire dès 1990**

CHATEAU LAFAURIE-PEYRAGUEY

Le Sauternais devait présenter un grand intérêt militaire si l'on songe que la forteresse d'Yquem, au XIIIe siècle, n'était distante que d'un kilomètre de la forteresse de Peyraguey. Aujourd'hui, les deux châteaux offrent aux visiteurs des enceintes et des murs qui témoignent de ce riche passé militaire.

A Lafaurie-Peyraguey, au centre des murailles, s'élève un bâtiment construit au XVIIe siècle. Le président Pichard, cousin des Ségur, qui racheta Château Lafite, en fut propriétaire jusqu'à ce que la Révolution mît brutalement fin à ses jours. En 1794, ce bien national fut acheté par M. Lafaurie. Grâce à ce bon viticulteur, Château Peyraguey fut classé 1er cru en 1855. Le comte Duchâtel, ministre et propriétaire de Château Lagrange (Margaux), en fait l'acquisition. En 1879, Farinel et Gredy complètent la propriété par le Château Barrail-Peyraguey, alors qu'en cette même année 8 hectares sont détachés pour constituer le Clos Haut-Peyraguey. En 1913, Désiré Cordier achète le Château Lafaurie-Peyraguey. En 1980, les Établissements Cordier ont agrandi le vignoble à la suite de l'acquisition des 4,5 hectares connus sous le nom de Vimeney, pratiquement enclavés dans le Château d'Arche (voir ce Château, p. 200).

FICHE TECHNIQUE

AOC	Sauternes	Type de pressoir	vertical, ancien
Production	3 500 caisses	Chaptalisation	si nécessaire - 14,5 + 4
Date de création du vignoble	XVIIIe siècle	Température des fermentations	18° à 20°
Surface	20 ha (+ 3 possibles)	Durée des fermentations	terminées à Noël
Répartition du sol	en 2 parcelles	Type des cuves	fermentation en barriques
Géologie	graves pyrénéennes et alluvions fines	Age des barriques	renouvellement annuel par tiers
		Temps de séjour	2 ans

CULTURE

Engrais	fumier de mouton - apport minéral	Collage	en barriques à l'albumine
Taille	en gobelet (2-3 yeux)	Filtration	après fermentation
Cépages	Sé 98 % - Sau 2 %	Procédés spéciaux	thiamine - froid
Age moyen	30 ans		
Porte-greffe	Riparia Gloire 420 A - 50-14	Maître de chai	Pierre Patachon
Densité de plantation	6 500 pieds/ha	Régisseur	Pierre Patachon
Rendement à l'ha	16 hl	Œnologue conseil	Georges Pauli
Replantation	1/3 ha annuel	Type de bouteille	bordelaise blanche
		Vente directe au château	non

VINIFICATION

Éraflage	non	Commande directe au château	oui
Foulage	oui, à rouleaux	Contrat monopole	oui

■ Lieu de naissance

Les deux Peyraguey ne sont séparés que par la route départementale 116 E. A l'ouest, Lafaurie-Peyraguey jouxte les deux Château Rabaud. Le vignoble orienté au nord-est comporte une dénivellation d'une dizaine de mètres entre 40 et 50 mètres d'altitude. La terre de graves moyennes d'origine pyrénéenne, mêlée d'alluvions plus fines, est presque exclusivement complantée de Sémillon (pour la deuxième parcelle, voir Château d'Arche).

■ Culture et vinification

Les moutons des bergers des Landes fournissent un peu de fumier complété par des apports minéraux. Dans les belles années, les moûts « font » de 18° à 20°. Si les pressoirs verticaux de Lafaurie-Peyraguey sont anciens (ils datent de 1914, 1920 et 1930), la cave de fermentation est très moderne. Elle est totalement isotherme ; la température des locaux peut être abaissée, maintenue ou élevée à volonté par une pompe à chaleur selon les nécessités imposées par les fermentations en barriques. Lorsque le vin atteint 14°-14,5° (alcool), le mutage est provoqué par adjonction de 70 milligrammes de SO2 par litre — ce qui est très faible. L'adjonction de thiamine (vitamine B) limite le pouvoir combinatoire du soufre. Une clarification rapide par un passage au froid contribue à limiter l'usage de l'anhydride sulfureux.

■ Le vin

L'alliance d'une vinification traditionnelle comprenant fermentation et élevage en barriques et l'exploitation de procédés modernes (pompe à chaleur, thiamine, froid) donne au Château Lafaurie-Peyraguey sa personnalité et une certaine légèreté.

PLAT IDÉAL :
Poulet à l'ail

AGE IDÉAL : 8 ans
Années exceptionnelles : 12 ans

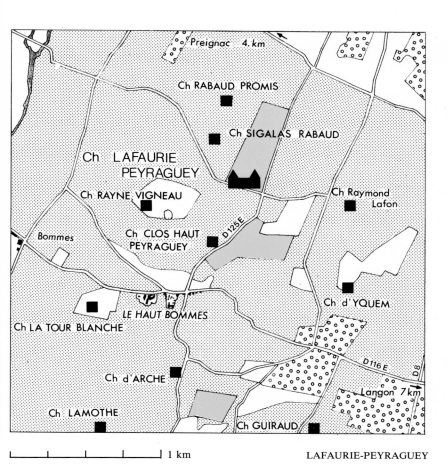

1 km   LAFAURIE-PEYRAGUEY

COTATIONS COMMENTÉES

Année	Note	Commentaire
1961	10	harmonieux, puissant, complexe • **à boire**
1962	9,5	dans l'esprit des 1961 • **à boire**
1964	8,5	sélection des vendanges • **à boire**
1966	8,5	évolué ; complexité et bonne constitution • **à boire**
1967	8	finesse et équilibre • **à boire**
1969	7,5	un petit 1967 • **à boire**
1970	9	puissant, équilibré, long • **à boire mais de longue garde**
1971	8,5	moins ample mais fin • **à boire**
1972	7	petit millésime • **à boire**
1973	7,5	bon vin d'une année moyenne • **à boire**
1974		mauvaise année, pas de mise en bouteilles à la propriété
1975	9,5	typé, puissant, goût de rôti • **commencer à le boire**
1976	8	un 1975 moins intense • **à boire**
1977	7,5	année difficile en évolution • **à boire en 1985**
1978	8	équilibré ; mérite d'être suivi • **à boire en 1986**
1979	8,5	vendanges sélectionnées • **à boire en 1987**
1980	9	style 1966 • **le goûter**
1981	9,5	style 1961, fin, équilibré
1982	8,5	sélection, 15,5 + 6

CHATEAU RAYNE VIGNEAU

Au XVIIe siècle, M. Vigneau (ou La Vigneau) donna son nom à sa terre de la commune de Bommes. Le baron de Rayne en était le propriétaire au XIXe siècle et sa femme, née Pontac, hérita du domaine à la mort de son mari. En 1855, elle eut la satisfaction de pouvoir faire classer le vin de Rayne Vigneau dans la catégorie des premiers crus. Ce classement fut confirmé lors de dégustations célèbres où Rayne Vigneau surclassa Yquem. En 1867, dans une joute mémorable, il fut sacré meilleur vin du monde devant les vins français et allemand (du Rhin et de la Moselle). Le jury franco-allemand avait ainsi distingué à l'aveugle un Château Rayne Vigneau 1861.

En 1961, la famille Pontac vendit le vignoble mais conserva parc et château. Un négociant se porta acquéreur, M. Raoux. Nouveau changement de mains en 1971 lorsque la Société civile du Château Rayne Vigneau, constituée par MM. de la Beaumelle, Merlaut et Dumarc, rénove et exploite le domaine de la même façon qu'à Grand-Puy Ducasse (5e cru classé) et qu'en d'autres lieux.

■ **Lieu de naissance**

La butte de Rayne Vigneau est célèbre dans le monde des géologues. Au début du siècle, un livre lui a été consacré. On n'y parle

---

FICHE TECHNIQUE

AOC	Sauternes		Nombre de tries	3
Production	16 500 caisses		Chaptalisation-Équilibre	1,5° en moyenne
Date de création du vignoble	XVIIe-XVIIIe siècle		Température des fermentations	18°
Surface	66,5 ha		Durée des fermentations	25 jours en moyenne
Répartition du sol	un seul tenant		Type des cuves	inox, 250 hl
Géologie	graves garonnaises du quaternaire		Age des barriques	3 ans maximum
			Temps de séjour	1 an en moyenne
CULTURE			Collage	bentonite et albumine de sang
Engrais	engrais organique		Filtration	sur terre, sur plaques
Taille	Guyot simple et taille à Cot			
Cépages	Sé 65 % - Sau 30 % - Mu 5 %			
Age moyen	25 ans		Maître de chai	M. Garcia
Porte-greffe	161-49 - 101-14 - Riparia Gloire		Régisseur	M. Simon
Densité de plantation	5 000 pieds/ha		Œnologue conseil	M. F. Chaussé
Rendement à l'ha	25 hl		Type de bouteille	bordelaise blanche
Replantation	50 % par an		Vente directe au château	non
			Commande directe au château	non
VINIFICATION			Contrat monopole	distribué par la Société civile du Château Rayne Vigneau
Éraflage - Foulage	non - oui			

pas de vin mais de minéralogie. C'est une mine de pierres précieuses d'une incroyable diversité : l'onyx s'y trouve avec le saphir, les cornalines, les agates, les jaspes, les calcédoines, etc. Ces minéraux d'origine pyrénéenne appartiennent au déversement graveleux du pliocène, il y a cinq millions d'années.

Le vignoble, délimité par quatre routes dont les départementales 109 E, 116 E et 125 E, est idéalement situé sur les pentes ouest, entre 25 et 70 mètres d'altitude. Les nouveaux propriétaires ont planté des vignes vers le bas, ce que l'on s'était abstenu de faire jusqu'alors. Le Ciron, qui coule à 500 mètres, favorise en automne les brouillards matinaux indispensables au développement du *botrytis cinerea*.

■ Culture et vinification

Les chais sont modernes et efficaces, les procédés employés parfaitement conformes à ceux en usage pour obtenir le type de vin souhaité par la Société civile de Rayne Vigneau.

■ Le vin

La possibilité de produire une certaine qualité de vin blanc sec (Bordeaux) et de Sauternes sur le même terrain modifie sensiblement les rendements réels à l'hectare. Le destin de cette propriété donne à penser. Le potentiel et l'exposition de ces terres permettaient à Rayne Vigneau de produire des vins exceptionnels, rares, dans l'esprit du Château d'Yquem, et vendus à des prix très élevés. La Société civile du Château Rayne Vigneau a choisi une autre voie en produisant un vin de bonne facture distribué dans des points de vente à fort débit, contribuant ainsi à faire connaître les vins liquoreux.

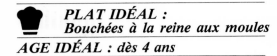

PLAT IDÉAL :
Bouchées à la reine aux moules

AGE IDÉAL : dès 4 ans

COTATIONS COMMENTÉES

1961	10	complet et complexe • **à boire**
1962	9	presque un 1961 • **à boire**
1964	4	vendangé avant le désastre ; vin peu botrytisé, sur le déclin • **à boire sans délai**
1966	7	SO2 encore présent • **devrait être bu**
1967	10	millésime réussi • **à boire**
1969	4	vin léger et peu liquoreux • **à boire**
1970	7,5	n'atteint pas le niveau général du millésime • **à boire**
1971	9	souple et évolué • **à boire**
1972	5	petite année • **devrait être bu**
1973	6	gracieux • **à boire**
1974	6	vin léger, peu liquoreux • **devrait être bu**
1975	9	excellent quoique léger pour le millésime • **à boire**
1976	7	rond, évolué • **à boire**
1977	6	millésime moyen • **à boire**
1978	9	belle année sans grand type (pas de botrytis) • **commencer à le goûter**
1979	7	supérieur à la moyenne • **à boire**
1980	6	millésime moyen • **à boire**
1981	7,5	peu botrytisé • **à boire**

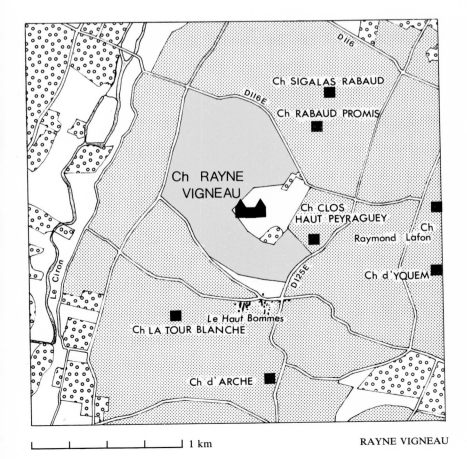

RAYNE VIGNEAU

CHATEAU SUDUIRAUT

1er CRU CLASSÉ

On peut lire sur les étiquettes du Château Sudui-raut : « Ancien cru du Roy ». L'origine de cette mention est incertaine. Est-ce parce qu'une demoiselle de Suduiraut épousa M. du Roy (ou Duroy) et que ce dernier devint ainsi propriétaire de ce « cru » auquel il aurait donné son nom, ou faut-il retenir l'hypothèse de la prime fixe allouée par Louis XIV à Suduiraut — dont les versements figurent dans les archives de Bordeaux, justifiant ainsi l'« Ancien cru du Roy » ? Le château, monument historique classé, a remplacé au XVIIe siècle une forteresse incendiée sur l'ordre du duc d'Épernon. Un parc dessiné par Le Nôtre en accentue le charme. Aux Suduiraut ont succédé, au XIXe siècle, Duroy, M. de Castelnaud, les frères Guillot — propriétaires lorsque Suduiraut fut classé 1er cru en 1855, Émile Petit de Forest, qui replanta entièrement le vignoble après le phylloxéra, divers propriétaires et enfin, depuis 1940, Léopold Fonquernie.

■ Lieu de naissance

Le vignoble, quoique vaste, n'occupe plus que la moitié de la surface qu'il atteignait au XIXe siècle. La route départementale 8 Bar-

FICHE TECHNIQUE

AOC	Sauternes		Nombre de tries	3 à 5
Production	8 500 caisses		Chaptalisation-Équilibre	si nécessaire 14 + 4 15 + 5
Date de création du vignoble	XIIIe siècle		Température des fermentations	20º à 25º
Surface	70 ha		Durée des fermentations	15-21 jours
Répartition du sol	un seul tenant		Type des cuves	ciment 60-100 hl
Géologie	graves, argile, sable		Age des barriques	vieilles

CULTURE

Engrais	organique et chimique		Temps de séjour	barriques 2 ans - cuves 1 an
Taille	à Cot (Sauvignon : Guyot)		Collage	bentonite
Cépages	Sé 80 % - Sau 20 %		Filtrations	sur terre sur plaques
Age moyen	25 ans			
Porte-greffe	3 309-420 A-101-14 - SO4		Maître de chai	Pierre Pascaud
Densité de plantation	6 800 pieds/ha		Régisseur	Pierre Pascaud
Rendement à l'ha	7-20 hl		Œnologue conseil	Chambre de viniculture, Cadillac : M. Lorca
Replantation	de 3 à 4 ha annuellement		Type de bouteille	bordelaise blanche

VINIFICATION

Éraflage - Foulage	non - non		Vente directe au château	oui
			Commande directe au château	oui
			Contrat monopole	non

sac-La Saubotte traverse le vignoble qui se présente comme un vaste plan incliné de 2 kilomètres de longueur, dont la partie basse est à 25 mètres d'altitude environ et le point culminant à 50 mètres, au niveau du Château d'Yquem. En ce point élevé est située la source qui alimente en eau le Château Suduiraut. Un vignoble si étendu comporte divers sols : les graves sableuses et siliceuses s'allient à des terres argilo-calcaires pour donner aux ceps les nourritures complexes nécessaires.

■ Culture et vinification

Lors des replantations, une forte dose d'humus est enfouie dans le sol. Un enrichissement régulier d'engrais minéraux amende les terres pauvres. Depuis quelques années, des replantations de 3 ou 4 hectares (annuelles) rajeunissent un vignoble qui, selon Pierre Pascaud, en avait besoin. Les tries bien conduites, dans les bonnes années, sont à l'origine de moûts très riches. 20° furent obtenus « naturellement » en 1967 et 1976, deux très grandes années de Suduiraut où l'équilibre idéal 15 + 5 fut obtenu. La vinification traditionnelle est décrite dans la fiche technique ci-dessous. On y relève le débourbage avec collage à la bentonite ; après soutirage, le vin est réfrigéré, sulfité, filtré sur terre et mis en barriques au mois de mars. Il est élevé en cuves et en barriques.

■ Le vin

On peut constater que dans la dernière décennie, trois millésimes ont été jugés indignes de défendre le prestige du 1er cru Suduiraut. Cela traduit une volonté de maintenir la réputation d'un cru dont les millésimes 1967 et 1976 fixent les ambitions.

PLAT IDÉAL :
Poisson gras et viande blanche

AGE IDÉAL : 10 ans et plus
Température : 10 à 12°

COTATIONS COMMENTÉES

Année	Note	Commentaire
1961	10	grand millésime • **à boire**
1962	9	riche, longue garde assurée • **à boire**
1964	8	petite quantité de vin sélectionné • **à boire**
1966	8	vin puissant et longue garde • **à boire**
1967	10	grand millésime ; archétype de Château Suduiraut • **à boire**
1970	9	vin puissant • **à boire**
1971	8	peu botrytisé, plus léger, peu typé Suduiraut • **à boire**
1972	7	petit millésime un peu court • **à boire sans délai**
1973		pas de Château Suduiraut
1974		pas de Château Suduiraut
1975	9	grand vin équilibré • **à boire**
1976	10	un des meilleurs Sauternes de ce millésime • **à boire dès maintenant**
1977		pas de Château Suduiraut
1978	8	vin léger, floral, élégant ; peu typé Sauternes • **à boire**
1979	9	vin riche typé (Château Suduiraut) • **sera meilleur en 1985**
1980	7	manque de complexité • **à boire dès 1986**
1981	9-9,5	style 1979, riche, complexe • **à boire dès 1991**

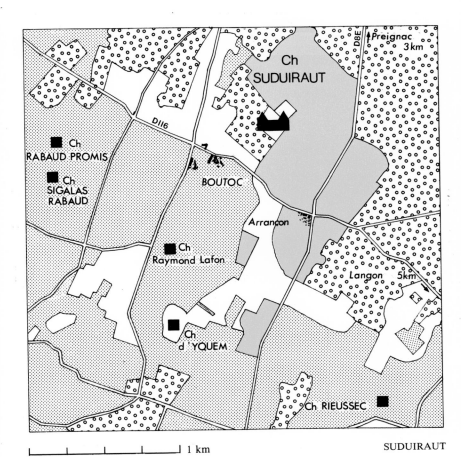

SUDUIRAUT

├─────┼─────┼─────┼─────┤ 1 km

CHATEAU COUTET

L e Château Coutet comprend les plus anciens vestiges d'architecture militaire de la commune de Barsac. La tour carrée surmontée de corbeaux et percée d'une ou deux meurtrières nous reporte à la fin du XIIIᵉ siècle, alors que l'Angleterre gouvernait le pays. Il faut attendre trois siècles pour que des relations étroites s'établissent entre la vigne et Coutet. L'aspect actuel du château remonte à la fin du XVIᵉ siècle. En 1788, un personnage notoire, président du parlement de Bordeaux, propriétaire du Château Filhot, acquiert Coutet. C'est Gabriel Barthélémy Romain de Filhot dont le cou sera tranché six ans plus tard par la machine du docteur Guillotin. La famille Lur-Saluces en hérite et joint Coutet à Yquem, Filhot, Malle, Pernaud et quelques autres... En 1922, le domaine est vendu, puis revendu trois ans plus tard à un industriel lyonnais, M. Guy, fabricant de pressoirs hydrauliques. Il équipe aussitôt (en 1926) Coutet de son matériel, toujours en usage de nos jours. M. Guy a eu deux filles ; l'une d'elles épouse M. Rolland qui conduit avec soin — pour ne pas dire amour — le domaine. Après la mort de Mme Rolland-Guy, le domaine est vendu en 1977 à Marcel Baly, de Strasbourg.

FICHE TECHNIQUE

AOC	Barsac		Type de pressoir, nombre de presses	vertical / 3 (voir texte)
Production	8 500 caisses		Durée des fermentations	14 à 16 jours
Date de création du vignoble	XVIᵉ siècle		Chaptalisation	les petites années 14 + 4
Surface	37 ha		Température des fermentations	14° à 16°
Répartition du sol	un seul tenant		Type des cuves	fermentation en barriques
Géologie	hétérogène : alluvion, sable		Age des barriques	3 ans

CULTURE

Engrais	fumier + amendement		Temps de séjour	2 ans
Taille	2-3 yeux soit 6-8 par pied		Filtration	sur plaques avant la mise
Cépages	Sé 80 % - Sau 15 % - Mu 5 %		Procédés spéciaux	pour « crème de tête », voir texte
Age moyen	20-30 ans		Maître de chai	Bertrand Baly
Porte-greffe	420 A - Riparia Gloire		Régisseur	Bertrand Baly
Densité de plantation	6 600 pieds/ha		Œnologue conseil	Laboratoire de Cadillac
Rendement à l'ha	18-20 hl		Type de bouteille	bordelaise
Replantation	par tranche		Vente directe au château	oui
			Commande directe au château	oui

VINIFICATION

Eraflage - Foulage	non-non		Contrat monopole	oui (Société Alexis Lichine)

■ Lieu de naissance

La propriété est située entre le bourg de Barsac et l'autoroute des Deux-Mers (A61). Sa plus grande partie est plane à 12 mètres d'altitude. Bien que d'un seul tenant, Coutet offre des terres hétérogènes : des limons calcaires et des terres d'alluvions dus à la Garonne voisinent avec les graves fines et les sables d'apport éolien du mindel. Le tout sur un sous-sol unitaire : le plateau de calcaire à astéries fissuré du stampien.

■ Culture et vinification

Lors du terrible hiver de 1956, 70 % du vignoble gela et dut être replanté. Ce n'est qu'en 1958 que les chevaux furent remplacés par des tracteurs. Le chef de culture et le maître de chai décident de la date des vendanges. Le premier ramassage tend à éliminer les grains piqués par les insectes « qui donnent des goûts aigres ». Cette première trie comme la dernière, associée à des raisins provenant de Pujol, est destinée à l'élaboration de Graves secs ou moelleux vinifiés en cuves. Les autres tries sont légèrement sulfitées (2-3 grammes) après pressurage et après un débourbage de 24 heures, puis mises en barrique. Seul le premier pressurage (et le deuxième parfois) est exploité.

■ Le vin

Du temps de Mme Rolland-Guy, on avait pris l'habitude, les belles années, de se livrer à un tri exceptionnel, source de moûts de 22 à 24 degrés (potentiels), connus sous le nom de « Cuvée Madame », car ils lui étaient dévolus. On en fit trois barriques en 1971 et 1975. Marcel Baly a décidé de poursuivre cette pratique, à l'origine d'un vin incomparable.

PLAT IDÉAL :
Filets de sole à la crème

AGE IDÉAL : jamais avant 5 ans
Années exceptionnelles :
pas avant 10 ans

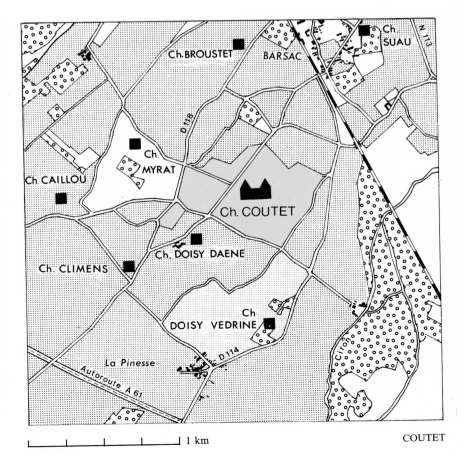

COUTET

COTATIONS COMMENTÉES		
1961	9	léger et fin • **à boire**
1962	9	ample, long en bouche • **à boire**
1966	7	manque de gras, léger • **à boire**
1967	8	léger avec un peu d'acidité • **à boire**
1970	9	équilibré, rond, gras, frais, nerveux • **à boire**
1971	10	équilibré, très belle évolution • **à boire et à garder**
1972	7	pointe d'acidité • **à boire**
1973	6	petite année ; bien équilibré • **à boire**
1975	9,5	s'inspire des 1970 et 1971 • **à boire dès 1984**
1976	8,5	belle attaque, nerveux, distingué • **à boire**
1977	5	« trop peu de soleil dans la bouteille » • **à boire**
1978	8	de la rondeur, du gras, pas typé • **à boire dès 1986**
1979	7	floral, aigu • **à boire dès 1986**
1980	7	13,5 d'alcool, 3,5 g de sucre, finesse, peu d'ampleur • **à boire dès 1985**
1981	9- 9,5	riche, équilibré, botrytisé, cuvée Madame probable (moût 23,5) • **à boire dès 1991**

CHATEAU CLIMENS

1er CRU CLASSÉ

On ne sait d'où Climens tire son nom. D'un ancien propriétaire ? Sans doute. Dans le premier tiers du XIXe siècle, il appartient à M. Lacoste. Sous son règne bénéfique, il est classé 1er cru en 1855. En 1871, Alfred Ribet l'acquiert puis le vend en 1885 à la famille Gounouilhou, qui se voue au maintien de sa réputation jusqu'en 1971. A cette date, Lucien Lurton, déjà propriétaire (entre autres) du Château Brane-Cantenac, 2e cru classé du Médoc, reprend le flambeau et accorde tous ses soins à cette prestigieuse propriété.

■ Lieu de naissance

La route départementale 118 reliant Barsac à Pujol-sur-Ciron traverse le vignoble de Climens à la hauteur du château et le longe jusqu'à l'autoroute A 61, le laissant au nord-ouest (côté droit). Ce vignoble rectangulaire, dont le plus grand côté mesure un kilomètre, est presque horizontal. Climens atteint la « forte » altitude de 20 mètres, il est le plus élevé de Barsac. Dans son sol voisinent de fines graves et des sables rouges de l'époque mindélienne déposés sur un socle de calcaire à astéries fissuré.

FICHE TECHNIQUE

AOC	Barsac		Éraflage	non
Production	6 000 caisses		Chaptalisation-Équilibre	suivant les années -15 + 4
Date de création du vignoble	courant XVIIe siècle		Température des fermentations	20°
Surface	30 ha		Type des cuves	fermentation en barriques
Répartition du sol	un seul tenant			
Géologie	sables rouges et graviers mindéliens sur calcaire stampien fissuré		Age des barriques	de 1 à 6 ans
			Temps de séjour	2 ans
			Collage	blancs d'œufs
			Filtration	sur plaques cellulosiques

CULTURE

Engrais	compost organique
Taille	à Cot
Cépages	Sé 85 % - Sau 15 %
Age moyen	30 ans
Porte-greffe	Riparia Gloire 101-14
Rendement à l'ha	12 hl
Replantation	3 à 4 % par an

Maître de chai	Christian Broustaut
Régisseur	André Janin
Œnologue conseil	Prof. Émile Peynaud
Type de bouteille	bordelaise blanche
Vente directe au château	non
Commande directe au château	oui
Contrat monopole	non

VINIFICATION

Nombre de tries	4

■ Culture et vinification

La tradition est respectée en tous points, encore qu'autrefois le cépage Muscadelle ne fût pas absent comme aujourd'hui.

Beaucoup d'autres vignobles, dont celui d'Yquem et de Suduiraut, pour ne citer que ceux-ci, ont suivi le même chemin simplificateur.

La fermentation se fait en barriques selon l'ancienne coutume toujours en usage chez les meilleurs. Le vin est mis en bouteilles après une légère filtration. Au préalable, il a passé deux années en barriques.

■ Le vin

De tout temps, Château Climens fut l'un des plus grands vins liquoreux du monde. Il partage avec Coutet l'honneur de défendre la catégorie des premiers crus de Barsac. Les amateurs comparent souvent ces deux vins dont les vignobles ne sont distants, à leur point extrême, que de 150 mètres. Coutet est plus « coupant », il donne l'impression d'une plus grande acidité, d'être pointu ; Climens est plus liquoreux, plus gras avec noblesse. Peut-être devrait-on dire qu'il est le Sauternes des Barsac ?

On ne s'étonnera pas que sur un terroir dont les qualités sont connues depuis deux siècles, en usant de vieilles méthodes éprouvées, la qualité du vin demeure. Elle est d'autant plus grande lorsque l'âge du vignoble est respectable et que les rendements sont sagement maintenus à un niveau héroïque.

PLAT IDÉAL :
Foie gras

AGE IDÉAL : 8 ans
Années exceptionnelles : 12 ans

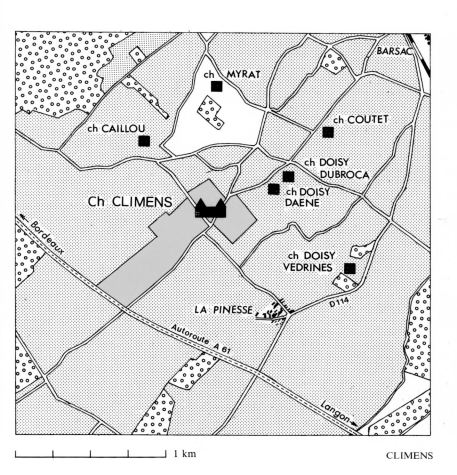

1 km

CLIMENS

COTATIONS COMMENTÉES

Année	Note	Commentaire
1961	10	richesse et puissance • **à boire**
1962	7	coulant, élégant, fondant • **à boire**
1964	6	bouquet épanoui, élégance et charme, léger • **à boire**
1966	8	fondu, distingué • **à boire**
1967	8	charnu, rond, puissant • **à boire**
1970	8	long, gras, plein • **à boire**
1971	10	onctueux avec une pointe d'acidité, velouté ; équilibre parfait • **à boire**
1972	7	fin et parfumé • **à boire**
1973	8	complet, long, équilibré • **à boire**
1974	7	aimable, féminin • **à boire**
1975	10	une des grandes réussites des 20 dernières années avec les 1961 et les 1971 • **à boire**
1976	8	mûr, plein, velouté, ensoleillé • **à boire**
1977	6	moins riche que d'autres, finesse • **à boire**
1978	9	étoffé et spirituel • **sera accompli vers 1986**
1979	8	complet, fleuri • **sera accompli vers 1986**
1980	8	nez de muguet, élégant • **à boire dès 1984**
1981	9,5	fruits mûrs, grand millésime • **à goûter vers 1988**

CHATEAU GUIRAUD

1ᵉʳ CRU CLASSÉ

Il portait le nom de Château Bayle. C'est ainsi qu'il fut classé 1ᵉʳ cru en 1855 alors qu'il appartenait à M. Depons. Peu après, on l'appela Château Guiraud, sans doute du nom de son propriétaire. En 1862 il fut acheté par la famille Bernard, M. Maxwell en devint copropriétaire. En 1935, Château Guiraud fut acquis par M. Paul Rival pour la somme d'un million. Pendant une dizaine d'années le domaine fut plus ou moins à vendre. Alors que de nombreuses propriétés changeaient de mains : Rieussec, Rayne Vigneau, Nairac, Coutet, le destin de Guiraud demeurait indécis. En 1981 semble s'achever une longue période d'hésitation puisque moyennant 1,6 million de francs Hamilton Narby a pris possession du domaine.

■ Lieu de naissance

Entre 65 et 75 mètres d'altitude, longée à l'est par la route départementale 8 qui relie Barsac à La Saubotte, la propriété accueille dans des sols argilo-graveleux, plus argileux que graveleux sur soubassement calcaire, la traditionnelle trilogie blanche sauternaise.

FICHE TECHNIQUE

AOC	Sauternes		Nombre de tries	2 à 6
Production	10 000 caisses		Type de pressoir	horizontal
Date de création du vignoble	XVIIIᵉ siècle		Chaptalisation-Équilibre	si nécessaire - 14,5-4,5
Surface	70 ha		Température des fermentations	chauffage du chai
Répartition du sol	un seul tenant		Type des cuves	fermentation en barriques
Géologie	argilo-graveleux sur socle calcaire		Age des barriques	usagées - voir texte
			Temps de séjour	2 ans à 2 ans et demi

CULTURE

Engrais	organique et chimique
Taille	à Cot (Sé) Guyot simple (Sau)
Cépages	Sé 50 % - Sau 45 % - Mu 5 %
Age moyen	25 ans environ
Porte-greffe	420 A
Densité de plantation	4 000 et 5 000 pieds/ha
Rendement à l'ha	15-20 hl
Replantation	de 2 à 3 ha par an

Collage	albumine de sang
Filtration	sur plaques à la mise

Maître de chai	Roland Dubile
Chef de culture	Jacky Émery
Régisseur	Élie Feugas
Œnologue conseil	M. Gautier
Type de bouteille	bordelaise blanche
Vente directe au château	oui
Commande directe au château	oui
Contrat monopole	non

VINIFICATION

Éraflage	non

■ Culture et vinification

Les terres pauvres requièrent l'assistance d'engrais organiques et chimiques. La densité de plantation est assez faible. Les rangs très larges sont éloignés de deux mètres. Les pieds se succèdent tous les mètres. Les dernières plantations sont plus espacées : tous les 120 cm. Les Sauvignon bénéficient d'une taille Guyot simple favorisant l'aération ; Sémillon et Muscadelle sont taillés à cot. Après deux à six tries, les moûts fermentent en barriques. Les Sauvignon — premiers cueillis — seront à peine « rôtis ». Les barriques souffrent d'un manque de renouvellement, la vente sans cesse différée du domaine n'incitant pas aux investissements. L'acquéreur de la propriété manifeste l'intention d'user désormais de barriques neuves. Elie Feugas remarque qu'à Guiraud le délicat problème de l'arrêt des fermentations se résout spontanément sans autre intervention que l'anhydride surfureux incorporé en début de vinification. De même, jamais à Guiraud le taux d'acidité volatile ne s'éleva à des hauteurs dangereuses, alors que d'autres Châteaux s'achoppent à ce problème... La clarification des vins s'opère par décantation ; ils sont collés et filtrés avant leur mise en bouteilles.

■ Le vin

La mise en vente du domaine depuis plusieurs années ne crée ni le climat idéal ni la cohésion d'une équipe favorable à l'élaboration du grand vin que le terroir de Guiraud promet.

PLAT IDÉAL :
Blanquette de coquilles Saint-Jacques

AGE IDÉAL : dès la mise en bouteille ou dès 2 ans
Années exceptionnelles : entre 15 et 25 ans

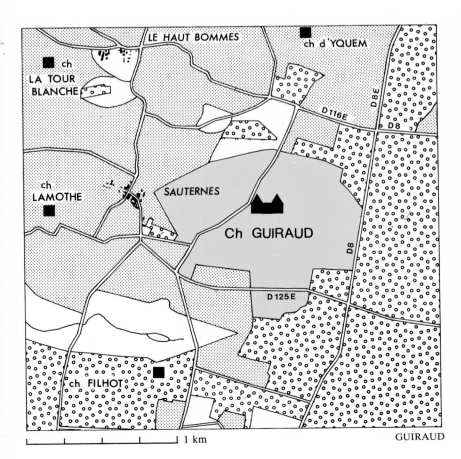

GUIRAUD

COTATIONS COMMENTÉES

Année	Note	Commentaire
1961	10	grand à très grand • **à boire**
1962	9	apogée en 1978 • **à boire**
1964	7	n'a été mis en bouteille que ce qui fut vendangé avant la pluie • **à boire**
1966	7	année moyenne • **à boire**
1967	10	grande année, savoureux • **à boire**
1970	9,5	complet • **à boire**
1971	6,5	peu réussi ; maître de chai absent • **à boire sans délai**
1972	5,5	moyen, petite année • **à boire**
1973	6	moyen, de peu d'intérêt • **à boire**
1974	5	mauvaise année • **à boire**
1975	9,5	vin complet de longue garde • **à boire jusqu'en 1995**
1976	8	encore dur ; beau vin • **à boire en 1996 et au-delà**
1977	5,5	petit millésime • **à boire**
1978	8	vendangé très tard, le botrytis a fini par arriver ; rond et souple • **à boire sans trop attendre**
1979	9	beaucoup de caractère, pas de souplesse • **l'attendre**
1980	8	léger, sympathique • **à boire**
1981	9,5	complet, concentré 13 hl/ha, barriques neuves • **à boire dès 1988**
1982		faible volume, belle qualité

CHATEAU RIEUSSEC

1er CRU CLASSÉ

Avant la Révolution, ces terres dépendent des religieux de Langon. Elles sont vendues comme bien national. Dès cette époque, Rieussec se constitue. Des achats successifs avant et après le classement de 1855 arrondissent la propriété. Ce classement confère à Rieussec le rang de « 1er cru de la commune de Sauternes ». M. Mayne en est alors propriétaire. Le domaine est aujourd'hui incorporé dans la commune de Fargues. Charles Crépin (1872) poursuit une politique d'extention, suivi en cela, 20 ans plus tard, par Paul Defolie. Se succèdent en 1907 M. Bannel, la famille Gasqueton, M. Berry et son beau-frère le vicomte de Bouzet. Brièvement, pour 4 ans, M. Balaresque eut la responsabilité de Rieussec jusqu'à ce qu'Albert Vuillier le prenne en charge en 1971-1972.

■ **Lieu de naissance**

La départementale 116 qui passe à Haut-Bommes et conduit à Langon se transforme en D8 et longe le vignoble de Rieussec qui culmine au nord à 78 mètres, le point le plus élevé de la commune. Les terrains sont variés, tantôt argilo-graveleux, tantôt argilo-sableux, toujours sur socle d'alios. Est-ce à son altitude que Rieussec doit son climat relativement sec ?

FICHE TECHNIQUE

AOC	Sauternes		Éraflage - Foulage	non-non
Production	6 500 caisses + 2e vin		Type de pressoir	horizontal
Date de création du vignoble	XVIIIe siècle		Chaptalisation-Équilibre	0 à 2°- 14,5 + 3,5 — 4
Surface	55 ha		Température des fermentations	20° à 22°
Répartition du sol	un seul tenant		Type des cuves	inox - 50-100 hl
Géologie	graves, argile, sable sur alios		Age des barriques	renouvellement annuel de 20 %
			Temps de séjour	18 mois
			Filtration	sur terre, sur plaques, avant la mise

CULTURE

Engrais	organique
Taille	spéciale à 6-7 yeux (voir texte)
Cépages	Sé 75 % - Sau 24 % - Mu 1 %
Age moyen	20 ans
Porte-greffe	S 04 - 420 A Riparia Gloire
Densité de plantation	7 000 pieds/ha
Rendement à l'ha	13 hl
Replantation	1,5-2 ha annuels

Maître de chai	M. Yves Gouze
Régisseur	M. Yves Gouze
Œnologue conseil	M. Albert Bouyx
Type de bouteille	bordelaise
Vente directe au château	oui
Commande directe au château	oui
Contrat monopole	non

VINIFICATION

Nombre de tries	3 à 6

■ Culture et vinification

Le sol est si maigre que lors des replantations on le laisse en friche 5 ans. A Rieussec, on pratique une taille spéciale, on enlève un œil sur deux, mais on arrive tout de même au chiffre classique de six yeux par pied.

Albert Vuillier a de l'affection pour ses Muscadelle, toujours prêtes à attraper une maladie mais toujours productives de quelques grappes. Le Sauvignon lui aussi est fragile, il a une vie courte, prend mal le botrytis mais apporte fraîcheur et parfum. Le vin est élaboré de la façon la plus traditionnelle, à l'exception des fermentations qui ne se font plus en barriques mais dans des cuves en acier inoxydable de 70 hl. On élabore à Rieussec un vin qui porte la lettre « R », à l'imitation du Château d'Yquem dont le vin sec porte la glorieuse lettre « Y ». Les raisins non pourris de la première trie lui sont destinés. Les moûts destinés au Château Rieussec s'écoulent d'un pressoir horizontal, ils sont débourbés après une douzaine d'heures. Après un stockage dans des cuves de ciment plastifié et un filtrage sur terre à la fin de l'hiver, le vin est logé en barriques pour une durée variable, jusqu'à 30 mois (1976).

Le dosage de l'anhydride sulfureux se fait avec parcimonie : 150 mg + 50 mg de libre, tel est le bilan. Lorsque les possibilités de combinaison sont abondantes, le vin n'est plus protégé, son évolution s'accélère.

■ Le vin

Une cuvée spéciale, issue de sélections très sévères, est à inscrire dans ce que l'on appelait autrefois la catégorie des « crèmes de tête ». C'est un vin rare et de haute qualité. A l'extrême opposé, les vins qui ne sont pas aptes à défendre les couleurs de Rieussec 1er cru portent l'étiquette « Clos Labère ».

PLAT IDÉAL :
Côtes de veau grillées

AGE IDÉAL : 7 ans
Années exceptionnelles : 15 à 20 ans
Température idéale : 7º à 8º

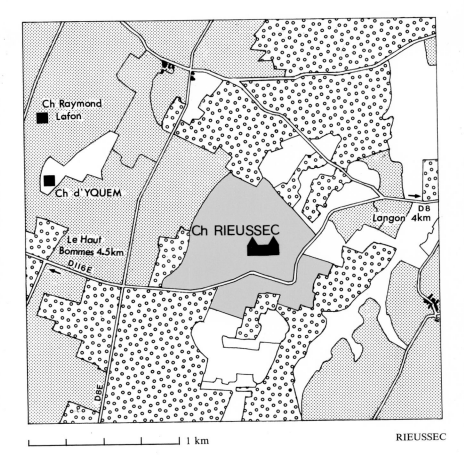

RIEUSSEC

1 km

COTATIONS COMMENTÉES

Année	Note	Commentaire
1961	9,5	équilibré et long • à boire
1962	9	bouquet et équilibre, très réussi • à boire
1964		peu d'intérêt (pluie)
1966	8	rond, évolué • à boire
1967	10	équilibré, classique • à boire
1969	6	petite année • à boire
1970	9	de garde • s'ouvre
1971	9,5	proche des 1967, légèrement moins riche, fin, élégant • à boire
1972	6	trop acide au départ, s'améliore • à boire
1973	7,5	un petit 1971 • à boire
1974	5	petit millésime • à boire
1975	9	vendange de haute qualité, concentration, grande garde • à boire en 1985
1976	8	1975 en plus liquoreux, peu botrytisé ; évolution rapide • à boire
1977		pas de Château Rieussec
1978	7	pas de botrytis ; vin d'initiation ; peu typé • à boire
1979	9	proche des 1971, harmonie • le goûter
1980	7,5	fin, spirituel, élégant • à boire
1981	8,5	riche et puissant • à boire dès 1988

CHATEAU RABAUD-PROMIS

Cette propriété, ainsi que la première moitié de son nom l'indique, appartenait autrefois à M. de Rabaud. Marie Peyronne de Rabaud épousa en 1660 Arnaud de Cazeau, dont la famille participa à la vie parlementaire bordelaise. En 1819, Pierre-Hubert de Cazeau, alors maire de Bommes, vend la propriété à M. Deyme. C'est sous son administration qu'en 1855 Château Rabaud est classé 1er cru. Peu après, en 1864, Henri Drouilhet de Sigalas s'en porte acquéreur. Son fils Gaston vend en 1903 la moitié de la propriété à Adrien Promis. C'est ainsi que sont nés les deux Rabaud : Sigalas Rabaud et Rabaud-Promis.

Sur les parcelles acquises par Adrien Promis s'élève un château construit par le grand architecte Victor Louis. Actuellement inhabité, ce bâtiment mériterait des réfections intérieures. Quelques années après cette scission, Rabaud-Promis absorba le 2e cru classé Pexoto qui n'existe donc plus. En 1950, Paul Lanneluc s'est rendu

FICHE TECHNIQUE

AOC	Sauternes		Nombre de tries	3
Production	3 750 caisses		Type de pressoir	vertical
Date de création du vignoble	courant XVIIe siècle		Nombre de presses	2 + 1
			Chaptalisation-Équilibre	2o - 15,5 + 4,5
Surface	30 ha		Température des fermentations	18o-20o
Répartition du sol	un seul tenant			
Géologie	graves argileuses		Durée des fermentations	3-4 semaines
			Type des cuves	ciment, 112 hl
CULTURE			Age des barriques	vieillissement en cuves
Engrais	organique et chimique			
Taille	à Cot (2 yeux) Guyot simple		Temps de séjour	4 ans
			Collage	parfois (albumine)
Cépages	Sé 80 % - Sau 18 % - Mu 2 %		Filtration	sur terre et sur plaques avant la mise
Age moyen	35-40 ans			
Porte-greffe	SO4 - 420A - Riparia Gloire		Maître de chai	Philippe Déjean
Densité de plantation	6 600 pieds/ha		Régisseur	Philippe Déjean
			Œnologue conseil	Edmond Haimovici
Rendement à l'ha	18 hl (brut)		Type de bouteille	bordelaise blanche
Replantation	1 ha annuel		Vente directe au château	oui
VINIFICATION			Commande directe au château	oui
Éraflage-Foulage	non - non		Contrat monopole	non

acquéreur de cette propriété, actuellement conduite par son gendre.

■ Lieu de naissance

Le vignoble de Rabaud-Promis est séparé de celui de Rayne Vigneau par la route départementale 116 E ; il est limité à l'ouest par la route départementale 109 E et au sud par la route départementale 116 sur laquelle débouche le chemin qui conduit au château. Les vignes investissent une croupe orientée au sud, dont la base voisine les 20 mètres d'altitude et dont le sommet, 30 mètres plus haut, est couronné par le château. Le sol est composé de graves à forte teneur d'argile d'origine pyrénéenne.

■ Culture et vinification

De même qu'à Sigalas Rabaud, le vin ne connaît pas la barrique. Il est élevé en cuves et y demeure un temps inusité : quatre ans ! Les vins sont isolés par tries et par parcelles. Deux lots sont constitués lors des assemblages. Seul le premier portera le nom du Château. On découvrira ci-contre, dans les cotations commentées, la rigueur de ces sélections.

■ Le vin

Château Rabaud-Promis et Château Sigalas Rabaud sont contigus. Les deux vins ignorent le passage en barriques, et pourtant ils sont différents car Sigalas Rabaud cherche l'équilibre dans le rapport 14 + 4 degrés alors que Rabaud-Promis vise la proportion 15,5 + 4,5 degrés.

PLAT IDÉAL :
Poulet rôti

AGE IDÉAL : 5 ans
Années exceptionnelles : 10 ans
Température : 7°

GRAND VIN DE SAUTERNES
APPELLATION SAUTERNES CONTROLÉE

CHÂTEAU
RABAUD - PROMIS
PREMIER CRU CLASSÉ
DEPUIS 1855
1976   75cl

MIS EN BOUTEILLE AU CHATEAU
G.F.A. DU CHATEAU RABAUD-PROMIS PROPRIÉTAIRE A BOMMES 33210 LANGON (FRANCE)

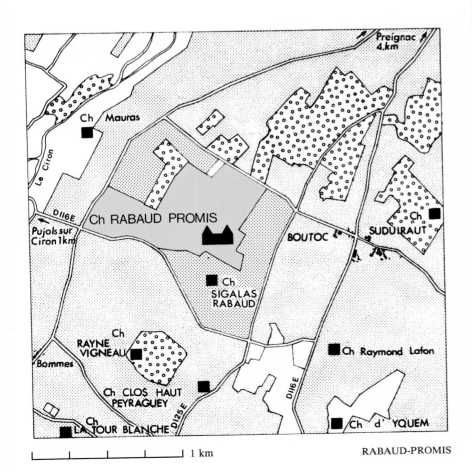

RABAUD-PROMIS

COTATIONS COMMENTÉES

Année	Note	Commentaire
1964	7	13 000 bouteilles ; récolté avant la pluie, mise en bouteilles en 1967, vendu en 1977 • **à boire**
1966	7	bon, assez rond • **à boire**
1967	9	bon millésime évolué • **à boire maintenant**
1970	8	nerveux ; moins de liqueur • **à boire**
1971	8,5	très bien, équilibré • **à boire**
1972		pas de château Rabaud-Promis
1973		pas de château Rabaud-Promis
1974		pas de château Rabaud-Promis
1975	10	complet, vin de longue garde ; la moitié de la récolte sélectionnée • **à boire**
1976	9,5	presque un 1975 ; plus souple, se « fera » plus rapidement : 2/3 de la récolte sélectionnés • **à boire**
1977		pas de château Rabaud-Promis
1978	7,5	bon mais pas typé ; la moitié de la récolte sélectionnée • **à boire**
1979	8,5	50 à 66 % de la récolte sélectionnés ; bon à très bon • **à boire**
1980	8,5	supérieur à 1978 • **à boire**
1981	9,5	riche, gras, complexe, 50 % sélectionnés, équilibre spécial, moins d'alcool • **à boire dès 1987**

CHATEAU SIGALAS RABAUD

1ᵉʳ CRU CLASSÉ

Cette propriété, comme la seconde moitié de son nom l'indique, appartenait autrefois à M. de Rabaud. Marie Peyronne de Rabaud épousa en 1660 Arnaud de Cazeau, dont la famille participa à la vie parlementaire bordelaise. En 1819, Pierre-Hubert de Cazeau, alors maire de Bommes, vend la propriété à M. Deyme. C'est sous son administration que, en 1855, Château Rabaud est classé 1ᵉʳ cru. Peu après, en 1864, Henri Drouilhet de Sigalas s'en porte acquéreur. Son fils Gaston vend en 1903 la moitié de la propriété à Adrien Promis. C'est ainsi que sont nés les deux Rabaud : Sigalas Rabaud et Rabaud-Promis.

Après une nouvelle réunion et une nouvelle séparation (1930-1952), Sigalas Rabaud demeure une propriété de la famille Sigalas puisque sa propriétaire actuelle, la marquise de Lambert des Granges, née Sigalas, est la petite fille de l'acquéreur de 1864.

■ Lieu de naissance

Le Château Sigalas Rabaud est bien entouré. Au nord par Rabaud-Promis, à l'est par Lafaurie-Peyraguey et à l'ouest par la départe-

FICHE TECHNIQUE

AOC	Sauternes	Nombre de tries	3 à 5
Production	2 000 à 2 500 caisses	Type de pressoir	vertical - 3 presses
Date de création du vignoble	courant XVIIIᵉ siècle	Chaptalisation-Équilibre	quand nécessaire 14 + 4
Surface	14 ha	Température des fermentations	16° à 18°
Répartition du sol	un seul tenant	Type des cuves	ciment et inox
Géologie	argilo-graveleux	Age des barriques	vieillissement en cuves
		Temps de séjour	2 ans
CULTURE		Collage	
Engrais	fumier	Filtration	sur plaques avant la mise
Taille	Guyot simple et à Cot		
Cépages	Sé 75 % - Sau 25 %		
Age moyen	30 ans	Maître de chai	Jean-Pierre Lamarque
Porte-greffe	420 A-104	Régisseur	Jean-Pierre Lamarque
Densité de plantation	6 000 pieds/ha	Œnologue conseil	M. Hiribaren (Maison Laffort)
Rendement à l'ha	15 hl	Type de bouteille	bordelaise blanche
Replantation	0,5 % annuellement	Vente directe au château	oui
VINIFICATION		Commande directe au château	oui
Éraflage-Foulage	non - non	Contrat monopole	non

mentale 116 qui le sépare de Rayne Vigneau. Inclinée vers l'ouest, cette propriété se situe entre 35 et 50 mètres d'altitude. Son sol est argilo-graveleux d'origine pyrénéenne.

■ Culture et vinification

Sur une terre amendée par fumures poussent Sémillon et Sauvignon (pas de Muscadelle). Les fermentations et l'élevage du vin se font en cuve. Encore qu'il arrive que le vin stationne quelque peu en barriques, M. de Lambert des Granges ne tient pas à ce type de logement et n'y a recours que brièvement, lors des manipulations d'élevage, et en aucun cas, pour donner à son vin des arômes boisés.

Après deux années d'élevage, le vin est mis en bouteilles non sans avoir subi une filtration sur plaques.

Alors que les qualités apportées par l'élevage en barriques (de préférence neuves) ne sont discutées par personne dans le cas des vins rouges, cette question reste ouverte lorsque cette technique est appliquée aux vins blancs. Faire l'apologie de l'élevage en barriques et citer les résultats obtenus par Château d'Yquem, Château Climens ou Château Coutet ne suffit pas à exclure toute autre technique. Nombreux sont ceux qui soutiennent que la cuve est très supérieure aux barriques usagées. Il faut également tenir compte de la texture du vin (millésime, terroir) et du but poursuivi.

■ Le vin

A Sigalas Rabaud, on recherche essentiellement la finesse. Dans cet esprit, le degré alcoolique ne dépassera jamais 14° et les bouquets seront soigneusement protégés par l'élevage en grand volume.

PLAT IDÉAL :
Quenelles de brochet

AGE IDÉAL : 5 ans
Années exceptionnelles : 8 à 15 ans
Température : 10°

1970
CHATEAU
SIGALAS RABAUD
PREMIER CRU CLASSÉ
APPELLATION
SAUTERNES
CONTRÔLÉE

MARQUISE DE LAMBERT DES GRANGES · NÉE DE SIGALAS
PROPRIÉTAIRE A BOMMES · GIRONDE

MIS EN BOUTEILLES AU CHATEAU

DÉPOSÉ   ROUSSEAU FRERES IMP.

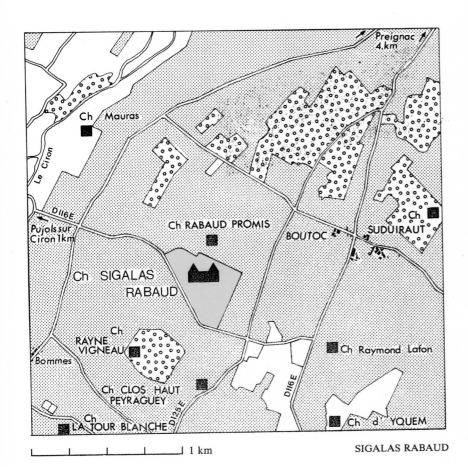

SIGALAS RABAUD

COTATIONS COMMENTÉES

Année	Note	Commentaire
1961	10	complet, exemplaire • à boire
1962	9	souple et évolué • à boire
1964	7	sélection sévère ; automne pluvieux • à boire
1966	8	complet sans grande longueur • à boire
1967	9	bien ; une des meilleures années • à boire
1970	7	bien, mais inférieur au 1975 • à boire
1971	10	exemplaire • à boire
1972	6	petit millésime • à boire
1973	6,5	année moyenne • à boire
1974	6	petit millésime • à boire
1975	9	très peu de vin, très bon • à boire
1976	9	gras et rond • à boire avant les 1975
1977		pas de botrytis ; vin peu typé • à boire
1978		pas de botrytis ; vin peu typé • à boire
1979	7,5	millésime bien botrytisé • à boire en 1985
1980	8,5	fin, construit • à boire dès 1986
1981	8	bien équilibré • à boire dès 1986
1982	9	15° + 6,6 ; riche, acidité faible

CHATEAU CLOS HAUT-PEYRAGUEY

L'histoire du Clos Haut-Peyraguey se confond avec celle du Château Peyraguey jusqu'en 1879, date à laquelle l'un prend le nom de Lafaurie-Peyraguey alors que l'autre est baptisé Clos Haut-Peyraguey. A la barre du tribunal, un pharmacien parisien déjà propriétaire du Château de Veyres, à Preignac, M. Grillon, se porte acquéreur des terres les plus élevées qui, naturellement sont appelées (Clos) Haut-Peyraguey. En 1914, Eugène Garbay, en association avec F. Ginestet, en devient propriétaire. Depuis 1948, Jacques Pauly dirige avec compétence ce vignoble devenu sien.

■ Lieu de naissance

C'est une terre de 1ᵉʳ cru. La première parcelle, de 9 hectares, est contiguë à Rayne Vigneau et séparée de Lafaurie-Peyraguey par la route départementale 116 E. Le côté est du vignoble jouxte la route départementale 125 E qui relie Preignac à Sauternes. La deuxième parcelle de 6 hectares prolonge le vignoble d'Yquem. Les pentes

FICHE TECHNIQUE

AOC	Sauternes
Production	2 500 caisses
Date de création du vignoble	XVIIIᵉ siècle
Surface	15 ha
Répartition du sol	en 2 parcelles
Géologie	graves sableuses

CULTURE

Engrais	fumier et chimique
Taille	Guyot simple
Cépages	Sé 83 % - Sau 15 % - Mu 2 %
Age moyen	25-30 ans
Porte-greffe	420 A
Densité de plantation	6 600 pieds/ha
Rendement à l'ha	18 hl
Replantation	par tranches

VINIFICATION

Éraflage	non
Foulage	oui

Nombre de tries	4
Type de pressoir	vertical 3 pressurages
Chaptalisation-Équilibre	jusqu'à 2º - 14 + 4
Température des fermentations	20º à 22º
Durée des fermentations	3 à 4 semaines
Type des cuves	ciment
Age des barriques	renouvelées en 12 ans
Temps de séjour	20 mois
Filtration	sur terre sur plaques à la mise

Maître de chai	Jacques Pauly
Régisseur	Jacques Pauly
Œnologue conseil	Pierre Sudreau
Type de bouteille	bordelaise blanche
Vente directe au château	oui
Commande directe au château	oui
Contrat monopole	non (sauf USA)

sont orientées vers le nord entre 50 et 75 mètres d'altitude et les sols sont gravelo-sableux sur socle argileux.

■ Culture et vinification

Le fumier et, en fonction des analyses du sol, l'acide phosphorique et la potasse engraissent les terres. Le Sauvignon est récolté à maturité et non à l'état de surmaturité, afin qu'il puisse livrer tous ses bouquets. Les moûts titrent de 13° à 15° (potentiels). Par contre, le Sémillon (88 %) n'est récolté que plein pourri, comme il se doit. Les vendanges se font en quatre tries. Après foulage, pressées et débourbage le lendemain, le moût fermente en cuve. Les assemblages sont réalisés lors du deuxième soutirage. Le mutage implique l'intervention de 250 mg/l de soufre (total) et la filtration limite la faculté qu'il a de se combiner. La thiamine est également employée. Le vin est élevé en barriques sauf durant les quatre mois d'été. La mise en bouteilles est précédée d'une filtration sur plaques. Lors des deux hivers d'élevage, le froid naturel contribue à la précipitation des bitartrates. A l'analyse, le Clos Haut-Peyraguey se présente ainsi : alcool : 14°-14,5° ; sucre : 3,5°-4,2° ; acidité : 4-4,2 g/l ; SO2 total : inférieur à 300 ; SO2 libre : 60.

■ Le vin

La conjugaison de la méthode de ramassage et de la technique de vinification contribue à la création d'un Sauternes typé Clos Haut-Peyraguey, c'est-à-dire plus fin que capiteux. Cette option semble rejoindre les goûts actuels.

PLAT IDÉAL :
Canard aux pêches

AGE IDÉAL : 8 à 10 ans
Années exceptionnelles : 15 ans
Température : 8°-10°

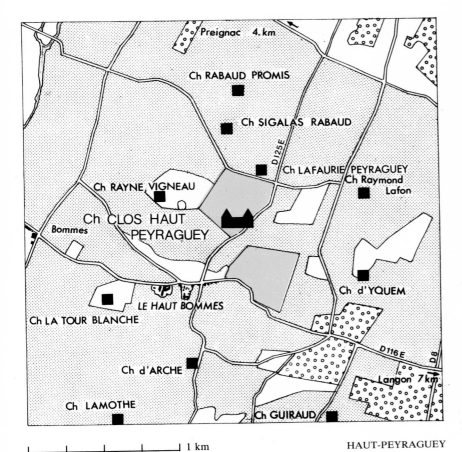

HAUT-PEYRAGUEY

COTATIONS COMMENTÉES

Année	Note	Commentaire
1961	7,5	léger et fin • **à boire sans délai**
1962	8	un peu plus étoffé que les 1961 • **à boire sans délai**
1964		victime de la pluie • **devrait être bu**
1966	7,5	s'est amélioré au vieillissement • **à boire**
1967	9,5	riche et complexe • **à boire**
1970	9	très typé, équilibré, long en bouche • **à boire**
1971	9,5	petite récolte botrytisée, étoffé • **à boire**
1972	6	léger, peu d'ampleur • **à boire**
1973	7	fin mais court • **à boire**
1974	5	petite année (élimination de 80 % de la récolte) • **à boire**
1975	10	extrême finesse, équilibre • **à boire**
1976	9,5	bouquet, rond, gras • **à boire**
1977	7	bien réussi pour ce millésime ingrat • **à boire**
1978	8	bon vin peu typé Sauternes, pas de rôti • **à boire**
1979	9,5	belle récolte, botrytis bien développé • **pas avant 1984**
1980	8	entre 1978 et 1979 • **à boire**
1981	9	complexe, gras, botrytisé • **à boire dès 1986**

CHATEAU DOISY-DAËNE

Ce Château porte toujours le nom de M. Daëne, propriétaire de Doisy lors du classement de 1855. Au début du siècle, M. Déjean en est le possesseur. En 1924, Georges Dubourdieu s'en rend acquéreur. Le vignoble ne couvre alors que 4 hectares. De nos jours, son fils, Pierre Dubourdieu, également propriétaire du Château Cantegril (Barsac), exploite les 14 hectares de vignes productrices de Doisy-Daëne.

■ Lieu de naissance

Les trois Doisy procèdent d'une propriété d'un seul tenant. Doisy-Daëne enserre les deux autres puisque Pierre Dubourdieu est propriétaire d'une première bande de terrain au nord-ouest, qui jouxte Doisy-Dubroca, et d'une seconde parcelle au sud-est, contiguë à Doisy-Védrines. Seule la petite route reliant les départementales 114 et 118 sépare Doisy-Daëne de Château Coutet.

Les deux parcelles, légèrement inclinées au sud-est, atteignent l'altitude de 12 à 16 mètres. La coupe verticale du terrain se présente ainsi : tout d'abord 45 centimètres seulement d'une terre rouge graveleuse, puis 1 mètre de pierre calcaire (fissurée), suivie de 1,50 mètre de gros blocs, fissurés également, de roches sédimentai-

---

FICHE TECHNIQUE

AOC	*Barsac*		Nombre de tries	*4 à 7*
Production	*4 000 caisses*		Type de pressoir	*horizontal - pressage lent*
Date de création du vignoble	*XVIIᵉ siècle et antérieur*		Chaptalisation	*quand nécessaire*
Surface	*14 ha*		Température des fermentations	*18º*
Répartition du sol	*en 2 parcelles*		Durée des fermentations	*2 à 3 semaines*
Géologie	*graves sur calcaire*		Type des cuves	*inox, 100 et 80 hl*
			Age des barriques	*neuves*

CULTURE

Engrais	*fumier, compost, azote*		Temps de séjour	*1 an*
Taille	*à Cot, Guyot simple*		Filtration	*double (voir texte)*
Cépages	*Sé 100 %*		Procédés spéciaux	*voir texte*
Age moyen	*28-30 ans*			
Porte-greffe	*420 A - Riparia Gloire*		Maître de chai	*Pierre Dubourdieu*
Densité de plantation	*6 000 et 8 000 pieds/ha (pour essais)*		Régisseur	*Pierre Dubourdieu*
Rendement à l'ha	*20 hl*		Œnologue conseil	*Dubourdieu père et fils*
			Type de bouteille	*bordelaise blanche*

VINIFICATION

Éraflage	*non*		Vente directe au château	*oui (15-20 % des bouteilles)*
Foulage	*non*		Commande directe au château	*oui*
			Contrat monopole	*oui*

res d'origine marine, donc calcaire, enfin, à une douzaine de mètres de profondeur, la nappe phréatique.

■ Culture et vinification

Pierre Dubourdieu amende le sol en fonction de ce qui est consommé. Il faut donner des matières organiques (fumier, tourbe, compost) à raison de 50 tonnes tous les quatre ans et ajouter annuellement 1 tonne d'humus à l'hectare (+ azote). Doisy-Daëne est le seul cru classé 100 % Sémillon. En 1970, il fallut récolter en sept passages ; l'année suivante, quatre suffirent, de même qu'en 1980. Les raisins jugés inaptes sont rejetés. Ceux retenus sont pressés très lentement (4 heures) à basse pression afin d'obtenir des moûts clairs. Les fermentations ont lieu en cuves d'acier inoxydable. Les températures sont régulées par une pompe à chaleur d'une grande efficacité (abaissement d'un degré en trois minutes). Le vin est muté au froid (- 7 degrés pendant 8 jours), se débourbe, est filtré puis logé en cuves stériles. Il reçoit 160 mg de SO2 par litre, et après deux mois de stationnement dans l'inox et un passage au froid pour précipiter les bitartrates, le vin est élevé en barriques neuves pendant un an environ. Une mise en bouteilles stériles après une filtration sur plaques stériles achève cette vinification étudiée.

■ Le vin

Pierre Dubourdieu est l'« Edison du Sauternais ». Son absence de préjugés lui interdit de refuser l'innovation la plus étrange aussi bien que la tradition la plus assise. Il faut tout essayer. Par exemple, un liquoreux sans SO2 (ou presque), stérilisé et vieilli en barriques neuves. Le Château Doisy-Daëne atteint ses objectifs : abaisser le taux de SO2, rechercher la finesse plutôt que la puissance, préférer la vivacité au capiteux. Un vin sec est produit sous le nom de Doisy-Daëne sec.

PLAT IDÉAL :
Terrine de saumon

AGE IDÉAL : 10 à 15 ans
Température idéale : 10°

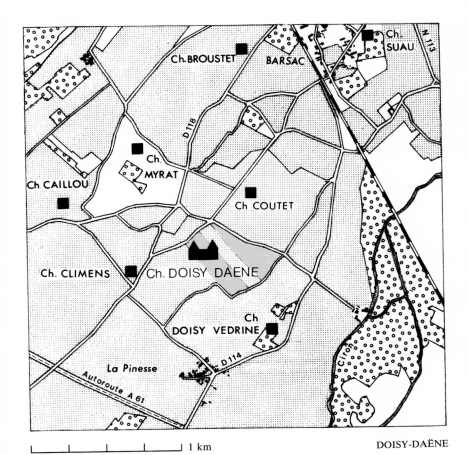

1 km

DOISY-DAËNE

COTATIONS COMMENTÉES

Année	Note	Commentaire
1961	10	parfum puissant et distingué, très jeune à la dégustation ; parfait • à boire
1962	8	qualités des 1961 mais un peu atténuées sans doute par le fort rendement de ce millésime • à boire
1969	6	après trois années médiocres, 1969 se situe au-dessus de la moyenne, cotation en hausse ; il fallait 10 années de bouteille • à boire
1970	9	très riche et sans défauts, sa constitution lui permettra de garder une éternelle jeunesse • à boire et de longue garde
1971	9	toutes les qualités du 1961 ; parfums très développés • à boire
1972	6	année sèche et froide, peu de botrytis, cueillette tardive ; vin très particulier, apte à une évolution surprenante (raisins desséchés sur pied) • à boire
1975	8	très belle maturité de la récolte ; vin très bien équilibré • à boire
1976	9	ensoleillement exceptionnel et maturité très précoce ; pluie en septembre favorable au développement du botrytis ; cette magnifique récolte a donné un vin qui réunit toutes les qualités • à boire
1978	7	bon vin ; peu botrytisé • à boire
1979	8	évolution favorable, botrytisé • à boire
1980	7,5	faible complexité, fin • à boire
1981	9	style 1976, aromatique • à boire dès 1986

CHATEAU DOISY-VÉDRINES

2ᵉ CRU CLASSÉ

Ce domaine est beaucoup plus « Védrines » que « Doisy ». Le sympathique château Védrines atteste l'ancienneté de la propriété puisqu'il date du XVIᵉ siècle. Il porte le nom de ceux qui en furent propriétaires jusqu'en 1835. En 1855, Château Doisy appartient à M. Daëne. Les Védrines y avaient-ils une participation à la suite d'un mariage ? Quoi qu'il en soit, une bande de terre visiblement issue du domaine de Doisy est adjointe au vignoble de Védrines. Au début du XXᵉ siècle, la propriété, toujours baptisée Château Védrines, appartient aux Boireau-Teyssonneau. Il appartient aujourd'hui à Pierre Castéja, qui le tient de sa mère, Mme Jean Castéja.

■ Lieu de naissance

Outre la bande de terrain limitée au nord par Doisy-Daëne et au sud par Doisy-Dubroca, l'essentiel du vignoble jouxte le Château Védrines au sud-est et les autres Doisy au nord-ouest. Entre 15 et 11 mètres d'altitude, le vignoble, légèrement incliné au sud-ouest, longe la route départementale 114, Barsac-Pujols. Des terres pauvres, argilo-calcaires, peu profondes, de graves fines, recouvrent le plateau de calcaire à astéries.

FICHE TECHNIQUE

AOC	Barsac	Nombre de tries	4 à 5
Production	1 600 caisses	Type de pressoir	horizontal ; 2 + 1 presses
Date de création du vignoble	XVIIᵉ siècle	Chaptalisation - Équilibre	si nécessaire 13,5 + 3,5 à 4
Surface	21 ha	Température des fermentations	naturellement inférieure à 18-20º
Répartition du sol	un seul tenant	Durée des fermentations	15 à 20 jours environs
Géologie	terres rouges, graves sur calcaire	Type des cuves	fermentation en barriques
		Age des barriques	renouvellement par quart annuel

CULTURE

Engrais	fumier de mouton	Temps de séjour	2 ans
Taille	à Cot et Guyot simple	Collage	blancs d'œufs dans la première année
Cépages	Sé 80 % - Sau 20 %	Filtration	légère à la mise
Age moyen	25 ans		
Porte-greffe	Riparia Gloire - 420 A - 101-14		
Densité de plantation	6 500 pieds/ha	Maître de chai	M. Pierre Castéja
Rendement à l'ha	15 hl	Régisseur	M. Pierre Castéja
Replantation	0,5 ha annuel	Œnologue conseil	vins analysés au laboratoire œnologique de Cadillac
		Type de bouteille	bordelaise blanche

VINIFICATION

Éraflage	non	Vente directe au château	non
Foulage	oui, légèrement	Commande directe au château	non
		Contrat monopole	non

■ Culture et vinification

Le sol est engraissé par du fumier de mouton produit par un troupeau partagé avec les propriétaires de Château Guiraud. Alors qu'à Doisy-Daëne les procédés de vinification suivent et parfois précèdent les derniers progrès, à Doisy-Védrines on s'attache à respecter avec scrupule les méthodes traditionnelles, également en usage à Coutet et à Climens. Bien que les pressoirs verticaux datant de 1929 soient toujours en état de marche, c'est un pressoir horizontal qui œuvre à Doisy-Védrines. On fait deux pressées par jour. La première et la deuxième presse sont retenues, la troisième est toujours éliminée.

Le moût fermente en barriques selon l'usage ancien. Ces petits volumes évitent les échauffements excessifs dus aux fermentations. On ne fait appel à aucun système de refroidissement. Le vin est muté par adjonction d'anhydride sulfureux puis élevé en barriques selon les principes traditionnels et subit les soutirages habituels. Dans sa première année il est collé aux blancs d'œufs séchés. Avant la mise en bouteilles, le vin est légèrement filtré.

■ Le vin

On comparera utilement les trois Doisy produits sur des terres identiques. Cette comparaison pourrait s'étendre à d'autres crus contigus tels que Coutet, Gravas (vinifiés et élevés en cuves), Piada, Pernaud, etc. Doisy-Daëne et Doisy-Védrines ne produisent pas les mêmes vins et pourtant Pierre Dubourdieu et Pierre Castéja sont également prolixes dès que la conversation concerne leurs activités. A les rencontrer, on prend conscience que l'exercice quotidien de l'art de la viti-viniculture n'émousse ni l'enthousiasme ni la passion.

PLAT IDÉAL :
Poisson à la crème

AGE IDÉAL : *5 à 6 ans*
Années exceptionnelles : *10 à 15 ans*

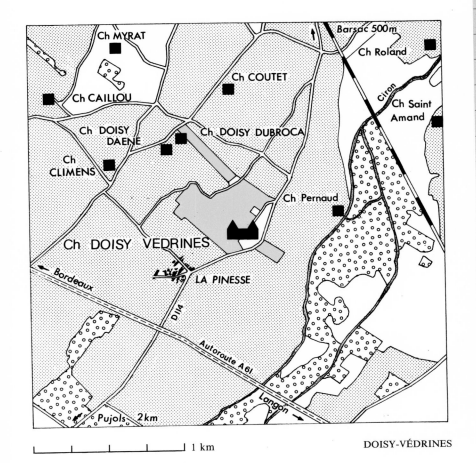

1 km

DOISY-VÉDRINES

COTATIONS COMMENTÉES

Année	Note	Commentaire
1961	10	vin complet • à boire
1962	8,5	belle robe, nez de miel • à boire
1964	5	40 % de la récolte éliminés • à boire
1966	8	bon vin très bouqueté • à boire
1967	8,5	gras avec finesse • à boire
1970	10	ample, bonne évolution (lente) • à boire en 1984
1971	7	moins d'étoffe que les 1970 mais fin • à boire
1972	5	tout petit millésime
1973		pas de mise en bouteilles (grêle 2 fois)
1974		pas de mise en bouteilles
1975	10	le plus complet depuis 1961 • à boire en 1985
1976	9	équilibré • à boire
1977	6	léger • à boire
1978	7	élégant, fin, mais peu typé • à boire
1979	8	forte sélection, botrytisé, facile • à boire
1980	8,5	gras et botrytisé
1981	9	dans l'esprit des 1976, gras • à boire dès 1985

CHATEAU D'ARCHE

2e CRU CLASSÉ

Un siècle avant la Révolution, le vin de ce domaine était connu sous le nom Cru Branayre. En 1733, la famille d'Arche en devint propriétaire. Le comte d'Arche, qui assurait d'importantes fonctions au parlement de Bordeaux, donna son nom au domaine dont il étendit la réputation. Il mourut en 1789. Après la Révolution, le domaine est divisé en plusieurs parts que détiennent les familles Dubourg, Vimeney, Pentalier et Lafaurie. En 1855, le château d'Arche est classé 2e cru. C'est M. Lafaurie qui l'exploite. En 1924, M. Bastit Saint-Martin épouse Mlle Dubourg. En 1930, il achète les parts issues des Pentalier et en 1960 celles issues des Lafaurie. En outre, il loue les 4,5 hectares originaires des Vimeney appartenant à Mme Macé, reconstituant ainsi le domaine du Château d'Arche. Depuis plusieurs annés, M. Bastit Saint-Martin fils gouvernait le domaine. Son brusque décès le 25 mars 1980 remit en cause l'œuvre établie. Les 4,5 hectares d'Arche-Vimeney ont été achetés par les Établissements Cordier et joints au Château Lafaurie-Peyraguey (voir ce chapitre). Le reste du domaine a été confié en fermage à M. Perromat. Le maître de chai-régisseur Guy Périssé poursuit avec compétence, comme par le passé, la conduite viti-vinicole du Château d'Arche.

■ **Lieu de naissance**

Entre Sauternes et Haut-Bommes, la route départementale 125 E

FICHE TECHNIQUE

AOC	Sauternes
Production	4 500 caisses
Surface	30 ha
Répartition du sol	un seul tenant
Géologie	graves, argile, silice

CULTURE

Engrais	fumier
Taille	Cot et Guyot simple
Cépages	Se 80 % - Sau 15 % - Mu 5 %
Age moyen	17 ans
Porte-greffe	420 A
Densité de plantation	5 500 pieds/ha
Rendement à l'ha	15 hl
Replantation	1 ha annuel environ

VINIFICATION

Eraflage -	non
Foulage	non

Nombre de tries	4
Temps de cuvaison	40 jours
Chaptalisation - Équilibre	oui - 14o, 5 + 5o,5
Température des fermentations	22o à 25o
Type des cuves	ciment - 100 hl
Age des barriques	400 barriques renouvelées en 12 ans
Temps de séjour	24 à 36 mois
Filtration	sur plaques avant la mise
Procédés spéciaux	pour « crème de tête », voir texte

Maître de chai	Guy Périssé
Régisseur	Guy Périssé
Œnologue conseil	Albert Bouyx
Type de bouteille	bordelaise
Vente directe au château	oui (60 %)
Commande directe au château	oui
Contrat monopole	non

suit la crête et passe par un point culminant à 70 mètres d'altitude où est implanté le Château d'Arche. Le vignoble se répand à gauche et à droite de la route. A son extrémité ouest, il jouxte celui du 1er cru La Tour Blanche.

Des terres de graves légères et peu profondes et des sols argileux profonds accueillent les trois cépages sauternais traditionnels.

■ Culture et vinification

Chaque année, les 30 hectares reçoivent une tonne d'engrais chimiques, cent mètres cubes de fumier et cinq tonnes d'engrais organiques. Les vignes sont taillées à 4 cots de 3 yeux, le moût fermente et se débourbe en cuve sans collage ni sulfitage. La ventilation et le chauffage du chai maintiennent les températures adéquates. En cas de besoin, le vin est transféré d'une cuve dans l'autre. Le mutage est effectué au moment de la mise en barrique à l'aide de 50 à 60 grammes de SO_2 (méchage ou solution de bisulfite).

Voici à titre d'exemple l'analyse du Château d'Arche 1980, excellent millésime :

alcool et sucre	14,5 + 5,37	
SO_2 total	290	
SO_2 libre	75	
acidité volatile		0,6 g/l
acidité totale		3,9 g/l

■ Le vin

Jusqu'en 1980, le second vin portait l'étiquette Château d'Arche Lafaurie. Désormais, les vins non étiquetés Château d'Arche sont vendus en vrac au négoce. Le vin exceptionnel, dit « crème de tête », issu de vendanges sélectionnées (comme à Coutet), fermente en barriques. Seuls les beaux millésimes ont droit à cet honneur et les quantités sont faibles : cinq barriques en 1967, neuf en 1971 et six en 1975.

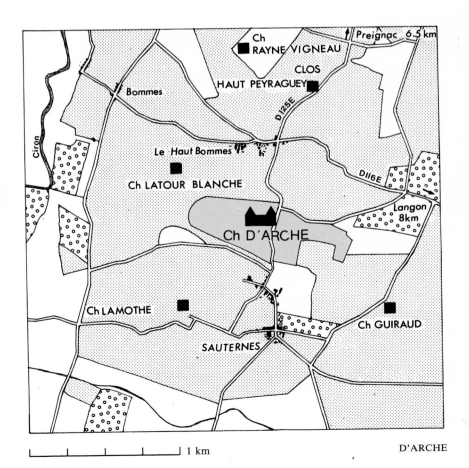

1 km   D'ARCHE

Château d'Arche
GRAND CRU CLASSÉ

Sauternes
1978
APPELLATION SAUTERNES CONTROLEE   BASTIT SAINT-MARTIN
Propriétaire à SAUTERNES
(Gironde) FRANCE
MISE EN BOUTEILLES AU CHATEAU   75 cl

COTATIONS COMMENTÉES

Année	Note	Commentaire
1961	10	complet, équilibré • **à boire**
1962	9	élégant, harmonieux • **à boire**
1964		pas de Château d'Arche
1966	5	une demi-récolte, moyenne • **à boire sans délai**
1967	10	beau vin complet • **à boire**
1970	9	pourriture noble, instable mais bon vin • **à boire**
1971	9,5	belle pourriture noble, un seul tri nécessaire, évolué • **à boire**
1972	4	vin moyen malgré une récolte réduite des trois quarts • **à boire**
1973	6	plutôt léger • **à boire**
1974	4	une demi-récolte, vin moyen • **à boire**
1975	9	25° (2e presse du 29-X) 28° (1re presse du 7-XI), vin riche • **commencer à le goûter**
1976	6	au-dessous de la réputation du millésime • **à boire**
1977	5	petit vin malgré une récolte d'un hl/ha • **commencer à le boire**
1978	7	pas typé (pas de botrytis) mais de la rondeur ; évolution rapide • **le goûter**
1979	6	attendre pour se prononcer
1980	10	18° et plus au mustimètre

CHATEAU FILHOT

2ᵉ CRU CLASSÉ

Filhot est un domaine ancien dont les années les plus glorieuses se situent entre 1720 et 1770. En 1788, Thomas Jefferson, dont nous citons les appréciations sur les crus du Médoc, « classa » les vins de cette propriété juste après ceux d'Yquem. Sur quels vins ce jugement portait-il ? Divers documents laissent penser qu'ils étaient liquoreux. Au début du XIXᵉ siècle, la propriété voisine, le Château Pineau, fut annexée par Filhot. Le marquis de Lur-Saluces en prit possession alors que Joséphine de Filhot mourait en 1820. En 1936, Filhot change de mains sinon de famille : il appartient à la comtesse Durieu de Lacarelle, née Lur-Saluces. Les vignes couvrent 20 hectares, soit 100 de moins que 100 ans plut tôt. Depuis le 1ᵉʳ janvier 1974, le comte Henri de Vaucelles administre le G.F.A. (Groupement Foncier Agricole) de Château Filhot.

FICHE TECHNIQUE

AOC	Sauternes	Type de pressoir nombre de presses	vertical, horizontal ; 3 presses
Production	6 500 caisses	Chaptalisation-Équilibre	jusqu'à 2º - 14 + 3
Date de création du vignoble	XVIIIᵉ siècle	Température des fermentations	18º-20º
Surface	60 ha	Durée des fermentations	30 jours
Répartition du sol	un seul tenant	Type des cuves	ciment - 50 hl
Géologie	graves, argile et sable	Age des barriques	vieillissement en cuves
		Temps de séjour	2 ans 1/2
		Filtration	sur terre et sur plaques à la mise

CULTURE

Engrais	fumier et nitrate
Taille	Guyot simple
Cépages	Sé 65 % - Sau 32 % - Mu 3 %
Age moyen	18-20 ans
Porte-greffe	3 309 - Riparia Gloire - SO 4
Densité de plantation	6 000 pieds/ha
Rendement à l'ha	15 hl
Replantation	0,5 ha annuel

Maître de chai	Marcel Rodier
Régisseur	Henri de Vaucelle
Œnologue-conseil	Albert Bouyx
Type de bouteille	bordelaise blanche
Vente directe au château	possible
Commande directe au château	possible
Contrat monopole	non (sauf USA et Japon)

VINIFICATION

Éraflage - Foulage	non - non

■ Lieu de naissance

Au sud du village de Sauternes, le vignoble de Filhot s'étend sur une large surface, dans la vaste propriété d'un seul tenant (320 ha). Sur un sous-sol de falun du quarternaire, des graves sableuses et argileuses accueillent les trois cépages agréés. Les terrains argileux imposent le drainage alors que le plateau calcaire poreux est facilement victime de la sécheresse. Château Filhot est le cru classé le plus septentrional. Ce n'est pas pour cette raison qu'il est le plus exposé au gel mais parce qu'il jouxte une énorme forêt.

■ Culture et vinification

La propriété produit son propre fumier. Ces fumures ont l'avantage de distribuer le nitrate par voie bactérienne en fonction des besoins des racines. Henri de Vaucelles a constaté que lorsqu'on augmente la densité de plantation la pourriture noble s'installe plus difficilement. Les cépages sont vinifiés séparément ainsi que chaque trie. Un passage au froid fait tomber les dépôts et facilite le mutage par sulfitage ; les assemblages sont réalisés lors des soutirages.

■ Le vin

L'équilibre idéal d'un Château Filhot (14 degrés alcooliques et 50 à 55 grammes de sucre résiduel) fixe l'un des caractères spécifiques de ce vin qui table sur la finesse et la légèreté plutôt que sur une forte liquorosité.

PLAT IDÉAL :
Pintade rôtie

AGE IDÉAL : 3 ans
Années exceptionnelles : dès 5 ans

PRODUCE OF FRANCE
SAUTERNES   75 cl
APPELLATION SAUTERNES CONTROLÉE
COMTESSE DURIEU de LACARELLE née LUR-SALUCES
CHÂTEAU FILHOT
1976
MIS EN BOUTEILLE AU CHÂTEAU
MEDAILLE D'OR PARIS 1978
COMTE H. DE VAUCELLES - F 33118 SAUTERNES

COTATIONS COMMENTÉES

Année	Note	Commentaire
1955	10	Filhot typique, exemplaire (15,5 + 3) • **parfait dès 1965**
1961		très peu de bouteilles, le reste vendu en vrac
1962		très bon, seulement 30 000 bouteilles, reste vendu en vrac
1964		pas de mise en bouteilles, vendu en vrac, mauvaise année
1966		vin raté (vieilles futailles) 15 000 bouteilles sauvées • **devrait être bu**
1967	8	seulement 35 000 bouteilles ; irrégulier • **devrait être bu**
1970	9	très liquoreux • **à boire**
1971	9,5	nerveux (dépôt de tartre) • **à boire**
1972	7	léger, sauvignoné ; lent à se faire • **peut être bu**
1973	5	s'est oxydé trop vite (grêle), s'améliore de nouveau • **à boire**
1974	4,5	année pluvieuse ; très peu de bouteilles • **à boire**
1975	7,5	pourriture à moitié développée ; vin fruité • **à boire**
1976	9,5	riche, bien botrytisé, vendanges bien triées (après le 18-X) • **à boire**
1977	3	très fortes gelées, très peu de vin • **à boire**
1978	6	mou, peu typé, sauvignoné, pas de botrytis • **à boire**
1979	8	typé Filhot, complexe, riche, encore dur, pointe de sécheresse • **à boire en 1984**
1980	7	léger, faible pourriture noble • **à boire**
1981	8	gras, complexe, moins de nerf • **à boire dès 1986**

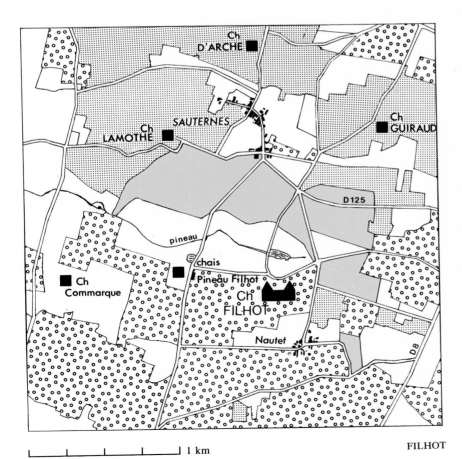

FILHOT

├─────┼─────┼─────┼─────┤ 1 km

CHATEAU BROUSTET

Cette propriété rechercha les alliances. Au siècle passé, le Château Broustet se transforma en Broustet-Nairac car ces deux propriétés appartenaient à M. Capdeville. C'est à « Broustet-Nairac » que fut conféré le second rang lors du fameux classement de 1855. Ce regroupement aurait pu se poursuivre car M. Capdeville céda ses deux propriétés à Mme veuve Henri Holler, propriétaire par son mari d'un autre 2ᵉ cru de Barsac : le Château Myrat. A la fin du XIXᵉ siècle, le grand-père du propriétaire actuel se porta acquéreur de Broustet et replanta en 1900 la totalité du vignoble, soit 10 hectares ; c'est en 1905 qu'eut lieu la première récolte marquant la renaissance de Broustet. En 1930, les vignes couvraient 14 hectares, aujourd'hui la surface de 16 hectares est atteinte. Éric Fournier se partage entre Saint-Émilion (Château Canon) et Château Broustet dont il est copropriétaire.

■ Lieu de naissance

A la sortie de Barsac, contigu à la voie de chemin de fer, limité au sud sur sa longueur par la route Barsac-Pujols, le vignoble principal de 14 hectares a la forme d'un trapèze régulier très légèrement incliné, d'une altitude de 13 à 10 mètres. Sur un socle calcaire, des

FICHE TECHNIQUE

AOC	Barsac		Nombre de tries	3
Production	2 000 caisses		Chaptalisation-Équilibre	1 à 1,5 - 14 + 4 ou 14,5 + 4,5
Date de création du vignoble	début XIXᵉ siècle		Température des fermentations	inférieure à 20°
Surface	16 ha		Durée des fermentations	15-21 jours
Répartition du sol	en deux parcelles		Type des cuves	(voir texte)
Géologie	alluvions et argile sur calcaire		Type de pressoir	horizontal
			Temps de séjour	20 mois
			Collage	bentonite
			Filtration	sur terre
			Procédés spéciaux	voir texte

CULTURE

Engrais	organique et chimique
Taille	Guyot simple (Sau) et à Cot
Cépages	Sé 60 % - Sau 30 % - Mu 10 %
Age moyen	35 ans
Porte-greffe	3 309 - 420 A
Densité de plantation	5 400 pieds/ha
Rendement à l'ha	17-18 hl
Replantation	tous les 2-3 ans - 0,5 ha

Chef de culture	Roland Faugère
Régisseur	Éric Fournier
Œnologue conseil	M. Sudreau
Type de bouteille	bordelaise blanche
Vente directe au château	oui
Commande directe au château	oui
Contrat monopole	non (sauf Suisse)

VINIFICATION

Éraflage-Foulage	non - non

terres variées, tantôt argileuses, tantôt d'alluvions sablo-graveleuses, bénéficient d'un climat tempéré par les brouillards automnaux apportés par la Garonne distante de 1 500 mètres. Ces brouillards matinaux sont favorables au développement de la pourriture noble *(botrytis cinerea).*

■ Culture et vinification - Vin

Le terrain est amendé régulièrement par de faibles doses d'engrais organique de synthèse. En 1980, Éric Fournier a essayé avec succès un traitement qui surprendra : administrer deux traitements anti-botrytis à ses Muscadelle, raisin connu pour sa fragilité. Ces deux traitements appliqués à des raisins verts évitent qu'ils ne pourrissent et qu'ils ne contaminent les Sémillon et les Sauvignon. Éric Fournier a mis au point une méthode pour ses vendanges. Il commence en septembre par alléger les pieds trop chargés, surtout ceux de Sauvignon. Les raisins de ce premier tri rejoindront ceux cueillis dans trois hectares voisins pour élaborer un vin sec baptisé Château Campéros. Contrairement à certains Châteaux, le Sauvignon est récolté rose foncé, surmûri, pourri plein, ainsi que les Sémillon et les Muscadelle. Les fermentations ont lieu en barriques *et* en cuve. La régulation des températures, si besoin est, se fait par transfert cuves-barriques.

La chaptalisation est fréquente mais pas systématique. En 1947, en 1975, par exemple, elle ne fut pas nécessaire. En moyenne, les moûts atteignent 16°5 alors que l'équilibre recherché se situe à 14° d'alcool + 4° (soit 68 grammes de sucre par litre). Après 20 mois de barrique et une filtration sur terre, le vin est mis en bouteilles sans être traité par le froid. Les vins non retenus lors des sélections sont vendus sous l'étiquette Château de Ségur. C'est sous cette marque que fut vendue la totalité du millésime 1976.

PLAT IDÉAL :
Brochettes de coquilles Saint-Jacques, langoustines et baudroie aux champignons avec lard fumé et beurre fondu

AGE IDÉAL : 5 ans
Années exceptionnelles : 10 ans

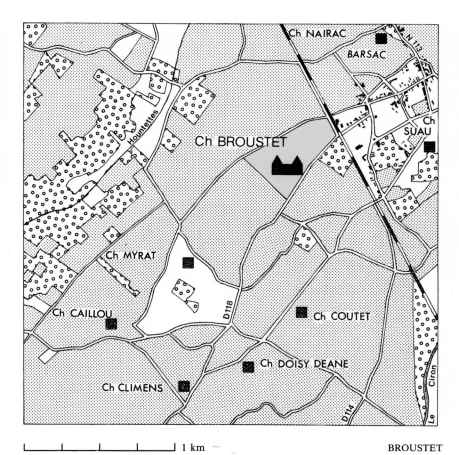

BROUSTET

COTATIONS COMMENTÉES

Année	Note	Commentaire
1961	10	riche, gras, puissant • **à boire**
1962	8	plus souple que les 1961 ; récolte plus abondante • **à boire sans délai**
1964		pluie, vin sans intérêt
1966	6	moyen, manque d'étoffe • **devrait être bu**
1967	7,5	plein et rond • **à boire**
1969	5	moyen • **à boire**
1970	9	bien constitué • **à boire**
1971	7,5	souple, évolué • **à boire**
1972	5,5	petites années • **à boire**
1973	5	petites années • **à boire**
1974		pas de Château Broustet
1975	8	(14° + 4) équilibré, un peu léger pour le millésime • **à boire**
1976		pas de Château Broustet ; vin déclassé ; vinification peu satisfaisante
1977		pas de Château Broustet
1978	7	boisé par barriques neuves • **à boire en 1985**
1979	7,5	botrytisé, bonne évolution prévue • **à boire en 1985**
1980	8	14,20° d'alcool + 66,3 g/l de sucre (3,9°) • **à boire en 1987**
1981	8,5	complexe et fruité • **à boire dès 1988**

CHATEAU NAIRAC

2e CRU CLASSÉ

La maison noble de Luziès — un vin de Barsac porte toujours ce nom — dominait les terres sur lesquelles a été élevé vers 1770 le château Nairac. Cette belle demeure classique est l'œuvre de l'architecte Mollié, disciple du grand Victor Louis. Les Nairac participèrent à la vie bordelaise. Députés, négociants, armateurs, ils s'exilèrent avant la Terreur aux Pays-Bas et à l'Ile Maurice. Curieusement, le propriétaire actuel, d'origine américaine, est apparenté aux descendants des fondateurs du domaine. Dans les premières années du XIXe siècle, Nairac fut acquis par M. Capdeville, déjà propriétaire de Château Broustet, distant de 500 mètres. En 1855, les deux Châteaux réunis furent classés 2e cru. La reconstitution postphylloxérique du vignoble fut assurée par la famille Brunet-Capdeville. Renouant avec un usage ancien, les propriétaires choisirent des vignes rouges ! Elles durèrent jusqu'à ce que C. Perpezat, avant la guerre de 1914-1918, acquît le domaine et lui rendît des vignes blanches. En 1966, Nairac fut acheté par un conseiller municipal bordelais qui revendit son bien en 1971 à Tom Heeter et à sa femme Nicole Heeter-Tari (fille des Tari de Giscours et de Branaire-Ducru).

Tom Heeter, citoyen américain, a choisi par passion de se consacrer au vin liquoreux : le plus difficile à réussir.

■ **Lieu de naissance**

Le vignoble principal de Nairac jouxte le bourg de Barsac. La propriété est limitée à l'est par la route nationale 113 Bordeaux-

---

FICHE TECHNIQUE

AOC	Sauternes		Levurage	levures sèches
Production	1 800 à 2 200 caisses		Nombre de tries	3 à 11
Date de création du vignoble	XVIIe siècle		Chaptalisation-Équilibre	quand nécessaire - 13,8 + 3,7
Surface	15 ha		Température des fermentations	16° à 18°
Répartition du sol	divisé en deux parcelles		Durée des fermentations	2 mois
Géologie	graves		Type de pressoir Nombre de presses	vertical 2
CULTURE			Type des cuves	fermentation en barriques
Engrais	humus - sulfate de potasse - chaux désacidifiée		Age des barriques	2/3 neuves - 1/3 deux ans maximum
Taille	à Cot (Sé et Mu) et Guyot simple (Sau)		Collage	bentonite si nécessaire
Cépages	Sé 90 % - Sau 6 % - Mu 4 %			
Age moyen	25 ans		Maître de chai	M. Heeter
Porte-greffe	Riparia Gloire		Régisseur	M. Heeter
Densité de plantation	6 600 pieds/ha		Œnologues conseil	M. Sudreau - Prof. Peynaud
Rendement à l'ha	15 hl avant sélection		Type de bouteille	bordelaise blanche
Replantation	par tranches		Vente directe au château	oui
VINIFICATION			Commande directe au château	oui
Éraflage - Foulage	non - oui		Contrat monopole	non

Langon. Nairac est le cru classé le plus proche de la Garonne (moins d'un kilomètre). Cette proximité explique la nature du sol de cette propriété sise à 7 mètres d'altitude : le socle calcaire a été recouvert de graves alluvionnaires, d'origine garonnaise évidemment. Quelques parcelles complètent ce vignoble, notamment celles jouxtant Château Climens, au nord-ouest de Barsac.

■ Culture et vinification

Les sols maigres sont amendés par adjonction d'humus, de sulfate de potasse et de chaux désacidifiée. Les tries peuvent être nombreuses, trois en 1975, 1976, 1980, mais onze en 1974 ! Au premier passage, le Sauvignon est récolté avant surmûrissement pour lui conserver sa fraîcheur aromatique. Le mode de récolte exclut les rafles — sauf pour le Sauvignon. Le jus est exprimé à l'aide d'une légère pressée, débourbé (bentonite si nécessaire) et mis en barriques neuves pour de lentes fermentations (jusqu'en janvier, parfois jusqu'en mars comme en 1972). Des bois (pour les barriques) de diverses provenances sont à l'essai : Allier, Limousin, Yougoslavie, etc. L'adjonction de 15 grammes de phosphate d'ammoniaque + thiamine (50 mg/hl) (vitamine B1) par hectolitre de moût limite la possibilité qu'a le soufre de se combiner, possibilité que les oxydases lui offriraient. Il suffira d'introduire 6 grammes de soufre par hectolitre de moût pour le protéger. On n'aura recours à la chaptalisation que lorsque le millésime l'impose (aucune en 1975 ni en 1976).

De l'avis de Tom Heeter, l'équilibre alcool-sucre idéal est atteint dans le Nairac 1980 : alcool : 13,85° ; sucre : 3,7 (63 g/l) ; acidité totale : 4,5 (g/l) ; volatile : 0,49 ; SO_2 total : 238 mg ; SO_2 libre : 70 mg.

■ Le vin

A Nairac, les sélections sont impitoyables (voir ci-contre dans les cotations commentées). Chaque année doit avoir sa personnalité et chaque bouteille évolue et vit son propre destin. Tom Heeter n'affirme-t-il pas : « Le vin que je crée doit avoir une vie » ?

PLAT IDÉAL :
Feuilleté aux poireaux

AGE IDÉAL : *dans l'année de la mise en vente, puis attendre 7 ans d'âge*

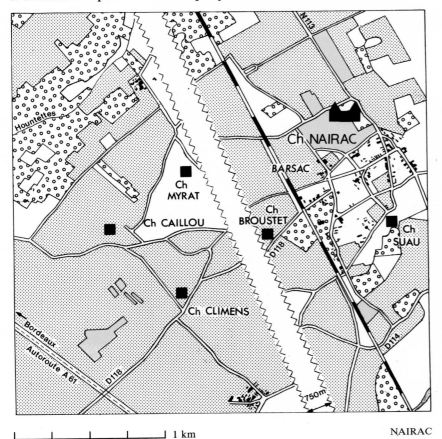

1 km   NAIRAC

COTATIONS COMMENTÉES

1973	8	toute la récolte mise en bouteilles
1974	7	1 200 caisses (14,2 + 2,8) 11 tries ; sélection des barriques : 70 % du volume rejetés ; sélection à la récolte : 30 % des raisins rejetés au sol
1975	9	(14 + 3,6) bon vieillissement assuré
1976	10	le plus liquoreux des Nairac ; 4,2 liqueur ; toute la récolte mise en bouteilles
1979	8,5	sélection : 60 % rejetés 14° + 3,7 liqueur ● à boire dès 1986
1980	9	eñviron 2 200 caisses ; totalité de la récolte retenue ; entre 1975 et 1976 ; fruité avec fraîcheur ● à boire dès 1987
1981	9	1 500 caisses ; très fruité, style 1975 (14,35 + 3,9 - acidité totale 4,6 - volatile 0,5) ● à boire dès 1988

CHATEAU CAILLOU

2e CRU CLASSÉ

Les Sarraute restèrent propriétaires du Château Caillou pendant un siècle. En 1855, sous leur conduite, le domaine fut classé 2e cru. En 1907, Joseph Ballan s'en porta acquéreur et ne le conserva que deux ans. C'est alors que le grand-père du propriétaire actuel l'acquit. Depuis ce temps, le vignoble a été considérablement agrandi.

■ Lieu de naissance

A mi-distance entre Barsac et Pujols-sur-Ciron, à l'ouest, presque adossé à la forêt, Château Caillou domine de ses deux flèches un vignoble de forme géométrique simple tracée sur une surface plane. Une terre pauvre de faible épaisseur, peu graveleuse, quelque peu sablonneuse, habille un socle calcaire stampien de landiras.

■ Culture et vinification

La pauvreté du sol impose quelques enrichissements et quelques soins. Après sa désinfection, tous les deux ans, des scories potassiques sont enfouies accompagnées de compost. Le vignoble ne comprend plus de Muscadelle à laquelle M. Bravo reproche sa fragilité.

FICHE TECHNIQUE

AOC	Sauternes		Type de pressoir, nombre de presses	horizontal 3 + 1
Production	5 000 caisses		Temps de cuvaison	15 - 25 jours
Date de création du vignoble	fin XVIIIe siècle		Chaptalisation Équilibre	si nécessaire, 14 + 4
Surface	15 ha		Température des fermentations	20o - 22o
Répartition du sol	un seul tenant		Mode de régulation	
Géologie	graves sableuses peu profondes		Type des cuves	métal et ciment de 50 hl

CULTURE

Engrais	compost et potasse		Age des barriques	5-6 ans
Taille	Guyot simple - 5 boutons		Temps de séjour	2-3 ans
Cépages	Se 90 % - Sau 10 %		Filtration	sur terre et sur plaques avant la mise
Age moyen	18-20 ans			
Porte-greffe	420 A		Maître de chai	Marc Lucbert
Densité de plantation	5 600 pieds/ha		Régisseur	Mlle Marie-Josée Bravo
Rendement à l'ha	22 hl		Œnologue conseil	laboratoire de Cadillac Prof. Peynaud
Replantation	1 ha annuel		Type de bouteille	bordelaise blanche
			Vente directe au château	oui

VINIFICATION

Eraflage	non		Commande directe au château	oui
			Contrat monopole	non

Jusqu'en 1955, le moût fermentait en barriques. Aujourd'hui celles-ci sont remplacées par des cuves de 50 hl, ce volume étant généralement considéré comme le plus adéquat. Depuis 1967, le pressoir vertical a cédé la place à un pressoir horizontal. Les pressurages sont légers, la quatrième pressée n'est jamais retenue. Chaque trie et chaque cépage font l'objet d'une vinification spécifique. Dans le courant du mois de décembre, une douzaine de lots sont constitués.

■ Le vin

Le degré idéal n'est pas toujours atteint. En 1970, quelques tries dépassaient 20 degrés potentiels, mais en 1974 un taux de 14 degrés interdit l'élaboration de Château Caillou. En 1972 également. En 1973 et 1977, fort peu de moûts atteignirent la richesse suffisante.

En dépit des deux modernisations apportées à la vinification — nouveau pressoir et fermentation en cuve —, le vin produit reste de facture traditionnelle accentuée par la longue garde « en bois ». Comme pour démontrer la longévité de son vin, le propriétaire détient une forte réserve de bouteilles anciennes. Ces bouteilles ne sont pas des reliques mais des vins que les amateurs peuvent acquérir.

La tradition de la fermentation en barriques est reprise en 1981 avec une « private Cuvée » issue d'une sélection supplémentaire à la vendange. Vin exceptionnel.

La famille Bravo s'occupe elle-même de la commercialisation. 80 % de la production sont vendus directement à des particuliers et à des restaurateurs. A l'étranger, Belges, Allemands, Danois et Japonais boivent du Château Caillou.

M. Bravo dispose de diverses marques pour vendre d'autres vins blancs secs, moelleux ou rouges.

PLAT IDÉAL :
Dinde truffée rôtie à la ficelle

AGE IDÉAL: pas avant 3 ans
Années exceptionnelles :
pas avant 5 ans
Température idéale : 6°-8°

COTATIONS COMMENTÉES		
1961	9,5	fraîcheur, élégance • à boire
1962	10	puissance, subtilité • à boire
1964	7	2/3 récolte éliminés (pluie) • à boire
1966	7	grande finesse • à boire
1967	7	charpenté, sève • à boire
1970	10	perfection, proche des 1947 • à boire
1971	6	race et sève • à boire
1972		pas de Château Caillou
1973	6	fruit, distinction, minceur • à boire
1974		pas de Château Caillou
1975	9,5	charpenté, musclé, très longue garde, proche des 1962 • peut être bu
1976	8,5	aimable, presque mûr • à boire
1977	5,5	strict avec personnalité • à boire
1978	8	élégant, finesse aromatique • à boire en 1985
1979	7,5	rôti, étoffé, proche des 1966 • à boire en 1984
1980	7	bonne petite année • à boire dès 1984
1981	9,5	entre 1970 et 1975 ; finesse et concentration • à boire dès 1987

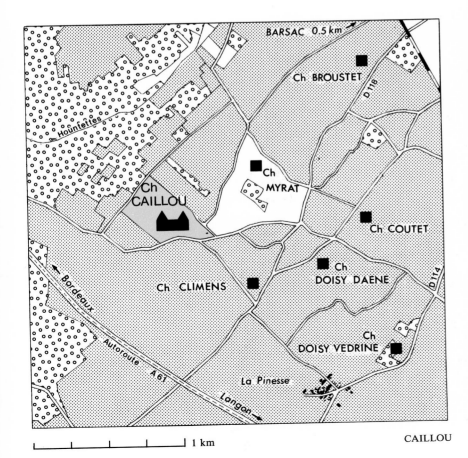

CAILLOU

1 km

CHATEAU SUAU

2e CRU CLASSÉ

Ce Château est fort ancien. Au XVIIIe siècle, il appartient à Henry de Carneau, lieutenant général des armées royales. En 1722, sa fille épouse le marquis Pierre de Lur-Saluces et le domaine lui revient à la mort de son père en 1745. Claude-Henri Hercule de Lur-Saluces qui en avait hérité, le vend en 1793. Après les Marion, après les Chaine, les Garros l'administrent pendant soixante-dix années. Mme Pouchappadesse, née Garros, vend en 1967 le vignoble à M. Biarnès, ne conservant pour son usage personnel que le château. M. Biarnès est déjà propriétaire du Domaine de Coy (commune de Sauternes) et du Château Navarro dans la commune d'Illats (Graves rouges et blancs, Cérons). Le cru classé Château Suau est vinifié au Château Navarro, résidence des Biarnès.

■ Lieu de naissance

Si l'on prend le bourg de Barsac pour centre, deux vignobles ont des positions symétriques : ce sont Nairac et Suau. Tous deux sont sis entre la voie de chemin de fer et la route nationale 113 Bordeaux-Langon, et jouxtent Barsac, le premier au nord, le second au sud.

FICHE TECHNIQUE

AOC	Barsac		Nombre de tries	2 + 1
Production	1 650 caisses		Type de pressoir	horizontal
Date de création du vignoble	XVIIIe siècle		Chaptalisation	si nécessaire - 14 + 4
Surface	6,5 ha		Température des fermentations	20º à 22º
Répartition du sol	un seul tenant		Mode de régulation	pompe à chaleur
Géologie	graves et terres rouges		Type des cuves	inox et ciment
			Age des barriques	élevage en cuve
			Temps de séjour	2 hivers, parfois moins

CULTURE

Engrais	potasse, chaux magnésienne		Collage	bentonite
			Filtration	sur terre
Taille	à Cot et Guyot simple		Procédés spéciaux	passage au froid
Cépages	Sé 85 % - Sau 15 %			
Age moyen	12 ans		Maître de chai	Biarnès et fils
Porte-greffe	420 A		Régisseur	Biarnès et fils
Densité de plantation	6 000 pieds/ha		Œnologue conseil	Centre œnologique de Cadillac
Rendement à l'ha	20 à 25 hl		Type de bouteille	bordelaise légère blanche
Replantation	pas pour l'instant		Vente directe au château	oui, au lieu de vinification : château Navaro, à Illats

VINIFICATION

Éraflage	non		Commande directe au château	oui, au château Navaro, à Illats
Foulage	oui		Contrat monopole	non

Le vignoble de Suau est limité à l'est par la route nationale 113, au nord et à l'ouest par des routes desservant les maisons de Barsac. La production de Château Suau au début du siècle (6 000 caisses) incite à penser que la propriété s'étendait au sud jusqu'à la route départementale 114 ; de nos jours, divers vignobles occupent cet espace. Son sol horizontal à 8 mètres d'altitude se compose d'argiles souples et douces, de terres rouges légèrement graveleuses sur socle calcaire.

■ Culture et vinification

« On ne trouve pas toujours autant de fumier qu'on le souhaite », dit M. Biarnès. Potasse et chaux magnésienne complètent l'amendement des sols. L'encépagement de Sémillon et Sauvignon ne comporte pas de Muscadelle. Les raisins sont cueillis en deux tries, plus une trie de ramassage final. Le raisin n'est pas éraflé mais légèrement foulé par une pompe à refoulement. Le moût fermente en cuve, sa température est régulée par une pompe à chaleur. Le vin est muté à l'anhydride sulfureux, collé à la bentonite. L'élevage se fait en cuve, sans passage en barriques. Les bitartrates sont précipités par le froid, et le vin mis en bouteilles après avoir subi une filtration sur terre.

■ Le vin

Cette vinification classique et simple conduit à un Barsac qui ne cherche pas à rivaliser avec les 1ers crus. Le vin est vendu directement aux particuliers et à des négociants. On peut le trouver au détail dans quelques « grandes surfaces ».

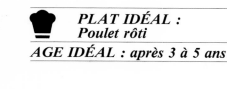

PLAT IDÉAL :
Poulet rôti

AGE IDÉAL : *après 3 à 5 ans*

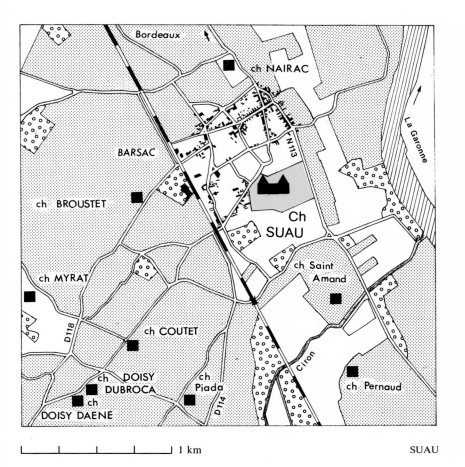

1 km   SUAU

COTATIONS COMMENTÉES

Année	Note	Commentaire
1970	10	plein, riche et gras • **à boire**
1971	9	plein et fin • **à boire**
1972	5	millésime moyen • **à boire**
1973	5,5	manque d'ampleur • **à boire sans délai**
1974	5	de peu d'intérêt • **à boire tout de suite**
1975	10	riche et complet • **à boire dès maintenant et plus tard**
1976	9,5	vaut le 1975 ou presque • **à boire dès maintenant et plus tard**
1977	6,5	grêlé à 80 %, très peu de vin • **à boire**
1978	7,5	bon mais peu typé • **à boire**
1979	8	bon développement du botrytis • **à boire en 1984**
1980	9	peut s'élever à la hauteur des 1970 et 1975 • **à boire en 1985 et au-delà**
1981	7,5	fin avec race • **à boire**

CHATEAU DE MALLE

L'histoire du domaine de Malle tient en une ligne : il appartient depuis cinq siècles à la même famille. Le château lui-même a été élevé au XVIIe siècle par Jacques de Malle, président du parlement de Bordeaux. Ce joyau, classé monument historique, se visite, ainsi que ses jardins. Ce petit chef-d'œuvre très italianisant mérite qu'on s'y arrête longuement car depuis deux siècles il n'a subi aucune transformation, si ce n'est les restaurations indispensables à sa conservation et à son usage, puisqu'il est habité par son propriétaire qui s'est gardé d'en faire un musée.

Cheminées, décoration, ameublement, tout y évoque un incomparable art de vivre.

En 1855, le vin du Château de Malle a été classé 2e cru. Henri de Lur-Saluces était alors propriétaire du domaine. De nos jours, le comte Pierre de Bournazel, neveu de feu le marquis Bertrand de Lur-Saluces, propriétaire de Château Yquem, maintient la réputation de ce 2e cru, après avoir redonné vie au château et l'avoir embelli.

■ **Lieu de naissance**

La propriété de Malle est bordée au sud-ouest par l'autoroute des Deux-Mers et traversée par la départementale 125 et la voie de chemin de fer Bordeaux-Marmande.

FICHE TECHNIQUE

AOC	Sauternes		Température des fermentations	20º
Production	5 000 caisses		Type des cuves	fermentation en barriques, cuves inox
Date de création du vignoble	XVe siècle			
Surface	24 ha		Age des barriques	neuves
Répartition du sol	un seul tenant		Temps de séjour	3 ans (cuves et barriques)
Géologie	argilo-graveleux et sable		Filtration	sur terre et sur plaques (K5) à la mise

CULTURE

Engrais	fumier et potasse
Taille	Cot et Guyot simple
Cépages	Se 75 % - Sau 22 % - Mu 3 %
Age moyen	15 ans
Porte-greffe	420 A
Densité de plantation	6 300 pieds/ha
Rendement à l'ha	20 hl
Replantation	aucune car replanté en 1956

Procédés spéciaux	froid
Maître de chai	Paul Potin
Régisseur	Christian Fortin
Œnologue conseil	Pierre de Bournazel
Type de bouteille	bordelaise
Vente directe au château	oui
Commande directe au château	oui
Contrat monopole	non

VINIFICATION

Chaptalisation - Équilibre	parfois 14º5 à 15º5

Le vignoble s'étend sur un plan presque horizontal très légère-ment incliné entre 10 et 20 mètres d'altitude ; il est composé de sable et de terres argilo-graveleuses fines assises sur un socle siliceux très acide.

■ Culture et vinification

Lors de l'hiver catastrophique de 1956, le vignoble a entièrement gelé. Il a donc été replanté en totalité. Le sol manque d'humus, il faut donc le fumer. Les vinifications se font par tries, par cépage et par parcelles. Un pressoir horizontal, finement conduit pour un pressurage lent, évite l'excès de bourbes. Tout est fait pour éliminer les méfaits de l'oxydation. Les fermentations s'effectuent en barri-ques et en cuves. Un système d'échangeur en acier inoxydable auto-rise les transferts. Si Pierre de Bournazel — œnologue — craint l'oxydation, il craint aussi les « goûts de réduit » (mercaptan) qui peuvent se développer dans les cuves de grand volume. Les sélec-tions s'opèrent lors des soutirages. Une première filtration sur terre a lieu dans le premier hiver alors qu'une deuxième filtration légère sur plaques cellulosiques à basse pression précède la mise en bou-teilles. Avant cela, le vin aura vieilli en barriques exclusivement neuves et en cuves. « Car entre le boisé et le fruité, j'ai choisi le fruité », dit Pierre de Bournazel. On procède également à une éli-mination des bitartrates de potassium par un passage au froid (moins 8°) en fin d'élevage du vin.

■ Le vin

Tout ce qui n'est pas retenu lors des sélections est vendu en appella-tion régionale au négoce ou mis en bouteilles sous la marque « Domaine de Sainte-Hélène ». Les exportations, en progression, atteignent 70 % de la production. La bouteille la plus représenta-tive de Château de Malle porte le millésime 1975.

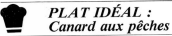

PLAT IDÉAL :
Canard aux pêches

AGE IDÉAL : 4 à 8 ans
Années exceptionnelles : 10 à 15 ans
Température idéale : 8° à 10°

COTATIONS COMMENTÉES

1961	8	petit rendement, rare arôme de violette • à boire
1962	7,5	récolte abondante • à boire
1964	5	quelques lots très réussis avant les pluies (dès le 21 septembre) • à boire
1966	5	année moyenne • à boire
1967	6	nerveux, un peu sec • à boire
1970	9	rondeur, puissance, harmonie, bouquet • à boire
1971	9	un 1970 plus nerveux • à boire
1972	5	moins de sucre, moins d'alcool ; fruité plutôt sec • à boire
1973	6	plus charpenté que le précédent • à boire
1974	4	peu de vin, typé Sauvignon, fragile • à boire sans délai
1975	10	finesse, bel équilibre sucre-alcool • à boire en 1982-2032
1976	9	moins liquoreux que les 1975 ; aimable, souriant • à boire
1977		pas de Château de Malle
1978	6,5	léger, fruité, robe claire • à boire
1979	8-9	assemblages en cours
1980	8-9	assemblages en cours

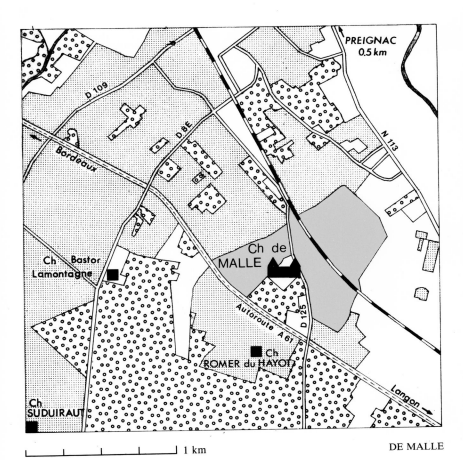

DE MALLE

213

CHATEAU ROMER DU HAYOT

2e CRU CLASSÉ

S'il est un cru victime de l'autoroute des Deux-Mers, c'est Château Romer. Chai et château ont disparu sous les coups de boutoir des bulldozers. Fort heureusement le vignoble est toujours là, perpétuant un nom bicentenaire. Après la Révolution, Romer appartenait à M. de Montalier et le vin s'appelait Montalier-Romer. Dès 1833, il devient la propriété du comte Auguste de la Myre-Mory dont la femme, née Lur-Saluces, est parente des propriétaires de Malle, Yquem, Coutet, Filhot et Château Pernaud ! Les vins du comte de la Myre-Mory se vendent bien puisque Château Romer est classé 2e cru en 1855. En 1881, à la mort de la comtesse, le domaine est partagé entre ses cinq enfants : son fils Fernand, sa fille Geneviève (célibataire) et ses trois autres filles mariées : la baronne de Vassal, la comtesse de Beaurepaire-Louvaguy et la comtesse de Lur-Saluces.

Alors que des regroupements avaient lieu, le comte de Beaurepaire vendit 5 hectares à Roger Farges, tandis que l'autre lot de 9 hectares revenait entre les deux guerres à Xavier Dauglade et à Mme du Hayot. Il y eut deux Château Romer étiquetés différemment jusqu'en 1977. Depuis, André du Hayot a repris en fermage les vignes qui appartiennent toujours à la famille Farges, le vin portant l'étiquette unique « Romer du Hayot ».

FICHE TECHNIQUE

AOC	Sauternes	Type de pressoir	horizontal
Production	4 000 caisses	Chaptalisation Équilibre	si nécessaire - 15 + 4,5 (5)
Date de création du vignoble	1816	Température des fermentations	20º
Surface	15 ha	Type des cuves	acier revêtu, 220 hl
Répartition du sol	un seul tenant		
Géologie	graves fines argilo-calcaires	Age des barriques	vieillissement principalement en cuves et barriques
		Temps de séjour	20 à 24 mois
		Filtration	sur terre et sur plaques à la mise

CULTURE

Engrais	fumier et potasse
Taille	Gobelet et Guyot simple
Cépages	Sé 69 % - Sau 30 % - Mu 1 %
Age moyen	25 ans
Porte-greffe	3 309 - 420 A - 196-17
Rendement à l'ha	20 à 25 hl
Replantation	0,5 ha annuel

Maître de Chai	André du Hayot
Régisseur	André du Hayot
Œnologue conseil	M. Pauquet
Type de bouteille	bordelaise blanche
Vente directe au château	oui, Château Guiteronde, à Barsac
Commande directe au château	oui
Contrat monopole	non

VINIFICATION

Nombre de tries	3-4

A la suite de la construction de l'autoroute des Deux-Mers, le vin est vinifié au Château Guiteronde, proche du Château Caillou, dans la commune de Barsac, autre propriété d'André du Hayot.

■ Lieu de naissance

Le vignoble est limité par l'autoroute des Deux-Mers au nord, et au sud par la forêt. Il jouxte le Château de Malle. Il forme un dôme très peu incurvé culminant à 33 mètres d'altitude. Des terres de graves grises fines argilo-calcaires sur socle calcaire accueillent les trois cépages traditionnels du Sauternais.

■ Culture et vinification

Les tries vinifiées séparément sont assemblées au mois de mai à l'occasion du troisième soutirage. Auparavant le moût a été débourbé en 24 heures et fermente en cuves d'acier de 220 hectolitres à la température de 20 degrés, abaissée au besoin par un refroidisseur à réfrigérant. Le mutage est effectué par injection de SO2 sous pression. En février ou mars, le vin subit une filtration sur terre puis vieillit en grandes cuves. Le vin est passé au froid pour faciliter la précipitation des bitartrates de potassium et filtré sur plaques avant la mise en bouteilles.

■ Le vin

Les vins non sélectionnés sont vendus sous l'appellation régionale. Ces sélections sont très variables. En 1977, un tiers du vin fut retenu alors que la totalité des millésimes 1975 et 1976 défendit la réputation du Château Romer du Hayot. En 1974, aucun vin n'en fut jugé digne. Ce vin n'est pas très connu en France puisque 80 % des bouteilles prennent le chemin de l'étranger.

PLAT IDÉAL :
Daurades cuites au Sauternes

AGE IDÉAL: 4 à 5 ans
Années exceptionnelles : 10 ans
Température idéale : 6⁰ à 7⁰

COTATIONS COMMENTÉES

1961	8	petite récolte ; bon millésime • **à boire**
1962	8	petite récolte ; bon millésime • **à boire**
1964	4	année victime de la pluie • **à boire**
1967	9	bien gras • **à boire**
1970	9,5	racé, bonne évolution, gras et plein • **à boire**
1971	8	plus léger que les 1970, bouqueté et fin • **à boire**
1972	5,5	quelconque, « sans vice ni vertu » • **à boire**
1973	6,5	élégant, manque d'ampleur • **à boire**
1974		pas de Château Romer du Hayot
1975	10	rond, complet, bel avenir • **à boire**
1976	9,5	plus fruité, tiendra moins longtemps que les 1975 • **à boire**
1977	6	vins un peu maigres • **à boire**
1978	7	fruité, pas typé (pas de botrytis) • **à boire**
1979	9	très fruités, seront très bons, proches des 1976 • **à boire**
1980	7	bonne évolution d'un petit millésime • **à boire dès 1984**
1981	9	riche, gras, style 1975 • **à boire dès 1990**

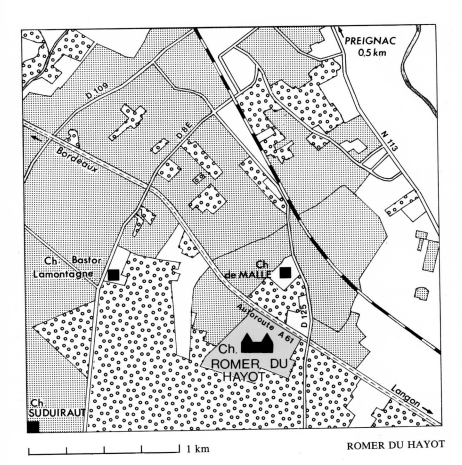

ROMER DU HAYOT

215

CHATEAU DOISY DUBROCA

2e CRU CLASSÉ

On ne connaît pas très bien l'origine du domaine de Doisy. Il y a tout lieu de penser que ce nom lui a été donné par son propriétaire de l'époque. En tout état de cause, au début du XIXe siècle, les vins de Doisy sont réputés et cités parmi les meilleurs. En 1855, Château Doisy est classé au 2e rang. Il appartient alors à M. Daëne. Peu après le domaine est fractionné en trois lots. Mlle Faux, puis, en 1880, la famille Dubroca deviennent propriétaires d'une étroite bande de terrain de 500 mètres de longueur. En cette même année, Mlle Dubroca épouse M. Gounouilhou qui acquerra cinq ans plus tard Château Climens. C'est ainsi que ces deux propriétés furent liées et c'est pourquoi, lorsque Lucien Lurton achète Château Climens, il reprend également Doisy Dubroca.

■ Lieu de naissance

A égale distance de la voie de chemin de fer et de l'autoroute A 61, au centre du plateau de Barsac, Doisy Dubroca est enserré entre Doisy Daëne et Doisy Védrines. Le sol de cette propriété, très peu incliné (en direction du sud-est), à une quinzaine de mètres d'altitude, se compose de sable et de gravier du mindel de faible épaisseur sur un socle calcaire fissuré.

■ Culture et vinification

Doisy Dubroca se rapproche davantage de Doisy Védrines que de Doisy Daëne, tant sur le plan de l'encépagement que sur celui de la vinification. Il appartient à la catégorie de Sauternes-Barsac dont l'encépagement se limite à deux cépages : Sémillon et Sauvignon,

FICHE TECHNIQUE

AOC	Barsac		Levurage (origine)	naturel
Production	550 caisses		Chaptalisation	suivant les années ; moût de 15° à 18°
Date de création du vignoble	XVIIe siècle		Température des fermentations	20°
Surface	3,3 ha		Type des cuves	fermentation en barriques
Répartition du sol	un seul tenant			
Géologie	sables rouges et graviers mindeliens sur calcaire stampien		Age des barriques	1 à 6 ans
			Temps de séjour	2 ans
			Collage	blancs d'œufs
			Filtration	sur plaques cellulosiques

CULTURE

Engrais	légère fumure organique et minérale
Taille	à Cot
Cépages	Sé 90 % - Sau 10 %
Age moyen	15 ans
Porte-greffe	101-14
Rendement à l'ha	16 hl
Replantation	4 % par an

Maître de chai	Christian Broustaut
Régisseur	André Janin
Œnologue conseil	Prof. Émile Peynaud
Type de bouteille	bordelaise
Vente directe au château	non
Commande directe au château	oui
Contrat monopole	non

VINIFICATION

Nombre de tries	4

seul le Château Doisy Daëne ayant poussé la simplification jusqu'à n'être issu que d'un seul cépage : le Sémillon.

Les Châteaux ayant éliminé la Muscadelle sont fort nombreux et l'on peut dire que la caution donnée à cet encépagement par Yquem (qui n'en comporte pas) est de taille.

On pourrait soutenir que la Muscadelle a dans les vignobles blancs le statut du Petit Verdot dans les vignobles rouges. Réduit à quelques pourcents, c'est un cépage d'appoint à qui l'on reproche sa sensibilité aux diverses maladies de la vigne. Il est d'ailleurs étrange de constater que l'apport aromatique, ou plus généralement gustatif de la Muscadelle, fait l'objet de commentaires disparates sinon contradictoires.

Les goûts « musqués » qu'on lui prête se retrouvent-ils dans le vin ? Rien n'est moins certain. Par contre, il est sans doute abusif de lui imputer une forte tendance à madériser, des vins anciens 100 % Muscadelle ayant démontré de bonnes possibilités de longévité.

L'amateur pourra faire sa religion en comparant tel Sauternes issu (entre autres) de Muscadelle (se reporter aux diverses fiches techniques) et Doisy Dubroca, par exemple, qui n'en comporte pas.

Le vignoble de Doisy Dubroca est assez jeune mais en dépit de cela le rendement à l'hectare est soigneusement limité à un faible niveau. Le moût suivant la tradition la plus pure fermente en barriques. On ignore donc à Doisy Dubroca les problèmes de température que peuvent poser les fermentations en grand volume. Bien entendu l'élevage du vin est réalisé en barriques également.

■ Le vin

Il porte la double signature de Lucien Lurton et d'Émile Peynaud. Signature que nous retrouvons à Château Climens. La comparaison de ces deux crus, si proches géographiquement, offre la possibilité de confrontations passionnantes. L'amateur peut ainsi mesurer combien de petites différences de rendement et d'élaboration peuvent avoir de conséquences.

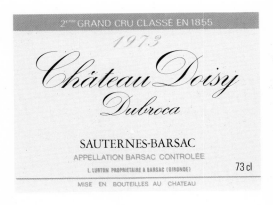

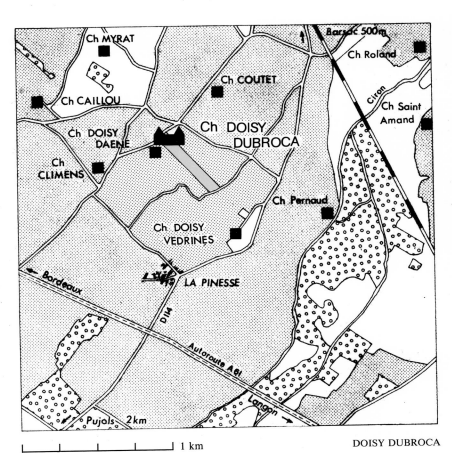

DOISY DUBROCA

PLAT IDÉAL :
Foie gras

AGE IDÉAL : 8 ans
Années exceptionnelles : 12 ans

COTATIONS COMMENTÉES

Année	Note	Commentaire
1961	10	concentré, puissant • à boire
1962	7	fondu, raffiné • à boire
1964	6	fin, souple, parfumé • à boire
1966	8	élégance et classe • à boire
1967	8	ferme, généreux • à boire
1970	8	séveux, racé • à boire
1971	10	riche, complet • à boire
1972	7	réussite dans un petit millésime • à boire
1973	8	satiné, harmonieux • à boire
1974	7	gracieux • à boire
1975	10	puissance et harmonie parfaite • à boire
1976	8	ensoleillé, rond, pulpeux • à boire
1977	6	bouquet fin, soyeux • à boire
1978	9	velouté, plein • à boire
1979	8	équilibré et charnu • à boire en 1984
1980	8	parfums et harmonie • à boire
1981	9	équilibré, vif • à boire dès 1986

CHATEAU LAMOTHE
(DESPUJOLS)

Cette propriété a connu un destin assez mouvementé. Il ne s'agit pas de remonter jusqu'aux Romains (ou aux Gaulois ?) qui ont pourtant exploité l'épaulement ouest de la colline et laissé l'empreinte des soubassements d'une étrange construction. Plus récemment, le domaine s'appela Lamothe d'Assault. En 1814, Jean-François de Borie vend Lamothe à un négociant du nom de Jacques Dowling, lequel six ans plus tard s'en défait au profit de Simon et Jean-Baptiste. En 1855, lorsque Château Lamothe est classé 2e cru, Mme veuve Baptiste en est la propriétaire. Il est probable que la propriété était déjà partagée ou en indivis car Mme Dezeimeris de la Porte en 1850 et M. Massieux en 1853 figurent également dans la liste des propriétaires. En 1882, la famille Dubédat père et fils gouverne Lamothe qui sera partagé en 1897. Au début du XXe siècle, deux propriétaires produisent tous deux du « Château Lamothe » issu de leur fraction du domaine. Ce sont Louis Espagnet et Joseph Bergey. Bastit Saint-Martin a réuni les deux Lamothe pour les séparer de nouveau en 1961. Il vend 8 hectares à Jean Despujols qui adopte l'étiquette Château Lamothe alors que M. Bastit Saint-

FICHE TECHNIQUE

AOC	Sauternes		Nombres de tries	3
Production	1 700 caisses		Type de pressoir	horizontal électrique - 6 presses
Surface	8 ha			
Répartition du sol	un seul tenant		Chaptalisation-Équilibre	si nécessaire 14 + 3 14 + 4
Géologie	graves, argile, sable		Température des fermentations	(voir texte)

CULTURE

			Durée de fermentations	30 à 45 jours
Engrais	chimique		Type des cuves	ciment - 50 hl
Taille	à Cot - asti (Sauvignon)		Age des barriques	quelques barriques de 15 ans et plus
Cépages	Sé 70 % - Sau 20 % - Mu 10 %		Temps de séjour	18 à 20 mois (voir texte)
			Filtrations	sur terre et sur plaques avant la mise
Age moyen	45 ans			
Porte-greffe	420 A			
Densité de plantation	7 000 pieds/ha			
Rendement à l'ha	20-22 hl		Maître de chai	Jean Despujols
			Régisseur	Jean Despujols
Replantation	rien depuis 15 ans		Œnologue-conseil	M. Bouix
			Type de bouteille	bordelaise légère

VINIFICATION

			Vente directe au château	oui
Éraflage	non		Commande directe au château	oui
Foulage	non		Contrat monopole	non

Martin use soit de la même « marque » soit de Château Lamothe-Bergey.

■ Lieu de naissance

Le Château Lamothe est situé à 500 mètres à l'ouest du village de Sauternes. Le vignoble est enserré entre celui de Château Filhot au sud et Château Lamothe (Guignard) au nord, à une altitude de 67 mètres qui s'abaisse de près de 20 mètres vers l'ouest. Le terrain est plus argileux que graveleux. Le sable entre également dans sa composition.

■ Culture et vinification

Des amendements d'origine chimique équilibrent les sols. Les raisins ne sont ni éraflés ni foulés. Un pressoir horizontal électrique extrait en six pressées un moût qui n'est pas débourbé et fermente sur ses lies. Le vin est muté au SO2. En fin de fermentation, les grosses lies sont éliminées. A l'occasion des soutirages, une partie du vin séjourne dans des barriques achetées en 1964. Au dixième mois, une première filtration sur terre éclaircit le vin qui sera filtré sur plaques avant sa mise en bouteilles. Le volume de 50 hectolitres des cuves en ciment satisfait Jean Despujols qui n'a jamais ni chauffé ni refroidi ses moûts, n'ayant jamais connu de problèmes de température.

■ Le vin

Le dernier des 2e crus de 1855 affiche sa personnalité. Lamothe n'entre pas en compétition avec les prestigieux 1ers crus. Jean Despujols gagne son pari en occupant un « créneau » qui autorise une approche facile des crus classés liquoreux.

PLAT IDÉAL :
Poulet fermier avec des cèpes à la bordelaise

AGE IDÉAL : 4 ans
Années exceptionnelles : 13 ans
Température : 6°

GRAND CRU CLASSÉ

1975

Château Lamothe

SAUTERNES

APPELLATION SAUTERNES CONTROLÉE

J. DESPUJOLS
PROPRIÉTAIRE-RÉCOLTANT
33210 SAUTERNES
FRANCE

MIS EN BOUTEILLE
AU CHATEAU

73 cl

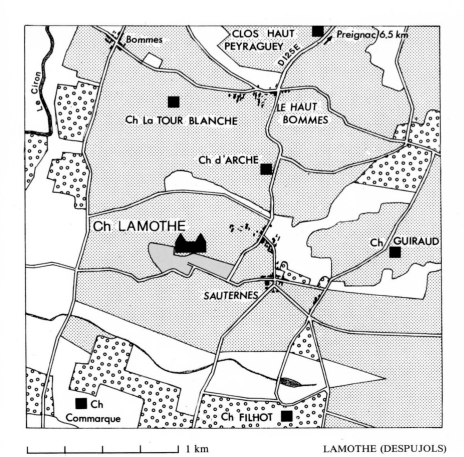

1 km   LAMOTHE (DESPUJOLS)

COTATIONS COMMENTÉES

Année	Note	Commentaire
1961	7	petite récolte, moyen • **devrait être bu**
1962	6,5	moyen • **devrait être bu**
1964	4	victime de la pluie • **devrait être bu**
1966	7	année moyenne • **devrait être bu**
1967	9	équilibré • **à boire**
1970	8,5	gras et fruité, rond • **à boire**
1971	8,5	très proche des 1970, plein • **à boire**
1972	6	bouquet bien développé au vieillissement • **à boire**
1973	7	crème de tête : avant la pluie, réussi • **à boire**
1974	4	maigre, peu de caractère • **à boire**
1975	10	fin, délicat • **à boire**
1976	9	plein, équilibré • **à boire**
1977	5,5	année moyenne • **à boire**
1978	9,5	très fruité, complet, souple • **commencer à le goûter**
1979	9	typé Sauternes • **à boire en 1983-1984**
1980	7,5	fin et nerveux • **à boire dès 1984**
1981	9	style 1976, plein, riche • **à boire dès 1985**

CHATEAU LAMOTHE
(GUIGNARD)

Se reporter à Château Lamothe Despujols. A la mort de Bastit Saint-Martin (fils) en 1980, les onze hectares qu'il s'était réservé sont acquis par la famille Guignard, propriétaire du Château de Rolland à Barsac et du Château de Roquetaillade La Grange (Graves blanc et rouge).

■ Lieu de naissance

Sur tout son côté sud, le vignoble est contigu à celui de Lamothe Despujols (voir ce Château). Une deuxième parcelle au lieu-dit Caplane jouxte le Château d'Arche. Les terres modérément graveleuses, d'origine pyrénéenne, sont fortement mêlées d'argile et d'un peu de sable. La première récolte porte le millésime 1981.

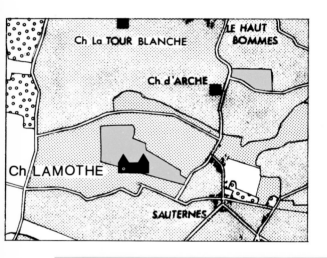

COTATION COMMENTÉE

1981	8,5	12,8 hl/ha ; équilibré, botrytisé, élevé dans des barriques achetées à Yquem • à boire dès 1986

FICHE TECHNIQUE

AOC	Sauternes		Nombre de tries	4 à 5
Production	1 800 caisses		Type de pressoir	1 pressoir vertical
Date de création du vignoble	antérieure à 1814		Chaptalisation-Équilibre	quand nécessaire
Surface	11 ha		Température des fermentations	16º à 19º
Répartition du sol	en 2 lots		Durée des fermentations	2 à 6 semaines
Géologie	argilo-calcaire et gravelo-sableuse		Type des cuves	cuves inox prévues
			Age des barriques	0 à 10 ans
			Temps de séjour	10 à 18 mois
			Collage	non
			Filtration	sur terre, sur plaques

CULTURE

Engrais	organique
Taille	à Cot
Cépages	Sé 72 % - Sau 18 % - Mu 10 %
Age moyen	30 ans
Porte-greffe	420 A
Densité de plantation	6 600 pieds/ha
Rendement à l'ha	12-18 hl/ha

Maître de chai	P. et J. Guignard
Régisseur	P. et J. Guignard
Œnologue conseil	Philippe Guignard
Type de bouteille	bordelaise blanche
Vente directe au château	oui
Commande directe au château	oui
Contrat monopole	non

VINIFICATION

Éraflage	non
Foulage	non

CHATEAU DE MYRAT

2ᵉ CRU CLASSÉ

L'examen des plans des vignobles de Barsac permet au lecteur de découvrir le château de Myrat entouré d'une vaste surface vierge de toute vigne. Ce cru classé — dans la deuxième catégorie — dont on a souvent dit qu'il était le premier des seconds crus, ne produit plus de vin depuis la fin de l'année 1975. Son propriétaire actuel, le comte de Pontac, fit arracher les vignes après avoir refusé diverses propositions de fermage que justifiaient les riches potentialités du sol de sa propriété.

Jusqu'au milieu du XIXᵉ siècle, l'actuelle terre de Myrat était incorporée au domaine de Cantegril qui fut la propriété du duc d'Épernon puis celle du seigneur de Cantegril qui épousa une demoiselle de Myrat (ou Mirat). En 1854 — ou quelque peu avant — Myrat fut détaché de Cantegril, ce que confirma un arrêt de justice de 1862, et les deux propriétés, qui ne sont séparées que par une route, connurent des destinées indépendantes ; Cantegril, qui appartient aujourd'hui à Pierre Dubourdieu de Doisy-Daëne (voir ce chapitre), produit des vins intéressants (vin rouge et vin blanc liquoreux).

Lors du classement de 1855, le Château de Myrat fut gratifié de second rang et appartenait à Henri Moller qui mourut peu après. Sa veuve, propriétaire également du Château Broustet, vendit son vin sous le nom de Myrat-Broustet.

En 1893, le domaine est vendu, puis revendu cinq ans plus tard à P. Martineau qui le cède à son tour aux Pontac.

Le vin de Château de Myrat ne bénéficiait pas de mise en bouteilles au château, il était vendu en barriques à des négociants. Cette propriété d'une trentaine d'hectares comprenant parc et château produisait environ 45 tonneaux (l'équivalent de 4 500 caisses). Le rendement à l'hectare avoisinait 20 hl et l'encépagement rappelait beaucoup celui du Château Doisy-Daëne puisqu'il ne se composait que de Sémillon (assisté d'un peu de Muscadelle). En dépit de cette similitude d'encépagement, le vin de Myrat ne ressemblait en rien au vin actuellement produit à Doisy-Daëne. Les moûts vinifiés selon la méthode traditionnelle étaient à l'origine d'un vin plus rond que fin dont l'élevage par divers négociants n'exaltait pas toutes les qualités.

On ne peut que souhaiter la replantation de cette propriété qui produisit des vins dont la qualité est reconnue depuis plus de deux siècles et dont le classement — donc la marque — a une valeur indiscutable.

Les crus — ou marques en langage bordelais — de la région de Barsac-Sauternes ont connu depuis 1855 diverses mutations auxquelles ont échappé les crus classés du Médoc. Voici donc le classement dans sa version originale de 1855 et sa « lecture » aujourd'hui.

1855	AUJOURD'HUI	
Premier cru supérieur	**Premier cru supérieur**	
Château d'Yquem	Château d'Yquem	*Sauternes*
Premiers crus	**Premiers crus**	
Château La Tour Blanche	Château La Tour Blanche	*Bommes*
Château Peyraguey	Château Lafaurie-Peyraguey	*Bommes*
	Château Clos Haut-Peyraguey	*Bommes*
Château Vigneau	Château Rayne-Vigneau	*Bommes*
Château Suduiraut	Château Suduiraut	*Preignac*
Château Coutet	Château Coutet	*Barsac*
Château Climens	Château Climens	*Barsac*
Château Bayle	Château Guiraud	*Sauternes*
Château Rieussec	Château Rieussec	*Fargues*
Château Rabaud	Château Rabaud-Promis	*Bommes*
	Château Sigalas-Rabaud	*Bommes*
Deuxièmes crus	**Deuxièmes crus**	
Château Myrat	Château Doisy-Daëne	*Barsac*
Château Doisy	Château Doisy-Védrines	*Barsac*
Château Pexoto*		
Château d'Arche	Château d'Arche	*Sauternes*
Château Filhot	Château Filhot	*Sauternes*
Château Broustet-Nérac	Château Broustet	*Barsac*
	Château Nairac	*Barsac*
Château Caillou	Château Caillou	*Barsac*
Château Suau	Château Suau	*Barsac*
Château de Malle	Château de Malle	*Preignac*
Château Romer	Château du Hayot	*Fargues*
Château Lamothe	Château Lamothe (Despujols)	*Sauternes*
	Château Lamothe (Guignard)	*Sauternes*
Château Dubroca	Château Doisy-Dubroca	*Barsac*

* Incorporé à Château Rabaud.

CHATEAU PÉTRUS

Pétrus n'est pas un cru classé ! Officiellement du moins. Il est l'unique exception dans ce livre consacré aux crus classés. Mais comment passer sous silence ce vin qui appartient au « Club des Premiers », qui, si l'on s'en réfère au prix qu'il atteint, est actuellement le premier des premiers [1] ? Château Pétrus doit son nom au lieu-dit « Pétrus » qui, pense-t-on, fut celui de l'un de ses anciens propriétaires. Durant tout le XIXᵉ siècle, le domaine appartint à la famille Arnaud. Au début du XXᵉ siècle, les Arnaud constituèrent une société civile du Château Pétrus dans laquelle Mme Loubat, de Libourne, prit des parts dès 1925. A la fin de la dernière guerre, Mme Loubat est seule propriétaire de Château Pétrus. A cette époque, les établissements Jean-Pierre Moueix, maison de négoce de Libourne, s'assurent le monopole de sa distribution. En 1961, Château Pétrus revient aux neveux et nièces de Mme Loubat : M. Lignac et Mme Lacoste. Depuis, Jean-Pierre Moueix a racheté les parts de M. Lignac.

■ Lieu de naissance
Cinq cents mètres séparent le vignoble de Pétrus de la limite nord du périmètre de l'appellation Saint-Émilion. Entre Pétrus et Cheval Blanc, cette distance est occupée par Château L'Évangile.

FICHE TECHNIQUE

AOC	Pomerol		Levurage (origine)	naturel
Production	4 000 caisses		Temps de cuvaison	21-25 jours
Date de création du vignoble	XVIIIᵉ siècle		Chaptalisation	rare (voir texte) (13°1, naturel en 1981)
Surface	12 ha		Température des fermentations	27°-32°
Répartition du sol	un seul tenant		Mode de régulation	serpentin
Géologie	90 % argileux, 10 % graveleux sur crasse de fer		Type des cuves	ciment brut
			Vin de presse	100 % première presse
			Age des barriques	neuves
			Temps de séjour	21 mois
CULTURE			Collage	5 blancs d'œufs frais par barrique
Engrais	organique exclusivement		Filtration	aucune
Taille	Guyot simple 6-7 boutons			
Cépages	M. 95 % - C.F. 5 %			
Age moyen	38 ans		Maîtres de chai	Jean Veyssière
Porte-greffe	3 309 et 41 B		Régisseur et chef de culture	Michel Gillet
Densité de plantation	5 300 pieds/ha		Œnologue-conseil	Jean-Claude Berrouet
Rendement à l'ha	33 hl		Type de bouteille	bordelaise
Replantation	par roulement sur 75 ans		Vente directe au château	non
			Commande directe au château	non
VINIFICATION			Contrat monopole	oui - Ets J.-P. Moueix, Libourne
Éraflage	80 %			

Outre Château L'Évangile, Pétrus a pour voisins, à l'est, Château Gazin, Château La Fleur, au sud, et Vieux Château Certan, à l'ouest. La route départementale 121 Libourne-Néac marque sa limite nord. Le vignoble, presque plat puisque sa dénivellation n'excède pas 5 mètres, occupe néanmoins une butte dont le sommet, sis à 40 mètres d'altitude, marque le centre. La terre est argileuse. Cet argile repose sur un socle de crasse de fer sablo-argileux.

■ Culture et vinification

La terre n'est amendée que par des apports organiques. Le renouvellement des ceps par roulement sur une période de 75 ans indique la détermination de maintenir élevé l'âge moyen du vignoble de Pétrus. Les vendanges se font très rapidement grâce à une équipe de 180 vendangeurs, chiffre énorme pour 12 hectares. Cette équipe est engagée pour tous les vignobles Moueix et ne travaille que deux (parfois trois) après-midi, Christian Moueix ayant constaté qu'il gagnait ainsi un demi-degré sur des vendanges matinales (rosée). La chaptalisation est rarement nécessaire. Les vieilles vignes associées au superbe terroir de Pétrus sont à l'origine de moûts titrant un degré de plus que les moyennes habituelles régionales. La vinification est conduite par la même équipe et selon les mêmes principes qu'à Château Magdelaine (se reporter à ce chapitre).

■ Le vin

C'est un vin qui fait l'unanimité. Son secret ? Un terroir spécifique, parfait ; un encépagement idéalement adapté (95 % Merlot sur argile et alios), une culture très soignée et une vinification étudiée et intelligente qui ne se conforme pas aveuglément à la mode.

1. Outre sa qualité, sa rareté (4 000 caisses) explique les cours élevés qu'il atteint.

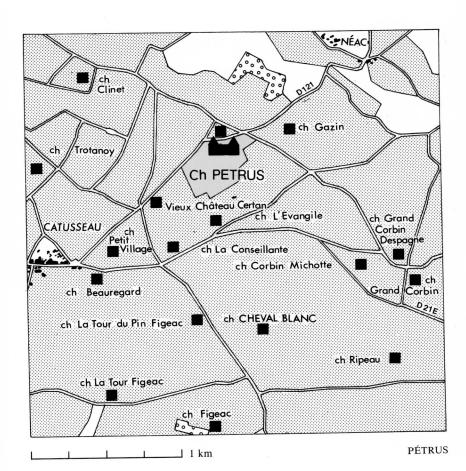

PÉTRUS

PLAT IDÉAL :
Faisan rôti à la périgourdine

AGE IDÉAL : *dès 6 ans*
Années exceptionnelles : 10 à 15 ans

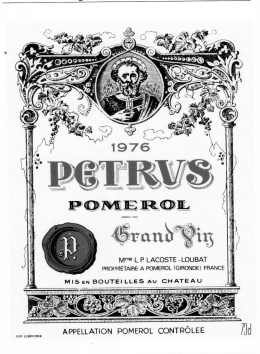

COTATIONS COMMENTÉES

Année	Note	Commentaire
1961	10	concentré, équilibré • à boire
1962	8	bien équilibré, bien développé • à boire
1964	7	vin très généreux à la recherche de son équilibre ; vendangé le 21/9 avant la pluie • à boire
1966	7	puissant et concentré au détriment de la finesse ; vendangé le 22/9 • à boire
1967	6	mince et élégant, vendangé le 27/9, pluies • à boire sans délai
1970	9	puissant, évolution lente ; vendanges saines le 21/9 • à boire
1971	9	très harmonieux ; vendanges le 27/9 • à boire
1973	6,5	vin facile et agréable ; vendanges abondantes le 24/9 • à boire sans se presser
1974	6	moyen, lent à s'ouvrir • à boire
1975	9	faible quantité, grand vin très puissant, évolution lente ; vendanges le 29/9 • essayer en 1985
1976	8	charme ; raisins surmûris ; vendangé le 15/9 • à boire
1977	5	mince avec verdeur • à boire
1978	7,5	plein ; bon millésime • à boire en 1984-1985
1979	8	profondeur et charme • à boire en 1984-1985
1980	6	minceur et élégance • à boire dès 1985-1986
1981	8	harmonie, souplesse, charme • à boire dès 1986

CHATEAU AUSONE

1er GRAND CRU CLASSÉ « A »

Cette propriété porte le nom du poète latin Ausone dont on sait qu'il avait une maison à « Lucaniac », c'est-à-dire à Saint-Émilion. L'emplacement exact où s'élevait cette maison fait l'objet d'innombrables controverses. On s'accorde à penser que ce ne devait pas être sur le lieu occupé par le château actuel. Pourtant la situation est idéale, dominant la vallée, face au coteau de Pavie. Au siècle passé, M. Cantenat, puis la famille Lafargue exploitaient Château Ausone. De 1892 à 1953, la nièce de Mme Lafargue, Mlle Chalon qui épousa Édouard Dubois, fut propriétaire d'Ausone. Édouard Dubois acquit en 1916 Château Belair et Château Moulin Saint-Georges en 1920.

En 1953, Ausone échut à son fils Jean et à sa fille Cécile Vauthier. Jean Dubois-Chalon meurt en 1974, sa femme hérite de sa part, alors qu'au décès de Cécile Vauthier en 1975 son fils Marcel et ses trois petits-enfants héritent de l'autre moitié de Château Ausone.

■ Lieu de naissance

Le vignoble, partiellement en terrasse, gravit la côte entre 30 et 70 mètres d'altitude. Il est orienté est - sud-est.

FICHE TECHNIQUE

AOC	Saint-Émilion		Levurage (origine)	naturel
Production	2 200 caissses		Temps de cuvaison	15 à 21 jours (en fonction de la dégustation)
Date de création du vignoble	inconnue ; apparition d'Ausone en 1781		Chaptalisation	en fonction du millésime
Surface	7 ha 16		Température des fermentations	28º à 30º
Répartition du sol	un seul tenant		Mode de régulation	serpentin (chaud et froid)
Géologie	argilo-calcaire		Type des cuves	cuves en bois
			Vin de presse	adjonction en fonction de la dégustation du millésime

CULTURE

Engrais	organique
Taille	Guyot simple
Cépages	M. 50 % - C.F. 50 %
Age moyen	45 ans
Porte-greffe	41 B
Densité de plantation	5 500-6 000 pieds/ha
Rendement à l'ha	25 à 30 hl
Replantation	par arrachage ou racottage 1/30 annuel

Age des barriques	neuves, en chêne
Temps de séjour	15 à 20 mois (en fonction de la dégustation)
Collage	aux blancs d'œufs très frais
Filtration	aucune
Maître de chai	M. Marcel Lanau
Régisseur	M. Pascal Delbeck
Œnologue conseil	laboratoire CBC
Type de bouteille	Tradiver
Vente directe au château	éventuelle
Commande directe au château	oui
Contrat monopole	non

VINIFICATION

Éraflage	en fonction du millésime

Il convient de distinguer trois types de sol :
— un demi-hectare sur calcaire à astéries du stampien
— un hectare ou presque au-dessus du château de terres légères très calcaires sur un socle de calcaire à astéries
— la côte proprement dite composée d'une part d'argile de Castillon du Sannoisien et surtout d'un sol argilo-calcaire de mollasses profondes (50 à 80 m).

■ Culture et vinification

L'encépagement ne comprend que des Bouchet (Cabernet Franc) et des Merlot. Le porte-greffe 41B convient spécialement au sol calcaire ; c'est celui qu'on emploie dans la craie champenoise. La vinification, des plus traditionnelles, se fait en cuves de bois. Détail important : l'éraflage n'est pas total, il est modulé selon la nature du millésime. L'élevage en barriques toujours neuves est conforme au statut de Château Ausone : 1er grand cru classé « A ».

Noter l'absence de filtration, le vin s'éclaircissant lors des soutirages, le collage aux blancs d'œufs assurant la limpidité indispensable. Ausone exploite un autre avantage que sa situation sur le coteau de Saint-Émilion lui offre : de grandes galeries fraîches et humides à température constante. Dans ces caves — d'anciennes carrières —, non seulement les barriques mais les bouteilles séjournent dans des conditions idéales. C'est dans ces lieux que reposent de vénérables bouteilles dont le vieillissement est ralenti par la fraîcheur permanente.

■ Le vin

Château Ausone peut être très grand. Les millésimes 1961 et 1964 ont laissé des souvenirs impérissables. On ne saurait s'en étonner lorsqu'on examine la situation du vignoble protégé au nord et à l'ouest, idéalement exposé, bénéficiant d'une dénivellation considérable et complanté de ceps d'un âge vénérable.

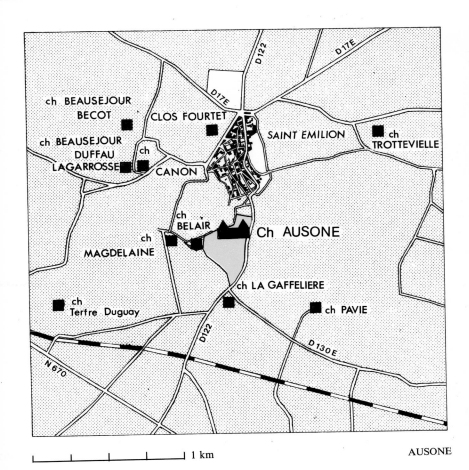

1 km

AUSONE

PLAT IDÉAL :
Selle de chevreuil

AGE IDÉAL : 8 ans
Années exceptionnelles : 15 à 20 ans

COTATIONS COMMENTÉES

Année	Note	Commentaire
1961	9	tuilé ; charpenté, complexe • **à boire**
1962	8	équilibré, évolué, délicat • **à boire**
1964	10	corpulent, complexe, dominante cassis • **peut être bu**
1966	8,5	moins d'ampleur que les 1964 • **à boire sans trop attendre**
1967	6	robe tuilée, agréable • **à boire sans délai**
1970	8	moins réussi que dans le Médoc • **à boire**
1971	9	robe brillante à peine tuilée, bouquet superbe • **à boire**
1972	5	petit millésime • **à boire**
1973	6	robe très tuilée, bouquet d'épices • **à boire**
1974	5,5	a trouvé un équilibre, bouquet ouvert • **à boire**
1975	8,5	robe pourpre, très tannique, bouquet fermé • **à boire en 1987**
1976	10	robe pourpre, équilibré, bouquet complexe, riche et rôti • **à boire**
1977	6	équilibré et sain pour le millésime • **à boire en 1985**
1978	8,5	riche et complet • **à boire en 1990**
1979	9	équilibré, charpenté, complexe • **à boire en 1992**
1980	7	vin léger • **à boire dès 1985**
1981	8	1979 en plus léger • **à boire dès 1990**

CHATEAU CHEVAL BLANC

1er GRAND CRU CLASSÉ « A »

CHEVAL BLANC

Château Cheval Blanc est un bel exemple de réussite. Dernier-né des futurs 1ers grands crus classés, son ascension a été fulgurante puisqu'il accompagne Château Ausone dans la catégorie A. Dernier-né, car, il y a un siècle et demi, le vin produit par cette ancienne métairie de Figeac se vendait sous le nom de Figeac. Le futur Cheval Blanc fut constitué de terres vendues par Château Figeac à M. Ducasse, 15 hectares en 1832, puis 15 hectares en 1837. En 1854, Mlle Ducasse épouse M. Fourcaud-Laussac. A cette occasion, 5 hectares sont joints au domaine qui vend désormais son vin sous la « marque » Château Cheval Blanc. Depuis cette époque, les héritiers Fourcaud-Laussac exploitent le domaine. Ils ont créé une société civile pour cela. L'un d'entre eux, Jacques Hébrard, habite le château et dirige le domaine.

■ **Lieu de naissance**

La propriété est limitée au nord par la route départementale 21, Libourne - Montagne-Saint-Émilion, séparée de La Tour du Pin-Figeac et de Figeac par une petite route à l'ouest. Au sud, égale-

FICHE TECHNIQUE

AOC	Saint-Émilion	Levurage (origine)	naturel
Production	11 500 caisses	Temps de cuvaison	18-30 jours
Date de création du vignoble	1832	Chaptalisation	si nécessaire
Surface	36 ha	Température des fermentations	25°-30°
Répartition du sol	un seul tenant	Mode de régulation	serpentin
Géologie	graves	Type des cuves	ciment
		Vin de presse	la première presse, la deuxième parfois

CULTURE

Engrais	organique et chimique	Age des barriques	neuves
Taille	Guyot simple	Temps de séjour	20 à 30 mois
Cépages	C.F. 66 % - M. 33 % - Malbec 1 %	Collage	blancs d'œufs frais
		Filtration	aucune
Age moyen	33-34 ans		
Porte-greffe	Riparia Gloire	Maître de chai	M. Gaston Vaissière
Densité de plantation	5 800 et 6 000 pieds/ha	Chef de culture	M. Guy Haurut
Rendement à l'ha	30-31 hl	Œnologues-conseils	Prof. Peynaud et M. Legendre
Traitement antibotrytis	oui	Type de bouteille	Tradiver
		Vente directe au château	non

VINIFICATION

Éraflage	100 %	Commande directe au château	non
		Contrat monopole	non

ment, le domaine est limité par une route, alors qu'à l'ouest rien ne sépare Cheval Blanc de Corbin Michotte, Jean Faure, La Dominique, etc. Le vignoble paraît plat ou presque, mais il est irrégulièrement vallonné entre 38 et 33 mètres d'altitude, plutôt orienté vers l'ouest. Le sol, principalement graveleux, parfois sableux en quelques points extrêmes, recouvre soit des graves, soit des couches argileuses, soit plus fréquemment un socle d'alios.

■ Culture et vinification

Du fumier « quand on en trouve », des éléments organiques (laine, poisson, compost) et des apports chimiques amendent le sol. L'encépagement très particulier (voir fiche technique et comparer au Château Figeac voisin) a été gravement atteint par le gel de 1956. Des cuvaisons longues concourent à une bonne extraction. La chaptalisation n'est pas systématique (il n'y en a pas eu en 1970, par exemple). La première presse, très légère, est toujours incorporée, la seconde parfois. Le vin est collé en barriques. Il n'est jamais filtré. L'élevage en fûts neufs est de rigueur.

■ Le vin

Château Cheval Blanc est l'une des rares propriétés à n'avoir jamais changé de main. Dans la catégorie des premiers crus, il est le seul dans ce cas avec Yquem. Cette continuité n'est pas étrangère à la qualité permanente du vin. Cette qualité est également le fait d'un terroir géologiquement typé, d'un encépagement spécial adapté à des sols particuliers et à une vinification très soignée.

PLAT IDÉAL :
Contre-filet de bœuf prince Albert

AGE IDÉAL : 5 à 7 ans
Années exceptionnelles : 15 à 20 ans

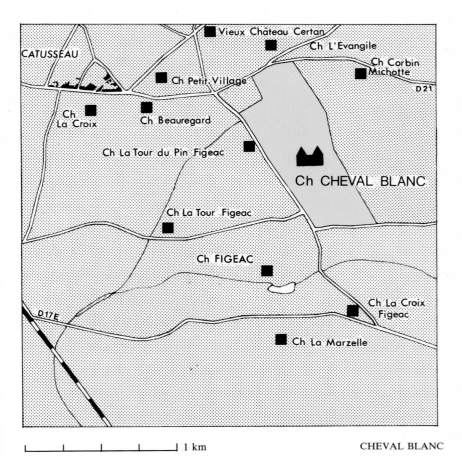

1 km   CHEVAL BLANC

COTATIONS COMMENTÉES

Année	Note	Commentaire
1961	10	grand vin style 1947 • **à boire et à garder**
1962	8	élégant, équilibré • **à boire maintenant**
1964	9,5	rond et riche • **à boire**
1966	8,5	plein et rond • **à boire**
1967		léger (1/2 récolte) • **à boire sans délai**
1970	8	s'ouvriront-ils ? Évolution mystérieuse ; à surveiller • **le goûter**
1971	8	bon nez, bonne bouche, plaisant • **à boire**
1972	6	petite robe, agréable • **à boire**
1973	6	léger, plaisant • **à boire**
1974	6	le plus tannique des Cheval Blanc • **à boire**
1975	10	encore mieux que les 1961 ; richesse et ampleur • **à boire entre 1985 et 2000**
1976	8	vendangé après la pluie ; proche des 1971 • **à boire en 1985**
1977	5,5	80 % perdus ; petit millésime • **à boire**
1978	8	dans le style des 1966, 1971, 1976 • **à boire en 1988**
1979	7	inférieur au précédent • **à boire en 1989**
1980	7	style 1979 en plus concentré • **à boire dès 1988**
1981	8	style 1971, équilibré • **à boire dès 1990**

CHATEAU BEAUSÉJOUR
(DUFFAU-LAGARROSSE)

1er GRAND CRU CLASSÉ

Cette terre appartint à la famille Carles de Figeac. En 1823, Armand de Carles-Trajet vend le domaine à M. Troquart. En 1847, il échoit à son cousin Pierre-Paulin Ducarpe qui, ving-deux ans plus tard, partage Beauséjour non en deux parts mais en deux propriétés séparées, chacune conservant le privilège de la « marque » Beauséjour. Mlle Ducarpe avait épousé le docteur Duffau-Lagarrosse. Leurs héritiers se constituèrent en société civile afin de garantir l'unité du domaine et d'en assurer l'exploitation.

■ Lieu de naissance

Les deux Beauséjour sont contigus, comme il se doit. La moitié dévolue aux Duffau-Lagarrosse est limitée au nord par l'autre Beauséjour et au sud par une route au-delà de laquelle s'étend le vignoble de Château Canon.

Beauséjour (D.L.) occupe une côte assez inclinée vers l'ouest - sud-ouest, entre 50 et 80 mètres d'altitude. Le sol à dominante argileuse repose sur un sous-sol de calcaire à astéries du stampien.

FICHE TECHNIQUE

AOC	Saint-Émilion		Levurage (origine)	naturel
Production	3 300 caisses		Temps de cuvaison	20 à 30 jours
Date de création du vignoble	XVIIIe siècle		Chaptalisation	si nécessaire pour 12° - voir texte
Surface	7 ha		Température des fermentations	25° à 30°
Répartition du sol	un seul tenant		Mode de régulation	aspersion
Géologie	argile sur socle calcaire		Type des cuves	ciment et inox
			Vin de presse	selon le millésime - 100 % en 1980
CULTURE			Age des barriques	renouvellement annuel par tiers
Engrais	1/3 minéral, 2/3 organique		Temps de séjour	16-18 mois
Taille	Guyot simple		Collage	blancs d'œufs déshydratés
Cépages	C.S. 25 % - C.F. 25 % - M. 50 %		Filtration	légère, sur plaques à la mise
Age moyen	20 ans			
Porte-greffe	420 A - 4 B - SO4			
Densité de plantation	7 500 et 6 000 pieds/ha		Maître de chai	M. Jean-Michel Ferrandez
Rendement à l'ha	40 hl		Régisseur	M. Jean-Michel Ferrandez
Replantation	5 % par an		Œnologue-conseil	M. Rolland
Traitement antibotrytis	non (voir texte)		Type de bouteille	bordelaise
			Vente directe au château	oui
VINIFICATION			Commande directe au château	oui
Éraflage	100 % jusqu'en 1980 (voir texte) ; après : oui		Contrat monopole	non

■ Culture et vinification

La technique d'enrichissement du sol privilégie dans la mesure du possible les apports organiques. Le traitement antibotrytis n'est pas appliqué. Il est remplacé par le traitement du ver de la grappe et par l'application de la « vieille » bouillie bordelaise (80 % sulfate, 20 % chaux), la chaux ayant la particularité de durcir et, par là, de protéger la peau délicate des grains de Merlot (voir Château Haut-Brion, par exemple). Ces applications sont doublées par un traitement systémique. Les rangs des plantations anciennes sont distants de 133 centimètres alors que les vignes replantées sont éloignées de 1,50 mètre. Les Merlot sont vinifiés d'une part, les deux Cabernet d'autre part. Jusqu'en 1980, toutes les rafles étaient éliminées. Dès 1981, l'éraflage est modulé en fonction des possibilités du millésime (10 % environ).

■ Le vin

La propriété est conduite par Jean-Michel Ferrandez, passionné par son travail. L'excellente exposition du vignoble permet l'obtention de moûts extrêmement riches dont la teneur en sucre est élevée, l'une des plus fortes de Saint-Émilion. Le respect d'une vinification traditionnelle contribue à l'élaboration de vins pleins qu'il faut savoir attendre. Voici à titre d'exemple la composition du Beauséjour (Duffau-Lagarrosse) 1978 : alcool : 13,10° ; sucre réducteur : 2,15 g/l ; acidité totale : 3,49 g/l ; acidité volatile : 0,32 g/l.

Saint-Emilion Premier Grand Cru Classé

CHATEAU BEAUSÉJOUR

APPELLATION
SAINT EMILION PREMIER GRAND CRÛ CLASSÉ
CONTRÔLÉE

1975

Héritiers Duffau-Lagarrosse
Prop.ʳᵉˢ à Saint-Emilion (Gironde)   73 cl

MIS EN BOUTEILLES AU CHATEAU

DÉPOSÉ   PRODUIT DE FRANCE   GIP-LIBOURNE

COTATIONS COMMENTÉES

Année	Note	Commentaire
1961	10	parfait et complet • **à déguster**
1962	8	évolué, ne plus l'attendre • **devrait être bu**
1964	9	plein, tannique, puissant • **à boire en 1984-1985**
1966	8	souple, gras, rond, charnu, ne peut que décliner • **à boire sans délai**
1967	4,5	robe peu colorée, léger • **devrait être bu**
1970	7,5	ne représente pas ce millésime réputé • **ne pas attendre**
1971	7	féminin, facile à boire, ne peut que décliner • **à boire sans délai**
1972	5	léger • **devrait être bu**
1973	7	fruité, souple, long en bouche pour ce millésime • **à boire**
1974	7	style 1973, bouqueté mais manque de corps, facile • **à boire**
1975	8	bouqueté, structuré, équilibré • **à boire**
1976	8,5	rond, faible acidité, velouté • **à boire**
1977	5,5	« finaud » • **essayer en 1984**
1978	8	épicé, charpenté • **à boire en 1990**
1979	7,5	viril, puissant • **à boire en 1992**
1980	8	évolue vite, gras, boisé • **à boire dès 1987**
1981	7	devrait être plus plein • **à boire dès 1987**

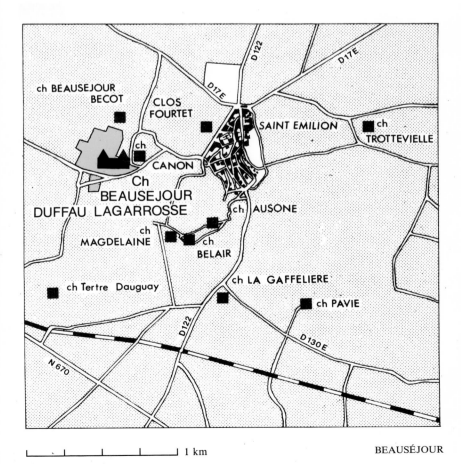

1 km   BEAUSÉJOUR

CHATEAU BEAUSÉJOUR (BÉCOT)

1er GRAND CRU CLASSÉ

Il y a deux Château Beauséjour. L'un appartient aux descendants du docteur Duffau-Lagarrosse, l'autre a été acquis par Michel Bécot en 1969. Ils ont tous deux droit à la « marque » Château Beauséjour, droit conféré par contrat lors de la division de Château Beauséjour en 1869. Cette année-là, M. Ducarpe attribua à son fils la moitié nord du domaine. Léopold Ducarpe, le docteur Fagouet et enfin Michel Bécot se sont succédé à la tête de Beauséjour.

Depuis 1969, une restauration complète du domaine a été entreprise. Un nouveau chai de conception moderne et efficace coiffe des caves anciennes creusées dans le roc. Ces caves de grande dimension permettent l'entrepôt des bouteilles. Michel Bécot la met à la disposition des acheteurs qui peuvent y laisser vieillir leur vin dans des conditions idéales.

■ Lieu de naissance

Beauséjour (Bécot) jouxte au sud l'autre Beauséjour. La propriété a été agrandie en direction du nord jusqu'au lieu-dit « Les Trois Moulins », englobant le point culminant à 78 mètres, altitude la

---

FICHE TECHNIQUE

AOC	Saint-Émilion		Levurage (origine)	naturel
Production	9 000 caisses		Temps de cuvaison	15 à 25 jours
Date de création du vignoble	IVe-XVIIIe siècle		Chaptalisation	si nécessaire
Surface	17 ha		Température des fermentations	31°
Répartition du sol	un seul tenant		Mode de régulation	ruissellement sur cuves, chauffage du cuvier
Géologie	argilo-calcaire			

CULTURE

			Type des cuves	inox
Engrais	organique rapes, amendements divers		Vin de presse	0 à 100 %
			Age des barriques	renouvellement annuel par 3/4
Taille	Guyot simple et double		Temps de séjour	12 à 18 mois
Cépages	C.S. 20 % - C.F. 20 % - M. 60 % -		Collage	blancs d'œufs
			Filtration	1) Kieselgur 2) sur plaques à la mise
Age moyen	20 ans		Maîtres de chai	Michel, Gérard et Dominique Bécot
Porte-greffe	41 B			
Densité de plantation	4 800 et 5 000 pieds/ha		Régisseurs	Michel, Gérard et Dominique Bécot
Rendement à l'ha	45 hl		Œnologue conseil	Prof. Peynaud
Replantation	par tranches		Type de bouteille	dès 1979 : Tradiver
			Vente directe au château	possible

VINIFICATION

			Commande directe au château	oui
Éraflage	100 %		Contrat monopole	oui (de Luze)

plus élevée du secteur ouest de Saint-Émilion, premier bastion des fameuses côtes. Le vignoble s'abaisse en direction du sud-ouest sur une vingtaine de mètres de dénivellation. Le socle de calcaire à astéries d'origine marine est recouvert d'une faible couche de terres argileuses et argilo-calcaires.

■ Culture et vinification

Les terres sont enrichies par les rafles et par des apports organiques. La taille Guyot double ou simple est en usage, selon la force du pied. Des cuvaisons plutôt longues à une température soutenue, jusqu'à 31º, contribuent à une bonne extraction. Les cuves en acier inoxydable trônent dans un hall spacieux au carrelage clair. On mesure le chemin parcouru depuis l'époque des caveaux sombres. A l'image romantique et trompeuse des vieilles cuves de bois noirci s'est substituée la netteté des matériaux modernes et l'excellente hygiène qui en découle. En cours d'élevage, le vin subit un collage et deux filtrations.

■ Le vin

Avant que Michel Bécot ne prenne en main la propriété, l'administration de celle-ci a connu quelques hésitations. Aujourd'hui, après de gros investissements et beaucoup d'efforts, le Château Beauséjour (devenu Bécot) a retrouvé toute sa qualité. De plus, après l'acquisition des terrains contigus (La Carte, Les Trois Moulins), le volume de vin a plus que doublé.

PLAT IDÉAL :
Bécasse à la ficelle

AGE IDÉAL : 6 ans
Années exceptionnelles : 12 à 15 ans

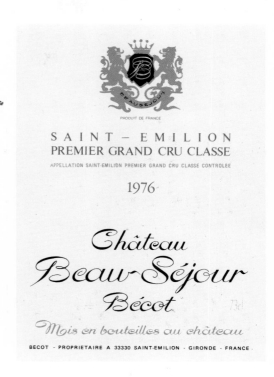

SAINT - EMILION
PREMIER GRAND CRU CLASSE
APPELLATION SAINT-EMILION PREMIER GRAND CRU CLASSE CONTROLEE

1976

Château
Beau-Séjour
Bécot

Mis en bouteilles au château

BECOT · PROPRIETAIRE A 33330 SAINT-EMILION · GIRONDE · FRANCE

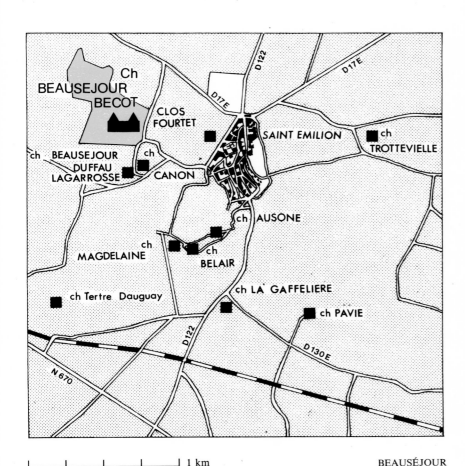

1 km   BEAUSÉJOUR

COTATIONS COMMENTÉES

Année	Note	Commentaire
1961	10	complet, dense, riche • **à boire**
1962	7	assez plein avec générosité • **à boire sans délai**
1964	7	vendangé avant la pluie • **à boire sans délai**
1966	7	proche des 1962 et 1964 • **à boire sans délai**
1967	6	manque de couleur, très évolué • **devrait être bu**
1969		achat de la propriété par Michel Bécot
1970	9	concentré et tannique • **à boire en 1984**
1971	9	rond, plein, souple, nez de tabac blond • **à boire**
1972	5	pointe d'acidité • **à boire**
1973	7,5	harmonieux en petit • **à boire sans délai**
1974	6,5	millésime moyen • **à boire sans délai**
1975	8,5	vin complet à attendre • **à boire en 1987**
1976	8	proche des 1971 • **à boire**
1977	5	petite année • **commencer à le boire**
1978	8,5	souple, rond, coloré • **à boire en 1983-1984**
1979	7,5	un 1978 plus dur, plus tannique • **à boire en 1988**
1980	6,5	belle robe, mieux que les 1972 • **à boire dès 1984**
1981	8	concentré, boisé (barriques neuves) • **à boire dès 1991**
1982		dans l'esprit des 1976

CHATEAU BELAIR

1er GRAND CRU CLASSÉ

On ne prête qu'aux riches, c'est pour cela qu'on prétend que Belair appartint au poète Ausone. On soutient également qu'il fit partie des terres dont disposait Robert de Knolles, grand sénéchal et gouverneur de la Guyenne lors de l'occupation anglaise. Cela se peut car les descendants Knolle, dont le nom francisé se transforma en Canolle, furent longtemps propriétaires du « cru de Canolle », alias Belair. Après la Révolution, la sœur du marquis de Canolle épousa le baron de Seissan de Marignan. Le Château prit le nom de Bel-Air Marignan. Il resta en indivis entre Mmes de Galard-Terraube, de Guéringaud et M. de Montbel. En 1916, M. Dubois-Challon l'achète et le nomme désormais Belair. Ses descendants le possèdent toujours, ainsi que les Châteaux voisins d'Ausone et Chapelle-Madeleine.

■ Lieu de naissance

Belair jouxte la ville de Saint-Émilion au nord-est, Ausone au sud-est, La Gaffelière au sud, Canon au nord-ouest ; il est proche de Magdelaine au sud-ouest. Le vignoble occupe le plateau le plus élevé de ce secteur, à 87 mètres. Il s'abaisse jusqu'à 30 mètres d'altitude. Son sol est argilo-calcaire sur socle de calcaire marin du stampien.

■ Culture et vinification

Ausone et Belair appartiennent tous deux aux Dubois-Challon. L'équipe régisseur-maître de chai est la même. Culture et vinifica-

FICHE TECHNIQUE

AOC	Saint-Émilion	Levurage (origine)	naturel
Production	4 000 caisses	Temps de cuvaison	15 à 21 jours (en fonction de la dégustation)
Date de création du vignoble	XIVe siècle	Chaptalisation	en fonction du millésime
Surface	13 ha	Température des fermentations	28º à 30º
Répartition du sol	un seul tenant	Mode de régulation	serpentin (chaud et froid)
Géologie	argilo-calcaire	Type des cuves	béton et inox
		Vin de presse	selon le millésime

CULTURE

Engrais	organique	Age des barriques	1/3 neuves - 2/3 moins de 5 ans
Taille	Guyot simple	Temps de séjour	15 à 20 mois (en fonction de la dégustation)
Cépages	M. 60 % - C.F. 40 %	Collage	aux blancs d'œufs très frais
Age moyen	35 ans	Filtration	aucune
Porte-greffe	41 B - 333 EM - 420		
Densité de plantation	5 500-6 000 pieds/ha	Maître de chai	M. Marcel Lanau
Rendement à l'ha	25 à 30 hl	Régisseur-vinificateur	M. Pascal Delbeck
Replantation	par arrachage et marcottage par roulement sur 30 ans	Œnologue conseil	laboratoire CBC
		Type de bouteille	Tradiver
Traitement antibotrytis	oui	Vente directe au château	éventuelle

VINIFICATION

		Commande directe au château	oui
Éraflage	en fonction du millésime	Contrat monopole	non

tion sont très proches. A relever néanmoins quelques différences. Tout d'abord du côté de l'encépagement. Alors qu'à Ausone le moût fermente dans du bois, selon l'ancienne méthode, de moins en moins suivie, on emploie à Belair des cuves de béton et d'acier inoxydable. Remarquons que la nature des cuves importe peu si les systèmes de contrôle des températures de fermentation sont efficaces. Néanmoins les matériaux modernes sont plus faciles d'emploi car leur entretien est aisé et ils ne sont jamais à l'origine de « faux goûts ».

Autre différence entre Ausone et Belair : l'élevage. Alors que Château Ausone se conforme à la règle immuable de l'élevage en fût neuf exclusivement, règle immuable suivie par tous les « premiers », aussi bien ceux tributaires du classement de 1855 que ceux de Saint-Émilion, Belair use partiellement de barriques ayant déjà « fait » un vin.

■ Le vin

A Belair, le vin le plus réussi depuis 1961 est sans aucun doute celui qui porte le millésime 1976. On se souvient de cette année qui fut celle de la sécheresse. Dans le Médoc, les pluies qui noyèrent les vendanges affectèrent profondément une récolte dont on pensait peu avant qu'elle serait à l'origine de « l'année du siècle » (formule un peu galvaudée !). Le Saint-Émilionnais tira bien son épingle du jeu. En 1976 les vins de Saint-Émilion sont supérieurs à ceux du Médoc : en témoigne le Château Belair 1976, belle illustration des potentialités de ce terroir.

Il est intéressant de comparer les fiches techniques d'Ausone et de Belair. On saisit alors les soins et les détails qui s'appliquent à un vin qu'on veut exceptionnel (Ausone). La qualité du terroir de Belair est-elle moindre que celle des terres d'Ausone ? Rien ne le prouve. Il y a un peu plus de cent ans, Belair passait devant Ausone. De nos jours, l'âge du vignoble et les particularités de la vinification ont inversé cette hiérarchie.

PLAT IDÉAL :
Civet de lièvre

AGE IDÉAL : 7 ans
Années exceptionnelles : 14 ans

COTATIONS COMMENTÉES

Année	Note	Commentaire
1961	9,5	très réussi • **à boire**
1962	8	aromatique, bonne évolution • **à boire**
1964	9,5	grand millésime complet et équilibré • **peut être bu**
1966	7	très délicat, manque d'étoffe • **devrait être bu**
1967	6	« robe de teinte ambrée, un joli dessous » • **à boire sans délai**
1970	8,5	charpenté, bouqueté • **à boire**
1971	8	robe nuancée, corpulent • **à boire**
1974	5,5	racé pour le millésime • **à boire**
1975	9	charpenté, tannins mûrs, nez fermé • **à boire en 1985**
1976	10	riche, mûr, racé, rôti, bon soutien tannique • **à boire en 1984**
1977	6	gai et aromatique • **à boire en 1984**
1978	8,5	nez complexe, bel équilibre • **à boire en 1988**
1979	9,5	beau millésime racé • **à boire en 1990**
1980		léger • **à boire dès 1985**
1981	8	complet, pourrait être plus ample • **à boire dès 1981**

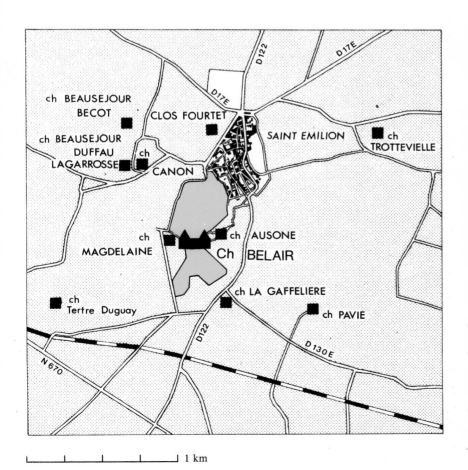

1 km

233

CHATEAU CANON

1er GRAND CRU CLASSÉ

Tout le monde sait que l'on cultive la vigne à Saint-Émilion depuis le IVe siècle, ne serait-ce qu'en souvenir du poète latin Ausone (voir également le chapitre consacré au Château La Gaffelière). Néanmoins, on se gardera de confondre la culture de la vigne et la naissance de ces entités que nous appelons aujourd'hui « crus ». Or il semble bien que Canon soit l'un des plus anciens de Saint-Émilion. Sa création remonte aux années prérévolutionnaires. Le « Domaine de Saint-Martin » — une porte et une église rappellent encore aujourd'hui ce nom — fut créé par M. Canon. Il s'étendait alors sur 13 hectares. En 1770, M. Fontémoing s'en rend acquéreur et ses descendants revendront la propriété sous le nom de Château Canon en 1857. Divers propriétaires se succèdent : le comte de Bonneval, M. Hovyn de Tranchère et Félix Guignard. La famille Fournier en prend possession au début du XXe siècle. Aujourd'hui, c'est Éric Fournier qui la gère.

■ Lieu de naissance

Lorsqu'on emprunte la route qui longe les fossés de Saint-Émilion à l'ouest de la ville, deux routes limitent le vignoble de Château

---

FICHE TECHNIQUE

AOC	Saint-Émilion		Levurage (origine)	pied de cuve
Production	8 000 caisses		Temps de cuvaison	15 à 21 jours
Date de création du vignoble	milieu XVIIIe siècle		Chaptalisation	selon les années
Surface	18 ha		Température des fermentations	30° maximum
Répartition du sol	un seul tenant		Mode de régulation	serpentin
Géologie	argilo-calcaire et siliceux		Type des cuves	bois
			Vin de presse	13 %
CULTURE			Age des barriques	50 % neuves et 50 % 2 ans
			Temps de séjour	22 mois
Engrais	engrais organique et amendements		Collage	4 blancs d'œufs par barrique (en décembre)
Taille	Guyot simple		Filtration	aucune
Cépages	M. 55 % - C.F. 40 % - C.S. 2,5 % - Pressac 2,5 %			
Age moyen	au moins 30 ans			
Porte-greffe	41 B - 420 A - Fercal		Maître de chai	Paul Cazenave
Densité de plantation	5 500 pieds/ha		Régisseur	Éric Fournier
Rendement à l'ha	37 à 38 hl		Œnologue-conseil	Laboratoire d'analyse MM. Legendre et Pauquet
Replantation	pas toutes les années ; par pièces		Type de bouteille	bordelaise BSN genre Tradiver
Traitement antibotrytis	oui		Vente directe au château	possible
			Commande directe au château	oui
VINIFICATION				
Éraflage	100 %		Contrat monopole	non

Canon. D'autres le traversent. Le clos principal, sis en face du château, est ceint de murs. Le vignoble est incliné vers l'ouest entre 50 et 85 mètres. Château Canon est bien entouré : au nord, un 1er grand cru classé, Clos Fourtet, à l'ouest, deux 1ers grands crus classés, les deux Beauséjour, au sud, un 1er grand cru classé, Château Magdelaine, à l'est, un 1er grand cru classé, Château Belair.

Le socle calcaire dans lequel sont creusées les fameuses carrières n'est recouvert que par une faible épaisseur de terre argileuse mêlée parfois de sable. Cette couche n'excède pas 60 centimètres d'épaisseur. Comme en bien d'autres lieux, les racines des vignes exploitent les fissures de calcaire et apparaissent souvent dans les galeries humides des carrières.

■ Culture et vinification

Jusqu'en 1979, les chevaux arpentaient le vignoble. Dans le chai trônent des cuves de bois. Éric Fournier n'envisage pas de se rallier aux matériaux modernes puisque certaines d'entre elles datent de 1980 ! La tradition s'applique également au pressoir. Celui de Château Canon est vertical, c'est un « Coq » de 1925 ! La vinification elle aussi est traditionnelle. Éric Fournier et le maître de chai sont responsables des assemblages et des sélections.

■ Le vin

Si l'on songe qu'il existe mille Saint-Émilion, il importe de pouvoir affirmer sous cette appellation sa personnalité. On s'y emploie à Château Canon.

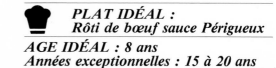

PLAT IDÉAL :
Rôti de bœuf sauce Périgueux

AGE IDÉAL : 8 ans
Années exceptionnelles : 15 à 20 ans

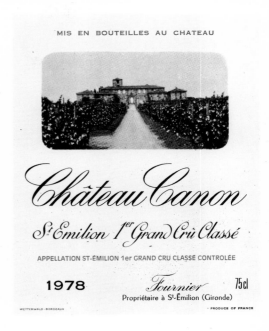

MIS EN BOUTEILLES AU CHATEAU

Château Canon
St-Émilion 1er Grand Cru Classé
APPELLATION ST-ÉMILION 1er GRAND CRU CLASSÉ CONTROLÉE
1978   Fournier   75cl
             Propriétaire à St-Émilion (Gironde)
WETTERWALD-BORDEAUX   · PRODUCE OF FRANCE

COTATIONS COMMENTÉES

Année	Note	Commentaire
1959	10	le plus aimable • **meilleur en 1984**
1961	10	le plus viril • **meilleur en 1985**
1962	7	grosse récolte, fruité, souple • **à boire**
1964	8	parfumé, bonne maturité, élégant • **à boire**
1966	8	plus riche, en cours d'évolution • **peut être bu**
1967	7	vendangé du 27/9 au 10/10 (4 jours de pluie) ; vin souple • **à boire**
1969	5,5	petit millésime • **à boire sans délai**
1970	8,5	robe, charpente, et aimable quand même • **peut être bu**
1971	7	bonne évolution, belle robe • **peut être bu**
1972	5,5	manque d'ampleur • **à boire**
1973	5,5	manque d'ampleur • **à boire**
1974	6	fruité • **à boire sans se presser**
1975	8,5	bien construit • **à boire en 1985-1990**
1976	7	souple, évolution rapide • **à boire**
1977	6	un peu dur, à attendre • **l'attendre en le goûtant**
1978	9	riche, bien constitué, bonne acidité • **à boire en 1990**
1979	9	aimable, plus souple, fruité • **à boire en 1988**
1980	6,5	bien, mais en petit • **à boire dès 1985**
1981	8,5	structure des 1979, esprit des 1971 • **à boire dès 1988**

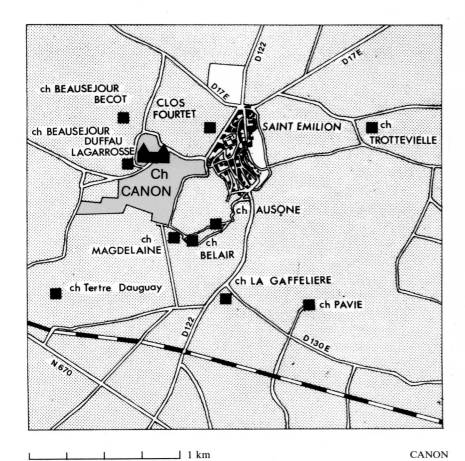

├─────┴─────┴─────┴─────┤ 1 km   CANON

CHATEAU FIGEAC

1er GRAND CRU CLASSÉ

Figeac est le nom porté par une importante maison noble des environs de Saint-Émilion. Le domaine dont Château Figeac est le centre fut très grand. Plusieurs des propriétés avoisinantes furent taillées, au cours du XIXe siècle, dans le domaine de Figeac, entre autres Cheval Blanc, La Tour Figeac, La Tour du Pin-Figeac. A cette époque, le domaine appartient aux Laveine, puis aux Villepigue. Robert Villepigue, ingénieur agronome, en a la charge. Il passe ensuite à la famille Manoncourt. Actuellement, Thierry Manoncourt voue tous ses soins au domaine et aux vins. De nouveaux chais ont été créés, de nouvelles et importantes caves ont été creusées afin de permettre la mise en bouteilles et leur stockage dans les meilleures conditions. Le propriétaire habite le château dont certaines parties remontent au XVe siècle et qui fut remanié fin XVIIe-début XVIIIe siècle.

■ Lieu de naissance

Le vignoble est longé au sud par la route départementale 17 E Libourne - Saint-Émilion. Une petite route le borne à l'ouest et le sépare de Cheval Blanc de la même façon qu'une autre route l'isole de La Tour Figeac au nord. Un ruisseau, le Taillas, traverse le domaine ; il a creusé au cours des âges une dépression de plusieurs mètres.

FICHE TECHNIQUE

AOC	Saint-Émilion		Levurage (origine)	naturel
Production	12 500 caisses		Temps de cuvaison	8-15 jours
Date de création du vignoble	époque gallo-romaine		Chaptalisation	si nécessaire
Surface	38 ha		Température des fermentations	25o-30o
Répartition du sol	un seul tenant		Mode de régulation	transfert ou aspersion
Géologie	2/3 graves, 1/3 sable éolien		Type des cuves	bois et inox

CULTURE

Engrais	organique et complément chimique
Taille	Guyot simple
Cépages	C.S. 35 % - C.F. 35 % - M. 30 %
Age moyen	35 ans (voir texte)
Porte-greffe	101-14 - 3 309 - 420 A
Densité de plantation	6 500 pieds/ha
Rendement à l'ha	27-30 hl
Replantation	par tranches
Traitement antibotrytis	oui, depuis 1968

Vin de presse	première presse
Age des barriques	neuves
Temps de séjour	20-22 mois
Collage	blancs d'œufs
Filtration	légère, sur plaques, à la mise

Directeur de l'exploitation	Thierry Manoncourt
Régisseur	Clément Brochard
Œnologue conseil	aucun
Type de bouteille	bordelaise
Vente directe au château	non
Commande directe au château	non
Contrat monopole	non

VINIFICATION

Éraflage	100 %

Thierry Manoncourt insiste sur les différences géologiques qui, dans ce secteur, ont permis à deux crus, et à deux crus seulement (Cheval Blanc et Figeac), d'atteindre un niveau justifiant le classement dans la catégorie des « premiers ». Alors que des sables éoliens se sont répandus alentour, Cheval Blanc et Figeac occupent une arête graveleuse dont l'épaisseur, à Figeac, atteint parfois 7 mètres. On s'accorde à penser que ces graves sont originaires du Massif Central et que l'Isle, qui actuellement coule à 4 kilomètres, les aurait déposées sur le socle calcaire également présent dans la ville de Saint-Émilion.

Le vignoble est généralement incliné vers l'ouest, le point culminant atteignant 38 mètres d'altitude alors que les bas de croupe ne sont qu'à 25 mètres.

■ Culture et vinification

Les engrais organiques sont assistés par de l'acide phosphorique, de la potasse et de l'azote. L'âge moyen du vignoble oscille entre 0 et 80 années. Des Saint-Émilion premiers grands crus classés, Château Figeac est celui où la proportion de Cabernet Sauvignon est la plus forte. C'est également celui dont le vin est le moins cuvé. Les autres paramètres relèvent de la méthode classique. L'élevage du vin en barriques neuves témoigne des soins attentionnés qu'il reçoit.

■ Le vin

Il faut comparer Cheval Blanc et Figeac. Les encépagements et les vinifications diffèrent. Les vins aussi. Comment s'en étonner ? L'un est classé premier grand cru classe A, l'autre premier grand cru classe B. Cette différence administrative de traitement ne doit ni interdire ni modifier les comparaisons objectives car Figeac relève le gant.

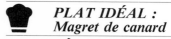

PLAT IDÉAL :
Magret de canard

AGE IDÉAL : 6 à 8 ans
Années exceptionnelles : 15 à 20 ans

COTATIONS COMMENTÉES

Année	Note	Commentaire
1961	10	très grand, complet • **à boire**
1962	7	les Médoc plus réussis que les Saint-Émilion • **à boire sans délai**
1964	8	les Saint-Émilion plus réussis que les Médoc • **à boire**
1966	9	grand vin, évolution lente • **à boire**
1970	10	complet, ample et distingué • **commencer à le boire**
1971	7	charme et harmonie • **à boire**
1972	5	le plus petit de la décennie • **à boire**
1973	6	friand • **devrait être bu**
1974	7	l'un des Bordeaux les plus cotés de ce millésime • **à boire depuis 1980**
1975	10	grand vin encore fermé • **à boire en 1985**
1976	9	rond, plein, généreux, fruité • **à boire**
1977	7	étonnant pour un millésime décrié • **à boire**
1978	8	bonne évolution • **à boire en 1986**
1979	8,5	souple, évolution rapide • **à boire en 1986**
1980	7,5	vendange dès le 20 octobre ; sans pluie ; raisins très mûrs • **à boire dès 1986**
1981	9,5	entre 1975 et 1976, concentré, fruité • **à boire dès 1990**

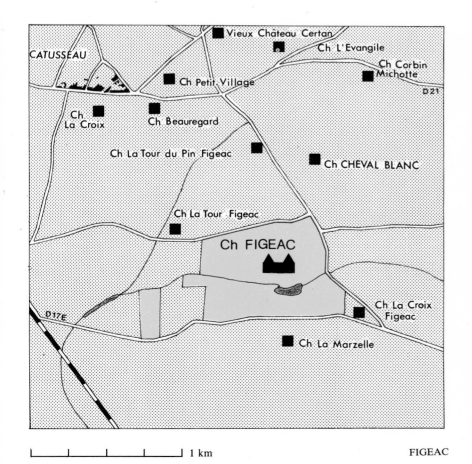

FIGEAC

CLOS FOURTET

1er GRAND CRU CLASSÉ

L a colline de Saint-Émilion est vouée à la vigne depuis plus de dix siècles. Si l'on admet que le mot fourtet signifie fortifié ou fortification et que, jusqu'en 1860, ce vignoble était baptisé Campfourtet, une lecture s'impose : camp fortifié. Les murs protégeaient-ils le vignoble ? Quoi qu'il en soit, au début du XIXe siècle, le vin de Campfourtet était déjà réputé. Ce camp (ou ce clos) appartint à M. Leperche, à R. Martin-Cahuzac, puis fut l'une des propriétés de F. Ginestet. A la suite d'une répartition de parts (dont celle de la société propriétaire de Château Margaux), François Lurton lui succéda après la dernière guerre. La famille Lurton le détient toujours. C'est André Lurton, propriétaire dans les Graves et dans l'Entre-deux-Mers, qui supervise les vinifications.

■ Lieu de naissance

Le Clos Fourtet n'est séparé de l'église de Saint-Émilion (pas l'église monolithe) que par la route. Plus de la moitié du vignoble est bornée par des routes. Ce sont elles qui le séparent de Château Canon et de Château Beauséjour-Bécot. Sensiblement incliné vers le nord, entre 65 et 80 mètres d'altitude, le sol du vignoble de Clos

---

FICHE TECHNIQUE

AOC	Saint-Émilion		Levurage (origine)	naturel
Production	5 500 caisses		Temps de cuvaison	20 à 25 jours
Date de création du vignoble	fin XVIIIe siècle		Chaptalisation	selon les années
Surface	17 ha		Température des fermentations	27o à 30o
Répartition du sol	divisé en 2 parties (12 ha et 5 ha)		Mode de régulation	ruissellement
Géologie	table calcaire stampienne ; faible épaisseur de terre arable		Type des cuves	acier émaillé
			Vin de presse	8 %
			Age des barriques	1 à 3 ans
			Temps de séjour	18 mois
			Collage	blancs d'œufs
			Filtration	sur plaques cellulosiques

CULTURE

Engrais	organique et fumure minérale légère
Taille	Guyot simple
Cépages	M. 60 % - C.F. 20 % - C.S. 20 %
Age moyen	20 ans
Densité de plantation	5 000 pieds/ha
Rendement à l'ha	30 hl
Replantation	3 % par an
Traitement antibotrytis	oui

Propriétaire	Lurton frères
Administration	Odile Lurton
Culture-vinification	Pierre Lurton
Œnologues conseils	Prof. Peynaud et M. Hebrard (CE Œ Grezillac)
Type de bouteille	Tradiver
Vente directe au château	oui
Commande directe au château	oui
Contrat monopole	non

VINIFICATION

Éraflage	100 %

Fourtet se compose d'une faible épaisseur de terre argileuse déposée sur le socle de calcaire stampien du Saint-Émilionnais. Dans ce calcaire ont été creusées, au XVIIIe siècle et antérieurement, des carrières transformées en caves spectaculaires et efficaces.

■ Culture et vinification

A Saint-Émilion comme dans les quatre grandes régions du Bordelais, l'art de la vinification est soumis aux coutumes locales. Les propriétaires ne manifestent des options personnelles que dans l'éraflage qui peut être total ou partiel et dans la filtration dont on use ou pas. Les autres opérations sont, en quelque sorte, obligatoires. Le vinificateur peut malgré tout imposer sa personnalité en jouant sur les durées et les procédés techniques qu'il exploite.

Dans le cas de Clos Fourtet, la vinification suit les canons actuels à l'établissement desquels le professeur Peynaud a vivement contribué. Le raisin des vignes relativement peu âgées est totalement éraflé. Après une bonne cuvaison dans des logements émaillés dont la température a été soigneusement surveillée et maintenue à un niveau modéré, le vin est élevé dans des barriques d'âge moyen.

■ Le vin

Le Clos Fourtet a connu plusieurs périodes. Jusque dans les années 50, c'était un grand Saint-Émilion traditionnel, de longue garde et d'évolution lente. Les consommateurs n'avaient-ils pas la patience d'attendre les quatre lustres nécessaires à son plein épanouissement ? Quoi qu'il en soit, le type du vin a été modifié. Clos Fourtet vise aujourd'hui la souplesse et offre la possibilité d'être consommé plus rapidement. Sous l'impulsion et selon les conseils du professeur Peynaud, Clos Fourtet a rejoint le peloton des vins modernes.

PLAT IDÉAL :
Cuissot des Ardennes grand veneur

AGE IDÉAL : 6 à 10 ans
Années exceptionnelles : 10 à 15 ans

COTATIONS COMMENTÉES

Année	Note	Commentaire
1961	10	complet, charpenté, équilibré • **à boire**
1962	9	souffre du voisinage des 1961 • **à boire**
1964	8	plus réussi que les Médoc du nord • **à boire**
1966	8	bien, charpenté, plein • **à boire**
1967	7	mieux en bouche qu'au nez • **à boire sans attendre**
1970	10	bien construit, riche • **à boire**
1971	8	plaisant et souple • **à boire**
1972	5	petit millésime • **à boire sans délai**
1973	6	fin ; manque d'ampleur • **à boire sans attendre**
1974	5	petit millésime, léger • **devrait être bu**
1975	10	tannique, aromatique, riche • **à boire en 1985-1987**
1976	7	équilibré et souple • **à boire**
1977	6,5	léger et peu corpulent • **à boire**
1978	9	moins tannique que les 1975 ; très aromatique • **à boire en 1987**
1979	9	fruité, plein, élégant • **à boire en 1989**
1980	8	fruité, rond, assez long • **à boire dès 1988**
1981	9	concentré, réglisse-cassis, tannins fondus • **à boire dès 1990**

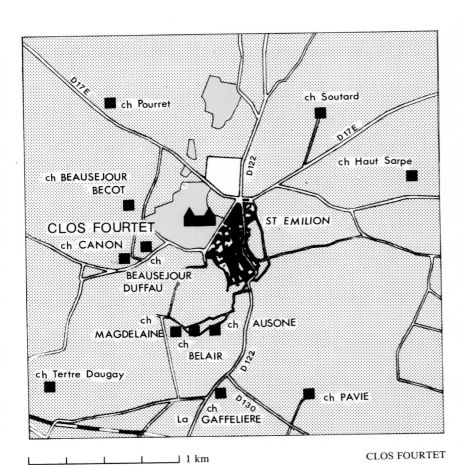

1 km   CLOS FOURTET

CHATEAU LA GAFFELIÈRE
1er GRAND CRU CLASSÉ

C'est un endroit « chargé d'ans et d'histoire », et cette formule, souvent banale, s'applique particulièrement au Château La Gaffelière. Parce qu'en ces lieux s'élevait une maladrerie dont le souvenir est évoqué par le nom Gaffelière, tiré de « gaffet » : lépreux. Mais surtout parce que dans le vignoble de La Gaffelière, et se prolongeant sous la route, ont été mis au jour en 1969 les infrastructures d'un palais romain dont les nombreuses mosaïques, parfaitement conservées, font l'admiration des spécialistes. L'une d'entre elles, un arbre de la vie à base de ceps et de grappes de raisin, démontre, si nécessaire, qu'on a toujours honoré la vigne à Saint-Émilion. Cette découverte présente un autre intérêt : est-on à la veille de déterminer l'emplacement exact de la maison d'Ausone ? L'importance et le luxe des vestiges incitent à le croire. Ce vignoble de La Gaffelière appartient aux Malet-Roquefort depuis près de quatre siècles. Le comte de Malet-Roquefort a acquis en 1978 le Château Tertre Daugay (grand cru classé, voir en fin de ce chapitre).

FICHE TECHNIQUE

AOC	Saint-Émilion
Production	8 000 caisses
Date de création du vignoble	début IIIe siècle
Surface	20 ha
Répartition du sol	un seul tenant
Géologie	argilo-calcaire (voir texte)

CULTURE

Engrais	organique
Taille	Guyot simple
Cépages	C.S. 10 % - C.F. 25 % - M. 65 %
Age moyen	40 ans
Porte-greffe	3 309 - 101-14 - 161-49
Densité de plantation	5 500 pieds/ha
Rendement à l'ha	37 hl
Replantation	par tranches
Traitement antibotrytis	oui

VINIFICATION

Eraflage	100 %

Levurage (origine)	naturel
Temps de cuvaison	21 jours
Chaptalisation	s'il le faut - degré souhaité 12°5
Température des fermentations	inférieur à 30°
Mode de régulation	ruissellement sur cuves
Type des cuves	inox
Vin de presse	tout après 1 an, selon l'année
Age des barriques	renouvellement par tiers annuel
Temps de séjour	21 mois
Collage	blancs d'œufs frais
Filtration	jamais

Chai	de Malet-Roquefort
Chef de culture	Alexandre Tienpont
Œnologue conseil	M. Chaîne
Type de bouteille	bordelaise
Vente directe au château	oui
Commande directe au château	oui
Contrat monopole	non

■ Lieu de naissance

La route départementale 122, qui relie Saint-Émilion à la nationale 670 Libourne - Castillon, borde le Château La Gaffelière et traverse le vignoble. Côté ouest, le vignoble jouxte Château Ausone et Château Belair. Côté est, la route départementale 130 E sépare La Gaffelière de Pavie. Une terre argilo-calcaire d'origine lacustre recouvre un socle de molasse argileuse peu sableuse dans les parties basses du vignoble (25 mètres), alors que dans le coteau proprement dit, la molasse se compose de sables grossiers silico-calcaires micacés. Le vignoble, orienté au sud, gravit la colline jusqu'à une altitude de 40 mètres.

■ Culture et vinification

Le vignoble à dominante Merlot est âgé. Le vin est élaboré dans des installations modernes, les cuvaisons sont plutôt longues pour contribuer à une bonne extraction.

■ Le vin

Il existe des vins type « vite faits, vite bus » et des vins complexes qui, après une sage évolution, atteignent à la richesse et à la longueur en bouche : Château La Gaffelière est de ceux-ci.

PLAT IDÉAL :
Bécasse flambée sur canapé avec un 1961

AGE IDÉAL : 8 ans
Années exceptionnelles : 15 à 20 ans

CHÂTEAU LA GAFFELIÈRE
SAINT-ÉMILION
1er GRAND CRU CLASSÉ
1978
Comte de Malet Roquefort
PROPRIÉTAIRE 75cl
APPELLATION SAINT-ÉMILION 1er GRAND CRU CLASSÉ CONTROLÉE
PRODUCE OF FRANCE

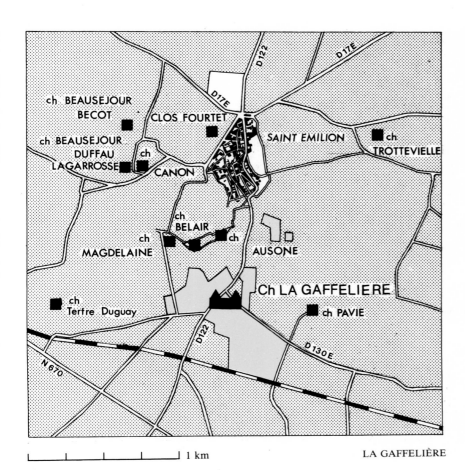

1 km   LA GAFFELIÈRE

COTATIONS COMMENTÉES

Année	Note	Commentaire
1961	10	équilibré et complet ; le meilleur depuis 20 ans • **à boire**
1962	8	souffre de la comparaison avec les 1961 • **à boire**
1964	8,5	corsé, tannique, puissant • **peut être bu ou gardé**
1966	8,5	bouqueté, souple, harmonieux • **à boire**
1967	8	à son apogée • **à boire sans délai**
1970	9	complet, s'ouvre • **commencer à le boire**
1971	8	souple, subtil ; ouvert • **à boire**
1972	7	La Gaffelière se tire bien d'un petit millésime • **à boire**
1973	6,5	léger et caressant ; convient aux viandes blanches • **à boire**
1974	7	bouqueté, souple, moelleux • **à boire**
1975	9	belle robe, nez riche, carré mais souple et harmonieux • **à boire en 1985-1990**
1976	8	fruité et subtil ; évolue vite • **à boire**
1977	7	légèrement au-dessus de la moyenne • **à boire dès 1984**
1978	8,5	bouquet riche ; rond, gras • **surtout patienter**
1979	8,5	fruité, riche en tannins, long en bouche • **à boire en 1990-1995**
1980	7	fruité, tendre, soyeux • **à boire dès 1986**
1981	8,5	riche, souple, assez long • **à boire dès 1990**

CHATEAU MAGDELAINE

1er GRAND CRU CLASSÉ

On peut soutenir que ce vignoble existait du temps du « poète-gouverneur » Ausone, et peut-être antérieurement. Plus près de nous, une famille assura la notoriété de ce cru : les Chatonnet. Ils furent propriétaires de Château Magdelaine pendant deux siècles et demi, si l'on considère que la propriété ne change pas de famille lorsque Mlle Chatonnet, fille de Jean, épouse un notaire de Saint-Émilion, G. Jullien, vers 1900. En 1953, le long règne de cette famille s'achève lorsque les héritiers Jullien vendent le domaine aux Établissements Jean-Pierre Moueix de Libourne.

■ Lieu de naissance

Le vignoble se présente sous la forme d'un V inversé. Cette disposition n'est pas indifférente, car ces deux branches, couvrant respectivement 6 et 5 hectares, investissent des terrains de situation et de composition dissemblables : la première, le plateau calcaire, et la seconde, les coteaux argileux sur socle calcaire.

Les voisins de Château Magdelaine sont Canon au nord, le Tertre-Daugay à l'ouest, La Gaffelière au sud et Belair à l'est. Le

---

FICHE TECHNIQUE

AOC	Saint-Émilion		Levurage (origine)	naturel
Production	5 000 caisses		Temps de cuvaison	20 jours
Date de création du vignoble	IVe - XVIIIe siècle		Chaptalisation	si nécessaire 12º6
Surface	11 ha		Température des fermentations	25º à 32º
Répartition du sol	un seul tenant		Mode de régulation	serpentin
Géologie	argilo-calcaire		Type des cuves	ciment brut
			Vin de presse	100 % première presse

CULTURE

Engrais	suivant les besoins du sol
Taille	Guyot simple - 8 boutons
Cépages	C.F. 20 % - M. 80 %
Age moyen	30 ans
Porte-greffe	41 B
Rendement à l'ha	42 hl
Replantation	par roulement sur 60 ans

Age des barriques	neuves
Temps de séjour	18 mois
Collage	blancs d'œufs frais
Filtration	aucune

Maître de chai	Jean Veyssière
Régisseur	Michel Gillet
Œnologue conseil	Jean-Claude Berrouet
Type de bouteille	bordelaise
Vente directe au château	non
Commande directe au château	non
Contrat monopole	oui - Ets J.-P. Moueix, Libourne

VINIFICATION

Eraflage	85 %

vignoble atteint l'altitude de 75 mètres dans ses points élevés alors que les vignes plantées près de La Gaffelière sont à 25 mètres d'altitude. La pente est orientée en direction du sud et le plateau s'incline légèrement vers le sud-ouest.

■ Culture et vinification

Les Établissements Moueix disposent pour leurs autres propriétés d'une forte équipe de vendangeurs. Château Magdelaine peut donc être vendangé très rapidement, les jours les plus favorables, tant sur le plan des conditions atmosphériques qu'en regard du plein mûrissement du raisin.

La vinification utilise des méthodes qui ont fait leurs preuves. A noter cependant la pratique de l'éraflage partiel et du temps de cuvaison respectable à des températures généreuses. Tout concourt à exploiter au mieux les moûts plutôt souples à base de 80 % de Merlot.

■ Le vin

Château Magdelaine est le premier grand cru classé de Saint-Émilion comprenant la plus forte proportion de Merlot. Ce cépage a la réputation de donner des vins souples, de faible acidité et sensiblement moins tanniques que ceux issus de Cabernet (surtout Cabernet Sauvignon). Tout en bénéficiant des avantages du Merlot — notamment son rendement abondant — la vinification compense ces éventuelles carences, d'où, entre autres, la pratique de l'éraflage partiel et l'élevage très bénéfique en barriques neuves.

L'équipe qui œuvre à Château Magdelaine s'emploie également à Château Pétrus (voir p. 222) ; c'est dire combien les résultats obtenus ont confirmé l'usage de cette méthode.

PLAT IDÉAL :
Col-vert en salmis

AGE IDÉAL : 5 à 6 ans
Années exceptionnelles : 10 à 15 ans

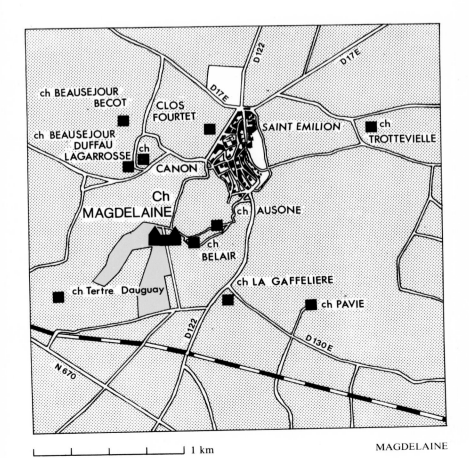

1 km   MAGDELAINE

COTATIONS COMMENTÉES

1961	10	concentré, équilibré, ouvert • **à boire**
1962	8	atteint son apogée ; un petit 1961 • **à boire**
1964	7	un peu déséquilibré • **à boire**
1966	7	solide et rond, manque de finesse • **commencer à le boire**
1967	6	mince et élégant • **devrait être bu**
1970	9	puissant ; évolution très lente • **commencer à le goûter**
1971	8	équilibre, harmonie, charme • **à boire**
1972		millésime sans intérêt
1973	6,5	agréable et facile • **à boire sans se presser**
1974	6	millésime moyen • **à boire**
1975	9	très puissant, fermé • **essayer en 1985**
1976	8	vendanges surmûries, vin de charme • **à boire**
1977	5	mince ; un peu vert • **à boire**
1978	7,5	plein, bon millésime • **à boire en 1984-1985**
1979	8	profondeur, charme • **à boire en 1984-1985**
1980	6	mince, élégant • **à boire dès 1985**
1981	8	souplesse avec charme • **à boire dès 1986**

CHATEAU PAVIE

1er GRAND CRU CLASSÉ

L'origine de cette propriété remonte à la nuit des temps. Au IVe siècle, la colline de Saint-Émilion recevait — ou avait reçu — ses premières plantations de vignes. A la même époque, le coteau de Pavie — qui lui fait face — était également planté. Il faut attendre la fin du XVIIIe ou le début du XIXe siècle pour que les crus s'affirment à Saint-Émilion. Au début du XIXe siècle, la famille Fayard-Tallemon est propriétaire de Pavie. En 1885, un négociant bordelais, Ferdinand Bouffard, s'en porte acquéreur. C'est un homme ambitieux qui va créer l'un des plus grands vignobles de Saint-Émilion. Pour agrandir son domaine, il achète Château Pavie-Pigasse (Pigasse étant le nom du propriétaire précédent), Château Pimpinelle, Château Larcis-Bergey, Château La Sable. Après la Première Guerre mondiale, Albert Porte acquiert ce vaste domaine qu'il conserve jusqu'en 1943, année où Alexandre Valette en devient propriétaire. Depuis sa mort, en 1957, les consorts Valette poursuivent l'exploitation de

FICHE TECHNIQUE

AOC	Saint-Émilion		Levurage (origine)	naturel
Production	12 000 caisses		Temps de cuvaison	10 jours (fermentation) + 10-12 jours
Date de création du vignoble	1885		Chaptalisation	si nécessaire (12°-12°5 idéal)
Surface	35,5 ha en production 37 ha au total		Température des fermentations	25° à 30°
Répartition du sol	un seul tenant		Mode de régulation	serpentin
Géologie	argile, calcaire, sable (voir texte)		Type des cuves	ciment (de 1927)
			Vin de presse	incorporé lors des soutirages

CULTURE

Engrais	organique		Age des barriques	renouvellement par tiers annuel
Taille	Guyot simple (6 yeux + 2 yeux)		Temps de séjour	18-22 mois
Cépages	C.S. 20 % - C.F. 25 % - M. 55 %		Collage	blancs d'œufs
			Filtration	aucune
Age moyen	38 ans			
Porte-greffe	41 B - 420 A - 3 309		Directeur d'exploitation	Jean-Paul Valette
Densité de plantation	5 400 pieds/ha		Maître de chai	Pierre Rabaud
Rendement à l'ha	32 hl		Régisseur	Gilles Clauzel
Replantation	par tranches, renouvellement sur 60 ans		Œnologue conseil	Prof. Peynaud
			Type de bouteille	Tradiver
Traitement antibotrytis	oui, depuis 1970		Vente directe au château	oui
			Commande directe au château	oui

VINIFICATION

Éraflage	100 %		Contrat monopole	non

Pavie ainsi que des deux grands crus classés Château La Clusière, enclavé dans Château Pavie, et Pavie-Decesse depuis 1971.

■ Lieu de naissance

Limité au sud à une trentaine de mètres d'altitude par la route départementale 130 E reliant Saint-Émilion à Saint-Étienne-de-Lisse, le vignoble de Château Pavie monte à l'assaut de la colline jusqu'à l'altitude de 90 mètres environ. Il est orienté plein sud. Sur 8 hectares, la vigne exploite les argiles profondes (100-150 cm), alors que dans les 22 hectares de coteau, quelque 40 ou 50 centimètres de terre maigre recouvrent les roches de calcaire friable. Enfin, au bas des coteaux, 7 hectares de sol sablo-argileux complètent le vignoble de Château Pavie.

■ Culture et vinification

Le vignoble atteint un bel âge, les plus vieilles vignes ont plus de 100 ans, ce sont les doyennes de Saint-Émilion. Le plan de renouvellement développé sur 60 ans doit permettre à Château Pavie de bénéficier de l'avantage des vieilles vignes. La fiche technique ci-dessous décrit la vinification. Les fermentations durent une dizaine de jours, mais le vin n'est décuvé qu'après 20 à 22 jours.

■ Le vin

Le Château Pavie brille par une bonne construction et une souplesse au service de la finesse. Le Château Pavie idéal se présente ainsi : alcool : 12,5 à 13 % ; acidité totale : 3,5 g/l ; indice de tannin : 40 à 45.

PLAT IDÉAL :
Filet mignon de chevreuil

AGE IDÉAL : 8 ans
Années exceptionnelles : 15 à 20 ans

SAINT-ÉMILION 1er GRAND CRU CLASSÉ

Château Pavie

Appellation St-Emilion 1er Grand Cru Classé Contrôlée

1978

VALETTE
PROPRIÉTAIRES A St-ÉMILION (GIRONDE)

75 cl

PRODUCE OF FRANCE

COTATIONS COMMENTÉES

Année	Note	Commentaire
1961	8,5	belle robe, nez épicé, fruité, riche, plein • **à boire**
1962	7	fruité, souple • **à boire**
1964	8	couleur mûrie, nez épicé, fin • **à boire**
1966	7,5	mûr, concentré, flatteur, fin • **à boire sans délai**
1967	7	corpulent, plein, riche, aromatique, fruité • **à boire**
1969	5	robe tuilée, un peu étroit, décline • **à boire sans délai**
1970	7,5	fruité, léger, un peu court • **à boire**
1971	10	fin, rond, souple, fondu • **à boire**
1973	6,5	charpente légère mais bouquet riche, agréable • **à boire**
1974	6	peu évolué, mince • **à boire**
1975	8	racé, corsé mais fin et souple, étoffé • **commencer à le boire**
1976	9	belle robe, bouquet fruité ; tannins en cours d'évolution • **à boire en 1984**
1977	6	fin, fruité, manque de corps • **à boire en 1984**
1978	8,5	complet, rond, charnu • **à boire en 1987**
1979	9,5	puissant, concentré, tannique • **à boire en 1988**
1980	7	style 1967, charnu, 30 hl/ha • **à boire dès 1986**
1981	8,5	concentré, fin, 27 hl/ha • **à boire dès 1991**

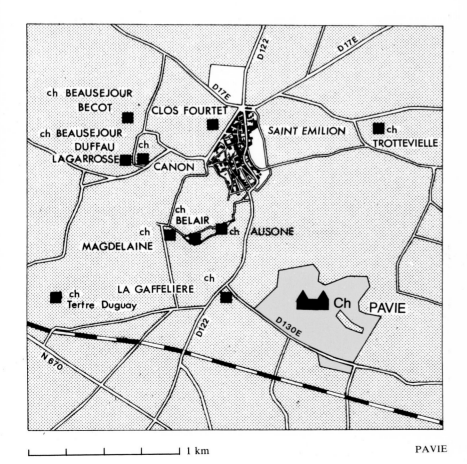

1 km

PAVIE

CHATEAU TROTTEVIEILLE

1er GRAND CRU CLASSÉ

L'histoire du Château Trottevieille est obscure. Certains indices donnent à penser qu'autrefois ce lieu servait d'auberge et de halte aux diligences. Doit-il son nom à cette ancienne fonction ? Une vieille légende le laisse supposer. Ce vin, en tant que cru, est connu de longue date. On le cite au XIXe siècle. Au début du XXe, du temps de Mlle Dumugron, il appartient à M. Charles-Jean. Puis, du temps de la famille Gibaud, le volume de la production augmente sérieusement. M. Borie et son gendre, Émile Castéja, émerveillés par la qualité d'un Château Trottevieille 1943, se portent acquéreurs de la propriété. De nos jours, Émile Castéja administre ce 1er grand cru de Saint-Émilion avec la même compétence qu'à Château-Batailley et Château Lynch-Moussas dans le Médoc (voir ces chapitres p. 92 et 108).

■ Lieu de naissance

A mi-distance, ou presque, de Saint-Émilion et de Saint-Christophe-des-Bardes, et longé par la route départementale 130 qui relie ces deux lieux, le vignoble de Trottevieille est ceint de routes. A

FICHE TECHNIQUE

AOC	Saint-Émilion		Levurage (origine)	naturel
Production	4 000-5 000 caisses		Temps de cuvaison	15 à 21 jours
Date de création du vignoble	XVIIIe siècle		Chaptalisation	si nécessaire
Surface	10 ha		Température des fermentations	inférieure à 30o
Répartition du sol	un seul tenant		Mode de régulation	par serpentin
Géologie	argile calcaire		Type des cuves	ciment
			Vin de presse	en fonction du millésime
			Age des barriques	renouvellement par quart annuel

CULTURE

Engrais	organique ; chimique		Temps de séjour	18 mois
Taille	Guyot simple		Collage	blancs d'œufs
Cépages	C.S. 25 % - C.F. 25 % - M. 50 %		Filtration	sur plaques à la mise
Age moyen	30 ans			
Densité de plantation	6 000 pieds/ha		Maître de chai	Jean Brun
Rendement à l'ha	40 hl		Régisseur	Jean Brun
			Œnologue conseil	Rolland
			Type de bouteille	bordelaise
			Vente directe au château	non
			Commande directe au château	oui

VINIFICATION

Éraflage	100 %		Contrat monopole	oui (Borie-Manoux)

l'altitude élevée de 91 à 83 mètres, il s'incline vers l'ouest. Comme celui de tous ses voisins, son sol se compose d'une couche de terres argileuses et argilo-calcaires sur socle calcaire de l'époque du stampien.

■ Culture et vinification

L'encépagement respecte les habitudes locales puisque Cabernet et Merlot sont également présents. Par contre, Trottevieille appartient à la catégorie des Saint-Émilion qui font appel au Cabernet-Sauvignon (25 %) alors que certaines propriétés — non des moindres, Ausone par exemple — n'en ont pas un pied. Culture et vinification usent de méthodes éprouvées qui sont exactement celles qu'Émile Castéja a également adoptées dans ses propriétés du Médoc. Le moût fermente dans des cuves de ciment. La durée des cuvaisons est variable chaque année en fonction de la nature des moûts, donc des conditions climatiques. La durée de l'élevage en barriques est également modulée ; l'indication fournie dans la fiche technique représente une moyenne.

■ Le vin

Château Trottevieille est un vin de vieille réputation, connu pour la régularité de sa production. La maîtrise des vinifications permet cette régularité. Elle permet également d'atteindre le but poursuivi, à savoir la production d'un vin équilibré qui n'impose pas une trop longue garde avant d'atteindre son apogée. Dans les années récentes, 1979 semble devoir s'affirmer comme particulièrement représentatif.

PLAT IDÉAL :
Lamproie à la bordelaise

AGE IDÉAL : 4 ans
Années exceptionnelles : 7 à 10 ans

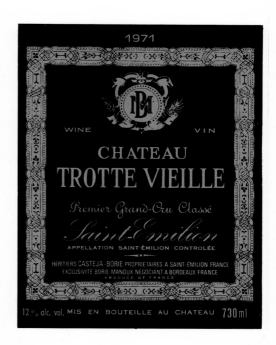

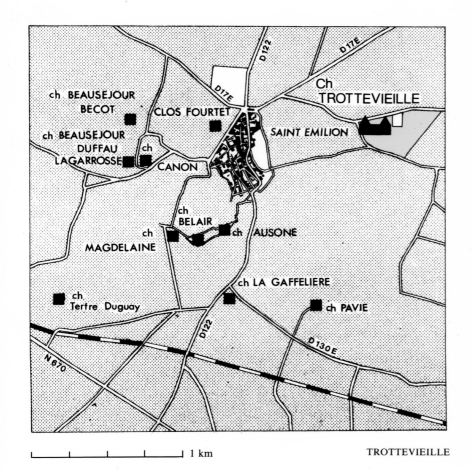

1 km

TROTTEVIEILLE

COTATIONS COMMENTÉES

Année	Note	Commentaire
1959	10	parfait, équilibré • **à boire**
1961	9	plein et rond, concentré • **à boire**
1962	8	souple et fruité • **à boire**
1964	7,5	robe tuilée, vin élégant • **à boire**
1966	7,5	bon millésime très évolué • **à boire sans délai**
1967	7	aromatique • **à boire**
1970	8,5	plein, direct, rond • **à boire**
1971	8	souplesse et harmonie • **à boire**
1972	5	peu de couleur, mince • **à boire**
1973	5,5	manque d'étoffe, un peu court • **à boire**
1974	5,5	peu aimable ; évolue lentement • **à boire**
1975	9	fin et ample • **commencer à le boire**
1976	7,5	belle robe, souple • **à boire**
1977	6,5	meilleur qu'on ne le croit • **à boire**
1978	8	fruité, ferme, manque de gras • **à boire en 1984**
1979	9,5	belle robe ; charpente et chair • **à boire en 1985**
1980		type 1973, facile • **à boire en 1984**
1981	8	plein, rond, complet • **à boire dès 1988**

Pomerol

17
25
31
13
41
12
B
33
26
48
48bis
49
61
H
11

D122

66

SAINT- CHRISTOPHE DES BARDES

Libourne

24
44
D17E
9bis 9
19
14 42 55
45
20
70
22
7 59
56
34
60 D17E
46
28
64 54 32
3
27
67
6
30
40
23
62 D130E
15
37 50
69
L
4
C
29
16 5
58 52
D
36
G
St-Emilion
1
F 51
47
N670
E
A 10
38
J 35
18
Dordogne
53
I
68
65
I
63
57
2 21
K
39
8
43
St-LAURENT DES COMBES
D122
SAINT- SULPICE DE FALEYRENS

1er GRAND CRU CLASSE

GRAND CRU CLASSE

A. Ch. Ausone. B. Ch. Cheval Blanc. C. Ch. Beauséjour (Bécot). D. Ch. Beauséjour (Duffau-Lagarrosse).
E. Ch. Belair. F. Ch. Canon. G. Ch. Coutet. H. Ch. Figeac. I. Ch. La Gaffelière. J. Ch. Magdeleine.
K. Ch. Pavie. L. Ch. Trottevielle.

N°	CHATEAU	SURFACE DU VIGNOBLE (ha)	PRODUCTION (nombre de caisses)	ENCÉPAGEMENT (%) C.S.	C.F.		Autres	AGE MOYEN DU VIGNOBLE (années)	TYPE DE SOL
1	L'ANGELUS	28	15 000		60	40		25	argilo-calcaire, argilo-siliceux, argileux
2	L'ARROSEE								
3	BALESTARD-LA-TONNELLE	10,60	4 500	11	23	62	4 Malbec	35	argilo-calcaire
4	BELLEVUE	6	2 500-3 000	oui	oui	oui		10	argilo-calcaire
5	BERGAT	4	1 500-2 000	25	25	50		30	argilo-calcaire
6	CADET-BON	4,18	2 000	20	20	60		35	argilo-calcaire
7	CADET-PIOLA	7	2 000	28	18	51	3 Malbec	15	argilo-calcaire
8	CANON-LA-GAFFELIÈRE	19	10 000	5	30	65		18	sablonneux
9 et 9bis	CAP-DE-MOURLIN (deux propriétaires)	17,50	7 500	8	30	59	3 Malbec	35-40	argile, terre souple, crasse de fer
10	CHAPELLE-MADELEINE	0,20	45			50		45	calcaire
11	CHAUVIN	12	6 000	10	20	70		25	graveleux, sablo-graveleux
12	CORBIN	12	7 000	40		60		30	argile, sable, crasse de fer
13	CORBIN-MICHOTTE	7	2 800	5	45	50		30	graveleux, sablo-ferrugineux
14	CÔTE-BALEAU (voir 29)								
15	COUTET	11	3 800	10	20	60	10 Pressac Malbec	35	argilo-calcaire
16	COUVENT-DES-JACOBINS	9,30	3 500-4 000	15	25	60		35	silico-argileux, sablo-ferrugineux
17	CROQUE-MICHOTTE								
18	CURÉ-BON								
19	DASSAULT								
20	FAURIE-DE-SOUCHARD	11	4 000	8,5	26,5	65		18	argilo-calcaire, siliceux, crasse de fer
21	FONTPLÉGADE	18	10 000	16,5	16,5	67		25-30	argilo-calcaire
22	FONROQUE	19	10 000	5	25	70		25	argilo-calcaire
23	FRANC-MAYNE								
24	GRAND-BARRAIL LAMARZELLE-FIGEAC	36	20 000		10	90		50	argilo-sableux, sous-sol ferrugineux
25	GRAND-CORBIN-DESPAGNE	30	12 000	5	30	65		40	sablonneux, argilo-calcaire
26	GRAND-CORBIN	15	7 000	40		60		25	sable, sous-sol crasse de fer
27	GRAND-MAYNE	19	10 000	10	40	50		30	argilo-calcaire, sablo-graveleux
28	GRAND-PONTET	14	6 600	20	20	60		30	argilo-calcaire
29	GRANDES-MURAILLES comprend 3 crus classés : Clos Baleau (14) Clos St-Martin (36) Les Grandes-Murailles	21	10 000		33	67		10 à 80	argilo-calcaire
30	GUADET-SAINT-JULIEN	5,50	2 500	10	10	80		30	argilo-calcaire, crasse de fer
31	HAUT-CORBIN	7	3 500	33		67		20	sableux, sous-sol argileux
32	HAUT-SARPE	12	5 600	10	30	60		35	argilo-calcaire avec astéries
33	JEAN-FAURE	17	6 000		60	30	10 Malbec	30	graves de Saint-Émilion
34	CLOS DES JACOBINS	8	3 900	5	10	85		30	sable sur calcaire à astéries
35	CLOS DE LA MADELEINE	2	800	25	25	50		20	argilo-calcaire
36	CLOS SAINT-MARTIN (voir 29)								
37	LA CARTE (voir p. 230)			20	20	60		40	argilo-calcaire
38	LA CLOTTE	4,50	2 000	10	20	70		35	argilo-calcaire
39	LA CLUSIÈRE	3	900	15	20	65		40	argilo-calcaire
40	LA COUSPAUDE	7	3 000	oui	oui	oui		25	argilo-calcaire
41	LA DOMINIQUE	21	8 000	16,5	16,5	67		25	sable, argile, graves
42	LANIOTE								
43	LARCIS-DUCASSE	10	4 000	10	20	60	10 Malbec	30	argilo-calcaire, sablo-calcaire
44	LAMARZELLE	36	20 000	oui	oui	75		35	sables et graves
45	LARMANDE	12	4 800-5 000	15	25	60		30	argile, alios, sable, crasse de fer
46	LAROZE	27	10 000	10	40	50		20	sableux

* Certains châteaux ne comportent aucune indication chiffrée, les propriétaires ne nous ayant pas communiqué de renseignements.

Nº	CHATEAU	SURFACE DU VIGNOBLE (ha)	PRODUCTION (nombre de caisses)	ENCÉPAGEMENT (%)				AGE MOYEN DU VIGNOBLE (années)	TYPE DE SOL
				C.S.	C.F.	M.	Autres		
47	LASSERRE	7	2 800-3 500		20	80		30-40	argilo-calcaire
48 et 48bis	LA-TOUR-DU-PIN-FIGEAC (deux propriétaires)								
49	LA-TOUR-FIGEAC	14	6 500		40	60		28	graves
50	LE-CHATELET	4,50	2 500	33,33	33,33	33,33		20-25	argilo-calcaire
51	LE COUVENT								
52	LE PRIEURÉ	5,26	1 500		30	70		27	argilo-calcaire
53	MATRAS	16,5	7 500	10	55	30	5 Malbec	30	argilo-silico-calcaire
54	MAUVEZIN	4,5	1 500	10	50	40		80 à 100	calcaire à astéries
55	MOULIN-DU-CADET	5	2 500		30	70		25	argilo-calcaire
56	CLOS L'ORATOIRE	8,50	4 000	5	20	75		25	sablonneux, argilo-calcaire
57	PAVIE-DECESSE	9	3 000	20	20	60		30	argiles lourdes
58	PAVIE-MACQUIN	10	4 000	20	20	60		18	argileux
59	PAVILLON-CADET	2,50	1 300		50	50		25	argileux
60	PETIT-FAURIÉ-DE-SOUTARD	7,80	3 300	6	32	59	3 Malbec	40	argile, argilo-calcaire
61	RIPEAU	15	6 500	25	25	50		20	sables argilo-calcaires
62	SANSONNET	7	3 000-4 000	20	40	40		20-35	argilo-calcaire
63	SAINT-GEORGES-CÔTE-PAVIE	5,5	2 000					20-25	argilo-calcaire
64	SOUTARD	23	8 000	5	30	65		30	argilo-calcaire
65	TERTRE-DAUGAY	15,50	2 000		30	70		35-40	silico-argileux, argilo-calcaire
66	TRIMOULET	18	9 000	16,5	16,5	67		40	argilo-siliceux et ferrugineux
67	TROIS-MOULINS incorporé à Beauséjour Bécot (voir p. 230) depuis 1979			20	20	60		40	argilo-calcaire
68	TROPLONG-MONDOT								
69	VILLEMAURINE	7	5 000	15	15	70		1/3 : 10-15 ans 2/3 : 30-50 ans	argilo-calcaire
70	YON-FIGEAC	25	10 000	25	25	50		20	sable, graves

Acide acétique

(ou acidité volatile). Acide d'origine fermentaire (bactérie acétique) dont l'excès rend le vin impropre à la consommation. Dose normale : 0,4 g/l. Dès 0,9 g/l, le vin n'a plus le droit d'être commercialisé.

Acide lactique

Acide d'origine fermentaire produit lors de la fermentation malolactique (vin rouge : 1-2 g/l).

Acide malique

Disparaît à la suite de la « fermentation malolactique ». Voir ce mot.

Acidité fixe

Différence entre acidité totale et acidité volatile. Si l'on distille du vin, l'acidité volatile passe dans le distillat (s'évapore), alors que les acides composant l'acidité fixe demeurent dans le ballon.

Acidité volatile

Voir *acide acétique.*

Anthocyanes

Famille de substances colorantes.

Bitartrate de potassium

Petits cristaux qui se forment sous l'action du froid, particulièrement visibles dans les vins blancs. Ils n'altèrent aucunement le vin. On évite leur formation ultérieure en favorisant leur précipitation par refroidissement du vin avant la mise en bouteilles.

Botryticine

Antibiotique inhibiteur des fermentations produit par le *botrytis cinerea.*

Botrytis Cinerea

Moisissure provoquant la pourriture du fruit. Lorsque cette pourriture est grise, elle est nuisible, lorsqu'elle est brune, on l'appelle « noble ». Les conditions climatiques sont déterminantes. La « pourriture noble » est nécessaire à l'élaboration des vins blancs liquoreux.

Bourbe

Matière solide (pulpe, pépins, rafles, terre, etc.) contenue dans le moût.

Chapeau

Élément solide (rafle, pellicule) qui se constitue dans la partie supérieure de la cuve de fermentation (vin rouge) et que l'on arrose lors des remontages. Voir ce mot.

Chaptalisation

Sucrage. D'après le nom de Chaptal (1756-1832), chimiste qui développa la théorie du sucrage des moûts. Voir p. 8 et voir *sucrage.*

Collage

Opération destinée à clarifier les vins. Voir p. 9.

Cuvaison

(ou cuvage). Période de stationnement du raisin dans la cuve, de la fermentation et de la macération. S'achève par l'écoulage. Voir p. 8.

Écoulage

Décuvaison.

Égouttage

Extraction par la simple pesanteur du jus des raisins blancs — moût de goutte (avant pressurage).

Égrappage

Mot employé dans le Bordelais pour « éraflage ».

Éraflage

(égrappage). Séparation des rafles des baies. Voir p. 8.

Fermentation alcoolique

Transformation du sucre en alcool sous l'action de nombreuses levures fermentaires dont la plus répandue est du genre *saccharomyces.*

Fermentation malolactique

Fermentation lactique de l'acide malique due à l'action des bactéries lactiques. Se traduit par une diminution de l'acidité du vin. Tous les vins rouges

251

la subissent. Elle est évitée dans les vins liquoreux et les vins blancs bordelais (contrairement aux bourgogne blancs).

Filtration

Consiste à faire passer le vin au travers d'un filtre généralement constitué de plaques cellulosiques. Voir p. 9.

Indice de permanganate

Taux de l'ensemble des polyphénols du vin (tannins) exprimé en milliéquivalents par litre :

1 à 12 dans les vins blancs ;

40 dans les vins rouges souples ;

50 dans les vins rouges tanniques ;

70 dans les vins rouges très tanniques.

Voir *tannin*.

Levurage

Adjonction de levures pour ensemencer le moût.

Milliéquivalent

Mesure précise de l'acidité (fonction du poids moléculaire et de la valence).

Moût

Jus de raisin frais non fermenté.

Mutage

Arrêt des fermentations avant leur terme par suppression des levures. On emploie généralement pour cela l'anhydride sulfureux.

Pied de cuve

Bouillon de culture de levures préparé avec les raisins de la propriété pour ensemencer les premières cuves.

Polyphénols

Matières tannoïdes. Voir *indice de permanganate* et *tannin*.

Rafle

Partie ligneuse qui supporte les baies (grains).

Rape

Rafle.

Rège

Employé dans le Sud-Ouest pour désigner les rangs de vignes.

Remontage

Circulation du moût que l'on prend en bas de la cuve afin d'arroser le chapeau lors de la fermentation.

Cette pratique essentielle favorise la production d'alcool et de couleur.

Soutirage

Action de tirer le vin. Est généralement destiné à séparer le vin clair des lies qui tombent au fond du fût.

Sucrage

(ou chaptalisation). Adjonction de sucre dans le moût afin d'augmenter son titre alcoolique après fermentation : 17 g de sucre produisent 1 degré dans un litre. Le sucrage est autorisé, en Gironde, dans la limite de 2 degrés.

Sucre résiduel

Sucre non transformé en alcool.

Sulfitage

Introduction de SO_2 (anhydride sulfureux) dans le vin, soit en brûlant une mèche soufrée, soit par adjonction d'une solution sulfureuse.

Tannin

Ensemble des polyphénols contenus dans les pellicules et les rafles, dissous lors de la fermentation alcoolique.

Vin blanc : 0,1 à 0,4 g/l.

Vin rouge : 1 à 3 g/l.

Voir *indice de permanganate*.

Vin de goutte

Vin rouge qui s'écoule de la cuve.

Vin de presse

Vin rouge issu du pressurage des marcs extraits de la cuve. Voir p. 9.

CRÉDITS PHOTOGRAPHIQUES

Julliard (Photos Alain Danvers) : 38, 54, 56, 58, 60, 62, 70, 72, 74, 80, 90, 96, 100, 104, 106, 108, 110, 114, 118, 120, 122, 124, 128, 132, 134, 158, 172, 174, 176, 178, 180, 182, 184, 186, 188, 190, 192, 196, 202, 204, 206, 210, 212, 214, 218, 220.

Julliard (Photos Patrick Magaud) : 136, 138, 146, 148, 150, 156, 222, 224, 226, 228, 230, 234, 242, 246.

Michel Dovaz : 20, 26, 32, 34, 36, 42, 46, 68, 86, 88, 92, 94, 98, 112, 126, 130, 160, 198, 200, 208, 228, 232, 244.

Agence Scope (Photos Michel Guillard) : 22, 24, 30, 40, 48, 50, 52, 66, 76, 102, 116.

Château Margaux (photo J.-M. Del Moral) : 18.

Château Brane-Cantenac : 25.

Nicolas : 64, 78, 82, 154.

Baron Philippe de Rothschild : 84.

Château La Mission-Haut-Brion : 140, 142, 144.

Château Bouscaut : 152.

Erratum : p. 246, photo du Château Haut-Sarpe et non du Château Trottevieille.

MAQUETTE FRANZ HÜBSCHER ET DANIELLE AIRES
PHOTOCOMPOSITION NORD COMPO
ACHEVÉ D'IMPRIMER SUR LES PRESSES DE BERNARD NEYROLLES - IMPRIMERIE LESCARET
A PARIS LE 19 FÉVRIER 1981.
DÉPÔT LÉGAL : 1er TRIMESTRE 1981 - NUMÉRO D'ÉDITEUR : 4545